LES MIRACLES DU BAZAR NAMIYA

"Exofictions"

Titre original :
Namiya zakkaten no kiseki
Éditeur original :
Kadokawa Corporation, Tokyo
© Keigo Higashino 2012, 2014
Traduction française publiée avec l'accord de Kadokawa Corporation, Tokyo
par l'intermédiaire du Bureau des Copyrights Français, Tokyo

© ACTES SUD, 2020
pour la traduction française
ISBN 978-2-330-13059-6

KEIGO HIGASHINO

Les miracles
du bazar Namiya

roman traduit du japonais
par Sophie Refle

ACTES SUD

I

LA RÉPONSE SERA DANS LA BOÎTE À LAIT

1

C'était Shōta qui avait proposé qu'ils aillent dans la vieille bicoque. Elle n'était pas loin, et parfaite.

— Comment ça, pas loin et parfaite ? demanda Atsuya en le toisant de haut.

Il était plus grand que Shōta dont le visage avait gardé quelque chose d'enfantin.

— Elle est pas loin, et parfaite pour se planquer. Je suis tombé dessus par hasard quand je suis venu en reconnaissance. Même si je n'ai pas du tout pensé qu'on en aurait besoin.

— Je vous demande pardon à tous les deux, dit Kōhei, qui regardait en se faisant tout petit la vieille Crown arrêtée au bord de la route. Je ne m'attendais pas à ce que la batterie lâche.

Atsuya soupira.

— À quoi bon dire ça maintenant ?

— Quand même, je comprends pas. Elle marchait bien jusqu'à ce qu'on arrive ici, et on n'a pas laissé les phares allumés non plus.

— Elle était en fin de course, fit Shōta. T'as vu le compteur ? La bagnole a plus de cent mille kilomètres. Elle était quasi morte. Ça l'a achevée, de venir jusqu'ici. Je t'avais pourtant dit d'en prendre une neuve si t'en volais une.

Kōhei croisa les bras et grogna.

— Les neuves, elles ont des antivols super efficaces.

— Ça suffit, lança Atsuya. Elle est loin, ta vieille bicoque, Shōta ?

— Non, répondit celui-ci. Vingt minutes au plus, en marchant vite.

— Bon, allons-y. On te suit.

— D'accord, mais on fait quoi pour la voiture ? On peut la laisser ici ?

Atsuya jeta un coup d'œil alentour. La voiture était garée sur une place libre d'un parking privé, dont le titulaire ne manquerait pas de prévenir la police sitôt qu'il la verrait.

— Non, pas vraiment, mais vu qu'elle ne peut plus bouger, on n'a pas le choix. Vous n'y avez pas laissé d'empreintes digitales, non ? Les flics ne devraient pas pouvoir nous identifier.

— On se fie à notre bonne étoile, c'est ça ?

— Tu vois autre chose ?

— Non, je voulais juste savoir. OK, on y va.

Shōta se mit à marcher et Atsuya le suivit. Le sac qu'il portait de la main droite était lourd. Kōhei les rejoignit.

— Atsuya, on pourrait prendre un taxi, non ? On va bientôt arriver à une avenue où je suis sûr qu'il en passe.

Atsuya ricana.

— Si trois mecs comme nous prennent un taxi ici à cette heure-ci, tu peux être sûr que le chauffeur s'en souviendra. Et si la police fait ensuite circuler nos portraits-robots, on sera foutus.

— Rien ne dit que le chauffeur nous regardera, non ?

— Non, mais s'il le fait ? D'ailleurs, même s'il ne nous regarde pas, ça pourrait être quelqu'un capable de se souvenir de la tête de gens qu'il n'a vus qu'un instant.

— Pardon, fit tout bas Kōhei.

— Oh, c'est bon ! Tais-toi et marche.

Il était un peu après 2 heures du matin, et les trois amis se trouvaient dans un quartier résidentiel situé à flanc de colline. Les maisons se ressemblaient toutes, leurs fenêtres étaient presque uniformément noires. Mais ils ne pouvaient baisser la garde. S'ils parlaient trop fort, ils risquaient de réveiller quelqu'un qui regarderait par la fenêtre et appellerait la police pour signaler la présence de trois individus louches. Atsuya tenait à ce qu'elle croie que les voleurs étaient repartis en voiture. Ce qui n'arriverait que si elle ne retrouvait pas la vieille Crown qu'ils avaient abandonnée.

La pente du chemin, légère au début, se fit plus forte, et les maisons, plus rares.

— On continue comme ça longtemps ? demanda Kōhei en haletant.

— On y est presque, répondit Shōta.

Quelques instants plus tard, il s'arrêta près d'une maison isolée qui n'était pas très grande. L'avant servait de magasin, l'arrière de logement. Il y avait une fente pour le courrier dans le rideau métallique baissé, mais aucun nom n'apparaissait sur le couvercle de celle-ci. Le petit hangar voisin servait sans doute de garage et de réserve.

— C'est ici ? fit Atsuya.

— Euh… répondit Shōta, perplexe. Oui, je crois.

— Comment ça, tu crois ? C'est ici, oui ou non ?

— Oui, c'est ici. Mais la baraque ne m'a pas fait la même impression l'autre jour. Elle paraissait moins vieille.

— Ça doit être parce que c'était dans la journée.

— Peut-être.

Atsuya sortit une lampe de poche de son sac et éclaira le rideau métallique. Les caractères de l'enseigne du magasin étaient presque effacés. Il reconnut ceux du mot "Bazar" sans parvenir à lire ce qui était écrit ensuite.

— Un bazar ? À un endroit pareil ? Qui viendrait faire des courses ici ? lâcha-t-il.

— Il a fermé parce que plus personne n'y venait, répliqua Shōta.

— Je vois. Et on entre par où ?

— Par l'arrière. La serrure est cassée.

Il s'engagea dans le passage large d'environ un mètre entre le bâtiment et le hangar. Atsuya et Kōhei lui emboîtèrent le pas. La pleine lune éclairait le ciel. Une petite boîte en bois était accrochée au mur juste à côté de la porte arrière de la maison.

— C'est quoi, ce truc ? murmura Kōhei.

— Tu ne sais pas ? Une boîte à lait. C'est là que le livreur déposait les petites bouteilles de lait, répondit Atsuya.

— Ça alors… s'exclama son ami en la regardant.

Atsuya poussa la porte, et les trois amis entrèrent. Ils perçurent une odeur de poussière, qui n'était pas désagréable. Une machine à laver rouillée, sans doute hors d'usage, était posée dans le petit espace du vestibule.

Ils distinguèrent une paire de sandales poussiéreuses devant la marche de l'entrée et l'enjambèrent pour pénétrer dans la maison sans se déchausser. La première pièce était une cuisine au sol de plancher, avec un évier et une cuisinière sous la fenêtre, à côté d'un réfrigérateur à deux portes, et au milieu, une table et des chaises.

Kōhei ouvrit le réfrigérateur.

— Il est vide, fit-il d'un ton déçu.

— C'est normal, objecta Shōta. Tu t'attendais à quoi ? À pouvoir manger quelque chose ?

— J'ai juste dit qu'il était vide.

La pièce suivante, au sol de tatamis, était meublée d'une commode et d'un autel bouddhique. Des coussins plats étaient empilés dans un coin. Aucun d'entre eux n'avait envie de regarder ce que le placard contenait.

Il y avait ensuite le magasin, qu'Atsuya éclaira de sa lampe de poche. Les rayons contenaient quelques articles de papeterie, de cuisine et de ménage.

Shōta ouvrit le petit tiroir de l'autel bouddhique.

— On a de la chance, s'écria-t-il. Il y a des bougies. On va y voir plus clair.

Il en alluma plusieurs qu'il disposa çà et là. Elles faisaient assez de lumière pour qu'il pût éteindre sa lampe de poche. Kōhei s'assit en tailleur sur les tatamis.

— On n'a plus qu'à attendre l'aube, dit-il.

Atsuya sortit son téléphone et vit qu'il était un peu après 2 h 30 du matin.

— Il y avait aussi ça dans un des tiroirs de l'autel bouddhique, fit Shōta en montrant un magazine qui paraissait ancien.

— Fais voir, demanda Atsuya en tendant la main.

Il épousseta la couverture qui montrait un visage de femme souriant. Il la regarda avec l'impression de l'avoir déjà vue quelque part et reconnut une actrice qui avait la soixantaine aujourd'hui et jouait souvent des rôles de mère âgée dans des séries télévisées.

Il chercha la date de parution sur la dernière page et découvrit que le numéro avait plus de quarante ans. Ses amis ouvrirent de grands yeux quand il leur annonça.

— C'est incroyable ! Je me demande ce qui se passait à cette époque, dit Shōta.

Atsuya tourna les pages, qui ressemblaient à celles des hebdomadaires actuels.

— "Des supermarchés pris d'assaut par des gens venus acheter du papier hygiénique et des produits de lessive…" Ça me rappelle quelque chose.

— Moi, je sais ! fit Kōhei. Le premier choc pétrolier.

Atsuya consulta le sommaire puis jeta un coup d'œil sur les dernières pages sans voir aucune photo de femme nue ou de chanteuse à la mode. Il posa le magazine sur les tatamis.

— Je voudrais bien savoir depuis combien de temps cette maison est inhabitée… s'interrogea-t-il tout haut après avoir remis le magazine à sa place. Il reste des marchandises sur les étagères, le frigo et la machine à laver sont encore là. On dirait que la personne qui vivait ici est partie à la hâte.

— Elle devait vouloir disparaître, déclara Shōta avec conviction. La boutique n'avait plus de clients, le mec avait des dettes. Et un beau soir, il a décidé de s'évaporer. Oui, ça a dû se passer comme ça.

— Peut-être.

— Je crève de faim, gémit Kōhei. Y a pas de supérette dans le coin ?

— Même s'il y en avait une, je te laisserais pas y aller, répliqua Atsuya en lui lançant un regard noir. On reste ici jusqu'à ce qu'il fasse jour. On n'a qu'à dormir, ça passera vite.

— Moi, je peux pas dormir si j'ai faim, répondit Kōhei en serrant ses genoux de ses bras.

— Et moi, j'ai pas envie de m'allonger sur ces tatamis poussiéreux, ajouta Shōta. Si au moins on trouvait quelque chose à mettre par terre.

— Attends une minute, dit Atsuya en se relevant.

Il alluma sa lampe de poche et alla dans le magasin où il chercha sur les étagères en espérant y trouver des bâches en plastique.

Il vit un rouleau de papier à shōji* et pensa qu'il pourrait leur servir. Il était sur le point de le prendre lorsqu'un léger bruit dans son dos le fit sursauter.

---

* Porte constituée d'une trame de bois recouverte de papier. *(Toutes les notes sont de la traductrice.)*

Il se retourna et vit quelque chose de blanc qui ressemblait à une enveloppe tomber dans le carton placé sous la fente du rideau métallique.

Son sang ne fit qu'un tour. Quelqu'un venait de glisser une lettre à l'intérieur. Comment était-ce possible dans cette vieille bicoque, à une heure aussi tardive ? Cela ne pouvait que signifier que leur présence avait été remarquée et qu'on voulait leur faire savoir quelque chose.

Il inspira profondément, poussa le couvercle de la fente et inspecta les alentours du regard. Au lieu des voitures de police qu'il redoutait, il ne vit que l'obscurité, sans aucun signe de présence humaine.

Un peu rassuré, il ramassa l'enveloppe. Le nom du destinataire n'était pas écrit sur l'endroit, mais il lut sur le revers : "Le lapin de la lune".

Il revint dans la pièce à tatamis avec la lettre, et la montra à ses deux amis qui firent la grimace.

— Comment c'est possible ? Tu es sûr qu'elle n'était pas là avant ? demanda Shōta.

— Non, elle vient d'arriver. Je le sais parce que je l'ai vue tomber dans le carton. D'ailleurs l'enveloppe est toute neuve. Si elle était déjà là avant, elle serait couverte de poussière.

Le grand Kōhei se recroquevilla sur lui-même.

— C'est la police ?

— J'y ai pensé aussi, mais je crois pas. Elle prendrait pas des voies aussi détournées.

— T'as raison, murmura Shōta. Et puis elle signerait pas "Le lapin de la lune".

— Mais c'est qui, alors ? lâcha Kōhei, l'air inquiet.

Atsuya étudia l'enveloppe des yeux. Elle lui avait paru lourde. Si c'était une lettre, elle devait être longue. Que pouvait avoir à dire son auteur ?

— Je pense que cette lettre ne nous est pas destinée.

Ses deux amis lui jetèrent un regard interrogatif.

— Réfléchissez un peu. Combien de temps s'est écoulé depuis qu'on est arrivés ici ? Pour écrire autant de pages, il faut au moins une demi-heure.

— C'est vrai. Tu dois avoir raison, approuva Shōta. Mais c'est peut-être pas une lettre.

— Peut-être pas, fit Atsuya en la regardant.

Il saisit l'enveloppe soigneusement fermée, avec une expression déterminée.

— Qu'est-ce que tu vas faire ? demanda Shōta.

— L'ouvrir. Comme ça, on sera fixés.

— Mais elle nous est pas destinée, le contra Kōhei. Tu crois que ça pose un problème de la lire ?

— On n'a pas le choix. De toute façon, le nom du destinataire n'est pas indiqué.

Atsuya déchira l'enveloppe et en sortit la lettre de ses doigts gantés. Il la déplia et vit que le papier était couvert d'une écriture fine, à l'encre bleue. La première ligne disait : "C'est la première fois que je vous demande conseil."

— C'est quoi, ce truc ? murmura-t-il sans même s'en rendre compte.

Ses deux amis se mirent à la lire par-dessus son épaule. Son contenu était étrange.

C'est la première fois que je vous demande conseil. Je me présente : j'ai choisi pour pseudonyme "Le lapin de la lune", mais je suis une femme. Je vous prie de m'excuser de ne pas vous donner mon vrai nom, mais j'ai mes raisons.

Je suis une sportive, mais je ne peux pas vous dire dans quelle discipline. Au risque de paraître prétentieuse, je ne suis pas mauvaise, et j'ai été présélectionnée comme candidate aux Jeux olympiques de l'an prochain. Si je vous révélais le sport que je pratique, il vous serait facile de m'identifier. Mais je ne peux vous demander conseil sans vous parler des Jeux olympiques.

J'aime un homme. Il me comprend et me soutient plus que quiconque. Son vœu le plus cher est que je sois retenue pour l'équipe nationale, et il affirme qu'il est prêt à tout sacrifier pour cela. Il m'a déjà aidée sur le plan matériel et spirituel un nombre incalculable de fois. Sans lui, je ne serais pas où j'en suis aujourd'hui, et je n'aurais pas pu résister aux entraînements rigoureux. Être sélectionnée pour les Jeux olympiques me paraissait la meilleure façon de lui exprimer ma gratitude.

Mais je vis aujourd'hui un cauchemar. Il est tombé soudainement malade. J'ai failli défaillir quand j'ai appris qu'il était atteint du cancer.

Son médecin m'a révélé, à moi seule, qu'il n'a quasiment aucun espoir de guérison, et que son espérance de vie est au plus de six mois. Je crois cependant qu'il l'a deviné.

Il ne veut pas que je me fasse du souci pour lui et souhaite que je me consacre entièrement au sport, parce que cette période est cruciale pour moi. Mon emploi du temps est très chargé, avec des préparations intensives et des compétitions à l'étranger. Si je veux être sélectionnée, je dois me donner à fond. Je le comprends quand j'y réfléchis.

Mais je suis déchirée. J'ai l'impression d'avoir une double personnalité. D'un côté, je suis la sportive, et de l'autre, la femme qui veut être à ses côtés pour le soigner. Un jour, je lui ai dit que je voulais renoncer aux Jeux olympiques pour le faire. Mais j'ai les larmes aux yeux quand je pense à la tristesse que j'ai vue alors apparaître sur son visage. Il m'a suppliée de changer d'avis, parce que son rêve le plus cher est que je sois sélectionnée, et il m'a assurée qu'il ne mourrait pas tant que je ne serais pas sélectionnée. Et il a exigé que je lui promette de tout faire pour cela.

Nous cachons à son entourage le nom de sa maladie et nous comptons nous marier une fois les Jeux olympiques terminés, mais nous n'en avons pas encore parlé à nos familles respectives.

Je vis au jour le jour sans savoir ce que je dois faire. Je n'arrive plus à me concentrer sur ma préparation et je n'ai pas de bons résultats, ce qui n'a rien d'étonnant. L'idée que je ferais mieux de tout arrêter me déprime, mais je ne peux pas non plus m'y résoudre lorsque je pense à son visage si triste.

Quelqu'un m'a parlé du bazar Namiya au moment où je me débattais contre cette angoisse et j'ai décidé de vous demander conseil.

Vous trouverez dans ce courrier une enveloppe pour la réponse. Aidez-moi, je vous en supplie.

Le lapin de la lune

2

Une fois qu'ils eurent lu la lettre, les trois amis se dévisagèrent.

— C'est quoi, ce truc ? s'exclama Shōta. Pourquoi cette femme a déposé cette lettre ici ?

— Parce qu'elle est tourmentée par ses soucis, répondit Kōhei. C'est ce qu'elle écrit.

— Ça, j'ai compris. Mais pourquoi déposer une telle lettre qui expose tous ces soucis dans un bazar ? Un bazar à l'abandon, qui plus est.

— Comme si je pouvais le savoir !

— Je pensais pas que tu le savais, j'ai juste fait part de mes doutes. Qu'est-ce que c'est que ce truc ?

Atsuya les écouta en étudiant l'enveloppe. La seule chose écrite au dos était "Le lapin de la lune".

— C'est vraiment bizarre, finit-il par dire. Je n'ai pas non plus l'impression que c'est une plaisanterie. Celle qui a écrit ça est sincère, et elle souffre.

— Elle s'est peut-être trompée d'endroit, suggéra Shōta. Peut-être qu'il existe quelque part un bazar à qui les gens qui ont des problèmes demandent conseil, et elle a cru que c'était ici.

Atsuya prit la lampe de poche et se leva.

— Je vais aller voir.

Il sortit par la porte arrière et fit le tour du magasin. Puis il éclaira la vieille enseigne de sa lampe de poche. Il fronça les sourcils et lut : "Namiya" après le mot "Bazar". Il retourna à l'intérieur et l'apprit aux deux autres.

— La lettre est donc arrivée au bon endroit. Mais qui peut espérer une réponse en glissant une lettre dans la fente d'un bazar à l'abandon ? lança Shōta, sceptique.

— C'est peut-être quand même le mauvais endroit, s'entêta Kōhei. Il pourrait y avoir un autre bazar Namiya, et la lettre est adressée à celui-là.

— Non, c'est impossible. Le nom sur l'enseigne est "Bazar Namiya", aucun doute. Je me demande si…

Il s'interrompit et sortit le vieux magazine du tiroir.

— Je l'ai déjà vu quelque part.

— Vu quoi ? demanda Shōta.

— Le nom "Namiya". Il me semble l'avoir aperçu dans ce magazine.

— Tu crois ?

Atsuya l'ouvrit à la page du sommaire. Il trouva immédiatement ce qu'il cherchait. L'article était intitulé : "Un bazar qui a une solution à tous vos soucis !"

— C'est celui-là ! *Nayami** et non Namiya.

Il ouvrit le magazine à la bonne page et trouva cet article :

Un bazar qui offre une réponse à tous les soucis que l'on lui exprime rencontre un grand succès. Il s'appelle le bazar Namiya et se trouve dans la ville de X. Si vous glissez le soir une lettre dans la fente de son rideau métallique, vous obtiendrez une réponse le lendemain dans la boîte à lait qui se trouve à l'arrière du magasin. Son

* En japonais, "souci" se dit *nayami*, un mot très proche de Namiya.

propriétaire, Namiya Yūji, âgé de soixante-douze ans, nous a expliqué en riant ce dont il s'agissait :

"Tout est parti d'une dispute avec des enfants du quartier. Ils font exprès d'appeler mon magasin le « bazar Nayami ». Et comme j'ai une affichette qui dit que le bazar répond à toutes les demandes des clients, ils s'amusaient à me demander s'ils pouvaient me parler de leurs soucis. Je répondais toujours oui, et ils ont commencé à me confier ce qui les préoccupait. Au début, c'était dans le registre de la plaisanterie, mais petit à petit, cela a changé. Un garçon m'a écrit par exemple qu'il détestait apprendre, mais qu'il voulait quand même avoir 10 sur 10 à un contrôle. Il me demandait de lui indiquer comment y arriver. Je mets mon point d'honneur à répondre à tout sincèrement, et j'ai commencé à recevoir des demandes plus sérieuses. Un enfant m'a confié qu'il se faisait du souci pour ses parents qui n'arrêtaient pas de se disputer. Cela m'a conduit à instaurer une règle : toute demande de conseil doit être faite par lettre, dans une enveloppe à glisser dans la fente du rideau métallique. Les réponses sont à retirer dans la boîte à lait à l'arrière du magasin. De cette manière, n'importe qui peut m'écrire de manière anonyme. Au bout de quelque temps, j'ai reçu des lettres d'adultes. Je ne pense pas que l'avis du vieux bonhomme parfaitement ordinaire que je suis puisse servir à grand-chose, mais les réponses que je fournis sont toutes le résultat de mes réflexions."

Nous avons voulu savoir à propos de quel genre de problème il était consulté le plus fréquemment. Les histoires de cœur, nous a-t-il répondu.

"Pourtant, ce sont les lettres auxquelles j'ai le plus de mal à répondre", a-t-il ajouté. C'est d'ailleurs son souci à lui.

L'article était illustré par une petite photo qui montrait un homme âgé debout devant le magasin où ils se trouvaient.

— Ça n'a pas été conservé par hasard, mais pour cet article. Oui, mais c'est quand même surprenant... murmura Atsuya. Je veux bien que le bazar Namiya ait su répondre aux soucis, mais qu'il reçoive encore des demandes aujourd'hui, quarante ans plus tard...

Il regarda à nouveau la lettre du "Lapin de la lune" que Shōta avait en main.

— Elle écrit que quelqu'un lui a parlé du bazar Namiya. Quand on la lit, on a l'impression qu'elle en a entendu parler récemment. Ça voudrait dire qu'on en parle encore ?

Atsuya croisa les bras.

— C'est pas complètement impossible, mais ça paraît difficile à croire.

— Peut-être qu'un vieux gâteux l'a mentionné devant elle, fit Kōhei. Il ignorait que le magasin avait fermé entre-temps et pensait lui rendre service.

— Oui, mais elle aurait quand même dû se rendre compte en arrivant ici que c'était bizarre. Ça se voit que la maison est inhabitée.

— Donc elle est à côté de la plaque. Tellement préoccupée qu'elle délire.

Atsuya fit non de la tête.

— Moi je crois pas que la lettre ait été écrite par quelqu'un qui est à côté de la plaque.

— Et t'expliques ça comment, alors ?

— J'en sais rien, pour l'instant, je réfléchis.

— Peut-être que... commença Shōta. Ça continue.

Atsuya le regarda.

— Qu'est-ce qui continue ?

— Les réponses aux soucis. Ici.

— Comment ça ?

— Plus personne n'habite ici, mais les demandes de conseils continuent à être acceptées. Le vieux a déménagé, mais il vient de temps en temps ramasser les lettres et il met ses réponses dans la boîte à lait. Ça se pourrait, non ?

— C'est sûr, mais dans ce cas-là, il doit être encore vivant. Et il aurait dépassé les cent ans depuis longtemps.

— Quelqu'un lui a peut-être succédé.

— Oui, mais il n'y a aucune trace qui indique que quelqu'un soit entré dans la maison.

— Pas besoin d'y entrer. Il suffit de relever un peu le rideau métallique et de ramasser les lettres.

L'hypothèse de Shōta était crédible. Les trois amis décidèrent de la vérifier en allant dans le magasin. Ils se rendirent compte que le rideau était fixé au sol et ne pouvait pas s'ouvrir.

— Merde, cracha Shōta. Qu'est-ce que ça veut dire ?

Ils revinrent dans la pièce à tatamis. Atsuya relut la lettre du "Lapin de la lune".

— On fait quoi ? demanda Shōta.

— Te fatigue pas à y penser. De toute façon, on partira d'ici dès qu'il fera jour, répondit Atsuya.

Il remit la lettre dans l'enveloppe et la posa sur les tatamis. Le silence s'installa. Dehors, le vent soufflait. La flamme des bougies vacilla légèrement.

— Mais elle va faire comment, elle ? lâcha soudain Kōhei.

— De quoi tu parles ? fit Atsuya.

— Des Jeux olympiques. Elle va y renoncer ?

— Euh… répondit Atsuya, perplexe.

— Je pense pas qu'elle va renoncer. Son ami souhaite qu'elle y participe, lança Shōta.

— Oui, mais il en a plus pour longtemps à vivre. Je vois pas comment elle peut arriver à s'entraîner dans ces conditions. Elle ferait mieux de rester avec lui. Et lui, c'est ce qu'il doit souhaiter, en vrai.

Kōhei avait formulé sa réponse avec une conviction inhabituelle chez lui.

— Je suis pas d'accord. Son ami lutte contre la maladie parce qu'il veut la voir participer aux Jeux olympiques. Il veut tout faire pour tenir jusqu'à ce jour-là. Si elle y renonce, il aura plus la force de vivre, non ?

— Moi, je crois que quoi qu'elle fasse, elle peut pas se concentrer, et qu'au final, elle sera pas sélectionnée pour les Jeux olympiques. Elle va tout rater de toute façon. Et elle se sera privée de la compagnie de son ami pour rien.

— C'est bien pour ça qu'elle doit s'entraîner comme si sa vie était en jeu. Elle a pas de temps à perdre à se faire du souci. Il faut qu'elle se donne à fond et qu'elle arrive à se qualifier, pour lui. C'est la seule chose qu'elle puisse faire.

Kōhei fit la grimace en l'entendant.

— Moi, je pourrais jamais faire ça.

— Il est pas question de toi, mais de ce "Lapin de la lune".

— Ce que je veux dire, c'est que moi, je demande pas aux autres de faire des choses que je pourrais pas faire moi-même. T'en serais capable, toi, Shōta ?

Shōta ne lui répondit pas immédiatement. L'air contrarié, il tourna la tête vers Atsuya.

— Et toi, tu pourrais ?

Celui-ci regarda les deux autres.

— Pourquoi vous vous excitez comme ça ? On n'a pas besoin de réfléchir à cette histoire.

— Qu'est-ce qu'on va faire pour cette lettre ?

— Rien.

— Il faut qu'on lui réponde. On peut pas rester sans rien faire.

— Quoi ? Tu veux écrire une réponse ? réagit Atsuya en regardant le visage rond de Kōhei.

Celui-ci hocha la tête.

— Il vaut mieux, non ? Puisqu'on a ouvert l'enveloppe et lu la lettre.

— Qu'est-ce que tu racontes ? Au départ, il n'y avait personne ici. Tout ça, c'est la faute de celle qui a déposé une lettre ici. On n'a aucune obligation de lui répondre. Shōta, t'es d'accord avec moi, non ?

Shōta se caressa le menton.

— Dit comme ça, oui.

— N'est-ce pas ? On n'a qu'à rien faire. Et surtout rien de superflu.

Atsuya retourna dans le magasin et en revint les bras chargés de rouleaux de papier à shōji. Il en donna aux deux autres.

— Étalez ça par terre, et couchez-vous dessus.

Ils le remercièrent.

Atsuya le fit et s'allongea prudemment. Il ferma les yeux et essaya de dormir. Comme les deux autres ne bougeaient plus, il ouvrit les yeux et releva la tête pour voir ce qu'ils faisaient. Ils s'étaient assis en tailleur, les rouleaux de papier dans les bras.

— Elle pourrait pas l'emmener ? demanda Kōhei.

— De qui tu parles ?

La question venait de Shōta.

— De son ami. Celui qui est malade. Si elle l'emmenait avec lui sur les lieux de ses stages et des compétitions, ils seraient ensemble et elle pourrait quand même faire ce qu'elle a à faire.

— C'est peut-être pas possible. Il est malade. Et il a plus que six mois à vivre.

— Oui, mais il peut sans doute bouger, non ? S'il est capable de s'asseoir dans un fauteuil roulant, elle pourrait l'emmener, non ?

— Si c'était possible, elle aurait pas écrit cette lettre. Sans doute qu'il peut plus quitter son lit, et qu'il est pas transportable.

— Tu crois ?

— Oui.

— Hé, vous deux ! fit Atsuya. Vous allez continuer à discuter longtemps comme ça ? Je vous ai dit de plus y penser, non ?

Embarrassés, ils se turent et baissèrent la tête. Shōta ne tarda pas à relever la sienne.

— Je comprends pourquoi tu dis ça, Atsuya, mais j'arrive pas à le faire. Elle a l'air vraiment préoccupée, cette fille qui se fait appeler "Lapin de la lune". T'as pas envie d'essayer de l'aider, toi ?

Atsuya renifla bruyamment et se releva.

— Tu veux essayer de l'aider, toi ? Me fais pas rire. Comment est-ce que des mecs comme nous pourrions ? On est fauchés, on n'a pas fait d'études, et on connaît personne. Tout ce qu'on sait faire, c'est cambrioler des baraques minables. Et même quand on fait ça, rien ne se passe comme prévu. On vole une voiture pour faire un cambriolage, elle tombe en panne. C'est bien pour ça qu'on est ici, non ? On n'arrive même pas à s'en sortir, et tu voudrais qu'on aide quelqu'un d'autre ? Comme si on en était capables !

Shōta baissa la tête.

— Pour l'instant, il faut qu'on dorme. Tout de suite. Une fois qu'il fera jour, il y aura plus de passage dehors. On pourra se mêler aux gens dans la rue et se casser d'ici, lâcha Atsuya avant de s'allonger à nouveau.

Shōta se mit enfin à étaler du papier sur le tatami. Mais il ne semblait pas pressé. Il finit par ouvrir la bouche, après avoir longuement hésité.

— Oui mais quand même on pourrait lui écrire quelque chose, non ? fit Kōhei.

— Comment ça, quelque chose ? fit Shōta.

— Une réponse, je veux dire. Moi, ça me gêne de ne rien faire.

— T'es bête, ou quoi ? répliqua Atsuya. Pourquoi tu te prends la tête avec ça ?

— Moi, je crois que ce qui compte, c'est d'écrire quelque chose. Parce que ça arrive souvent que ça aide quand quelqu'un écoute ce qu'on a à dire. Cette fille, elle souffre parce qu'elle peut parler à personne de son problème. Et on n'a pas besoin de lui répondre grand-chose, juste qu'on comprend ce qui la tourmente, et qu'on lui souhaite bon courage. À mon avis, ça peut que lui faire du bien.

— Pfuh… fit Atsuya. Si ça peut te faire plaisir, vas-y. Moi, je trouve ça stupide.

Kōhei se leva.

— Il y a de quoi écrire, ici ?

— Tu trouveras ce qu'il faut dans le magasin.

Il y alla en compagnie de Shōta. Quelques instants plus tard, ils en revinrent.

— Vous avez pris ce que vous voulez ? demanda Atsuya.

— Oui. Les feutres marchaient plus, mais les stylos-billes sont utilisables. Et il y avait aussi du papier à lettres, répondit Kōhei, l'air satisfait.

Il entra dans la cuisine, s'assit à la table sur laquelle il posa le bloc de papier à lettres.

— Et on écrit quoi ?

— Tu l'as dit tout à l'heure, non ? J'ai bien compris vos soucis, et je vous souhaite bon courage. Si tu écris ça, c'est bon, non ?

— Tu trouves pas que c'est un peu trop sec ?

Atsuya claqua légèrement de la langue.

— T'as qu'à écrire toi-même.

— Je pensais à ce dont on a parlé tout à l'heure. L'idée que son petit ami pourrait l'accompagner, dit Shōta.

— Pourtant, c'est bien toi qui as dit que si c'était possible, elle aurait pas envoyé ce message.

— Oui, mais finalement, je trouve que ça serait pas mal de vérifier.

L'air perplexe, Kōhei regarda Atsuya.

— T'en penses quoi ?

— J'en sais rien, moi, répondit Atsuya en tournant la tête de côté.

Kōhei prit le stylo. Mais avant de se mettre à écrire, il jeta un coup d'œil aux deux autres.

— Il y a une formule qu'on écrit au début d'une lettre, non ?

— Je vois ce que tu veux dire, répondit Shōta. Mais je crois qu'on peut faire sans. Il n'y en avait pas dans la lettre qu'elle a envoyée. T'as qu'à écrire comme si c'était un mail.

— OK. Comme un mail, hein ? Donc j'écris : j'ai bien reçu votre mail, euh non, votre lettre.

— T'as pas besoin de nous lire ce que t'écris, le reprit Shōta.

Atsuya entendait le son du stylo de Kōhei sur le papier. Il avait l'air d'appuyer assez fort.

— J'ai fini, annonça-t-il quelques minutes plus tard en revenant avec une feuille de papier à lettres.

— Elle est vraiment moche, ton écriture !

Atsuya regarda par-dessus son épaule et vit que Shōta disait vrai.

J'ai lu votre lettre. Je comprends vos soucis et vous avez toute ma sympathie. Je voulais vous demander si votre

ami ne pourrait pas vous accompagner là où vous allez.
Toutes mes excuses pour cette idée qui n'est peut-être pas
bonne.

— Alors ?
— C'est pas mal, non ? répondit Shōta à Kōhei avant
de se tourner vers Atsuya. Tu trouves pas ?
— Moi, je m'en fous.
Kōhei replia soigneusement le feuillet et le mit dans
l'enveloppe sur laquelle il était écrit : "À l'attention du
Lapin de la lune".
Atsuya soupira.
— Je te comprends pas. Tu crois que t'as le temps de
t'occuper des problèmes de gens que tu connais même
pas ? Et toi, Shōta, t'es comme lui ?
— Ne dis pas ça, s'il te plaît. Une fois de temps en
temps, ça peut pas nuire.
— Comment ça, une fois de temps en temps ?
— Ce que je veux dire, c'est que d'habitude, on n'en
a rien à faire, des soucis des autres. D'ailleurs, personne
aurait l'idée de venir nous en parler. Ça sera peut-être la
seule fois de notre vie. Donc profitons-en, non ?
— Ouais, grogna Atsuya. Mais ça s'appelle oublier
sa condition.
Kōhei revint.
— J'ai eu du mal à ouvrir le couvercle de la boîte à
lait. Ça doit faire longtemps qu'elle a pas servi.
— Ça a rien d'étonnant. Plus personne ne distribue
du lait en petites… commença Atsuya qui s'interrompit. Dis donc, Kōhei, tu as fait quoi de tes gants ?
— De mes gants ? Eh ben, ils sont là, répondit-il en
montrant la table.
— Tu les as enlevés quand ?
— Quand j'ai écrit la lettre. J'aurais pas pu avec.

— Crétin ! lança Atsuya en se levant. T'as peut-être laissé tes empreintes digitales sur le papier à lettres.

— Mes empreintes digitales ? Et alors ?

Atsuya eut soudain envie de frapper les joues rebondies de Kōhei qui semblait ne pas voir où était le problème.

— Tôt ou tard, la police se rendra compte qu'on s'est cachés ici. Qu'est-ce qui se passera si cette meuf qui se fait appeler "Lapin de la lune" vient pas récupérer sa lettre ? Si les flics cherchent des empreintes dessus, on est foutus. Ils ont prélevé les tiennes quand t'as commis un délit routier, non ?

— Oui.

— C'est exactement pour ça que j'avais dit de rien faire de superflu.

Atsuya prit la lampe de poche, traversa la cuisine en trois enjambées et sortit de la maison par la porte arrière.

Le couvercle de la boîte à lait était fermé. Comme l'avait dit Kōhei, l'ouvrir ne fut pas une mince affaire. Mais il y réussit.

Il éclaira l'intérieur avec la lampe de poche. La boîte était vide. Il retourna vers la maison et demanda depuis le pas de la porte :

— Tu l'as mise où, ta lettre, Kōhei ?

Celui-ci le rejoignit. Cette fois-ci, il portait des gants.

— Ben, dans la boîte à lait, bien sûr.

— Elle est vide !

— C'est pas possible !

— T'as cru que tu l'avais mise dedans mais tu t'es trompé. Elle a dû tomber.

Atsuya tourna le faisceau de la lampe vers le sol.

— Je suis sûr de ne pas l'avoir laissée tomber. Je l'ai mise dedans.

— Elle a disparu quelque part, alors.

— Comment c'est possible… fit Kōhei.

Au même moment, ils entendirent des pas et virent Shōta.

— Qu'est-ce qui se passe ?

— J'ai entendu du bruit dans le magasin, je suis allé voir, et j'ai trouvé ça par terre en dessous de la fente du rideau métallique, répondit Shōta, blême, en leur tendant une enveloppe.

Atsuya inspira profondément. Il éteignit la lampe de poche et longea la maison sur le côté en faisant le moins de bruit possible. Il jeta ensuite un coup d'œil sur la devanture.

Mais il ne vit personne. Ni aucune trace d'une présence récente.

3

Je vous remercie de votre réponse. Immédiatement après avoir glissé mon enveloppe dans la fente de votre boîte aux lettres hier soir, j'ai commencé à me dire que les soucis qui m'ont poussée à vous consulter ne pouvaient que vous importuner, et j'y ai pensé toute la journée. Découvrir votre réponse m'a rassurée.

Vos doutes sont tout à fait naturels. Moi aussi, si c'était possible, j'aimerais emmener mon ami sur les lieux de mes entraînements et de mes compétitions. Mais étant donné son état de santé, ce n'est pas faisable. Les soins qui lui sont prodigués à l'hôpital ralentissent le progrès de sa maladie.

Peut-être vous direz-vous que s'il en est ainsi, je n'ai qu'à m'entraîner près de lui. Mais il n'existe aucun lieu à proximité de son hôpital où je puisse le faire. Pour le moment, je ne peux que lui rendre visite les jours où je suis libre, quand j'ai le temps de faire le long trajet.

Chaque jour qui passe me rapproche du prochain stage intensif. Je suis allée le voir aujourd'hui. Il m'a redit qu'il attendait de moi de bons résultats, et je n'ai pu qu'acquiescer. Alors que j'aurais voulu lui dire que je n'ai aucune envie de participer à ce stage, et que je voudrais pouvoir rester auprès de lui. Mais je me suis tue, parce que je savais que cela le peinerait.

Si au moins je pouvais voir son visage quand je suis loin de lui… Je rêve d'un de ces téléphones-télévisions comme il y en a dans les mangas. Je sais que c'est pour échapper à la réalité.

Monsieur Namiya, je vous remercie sincèrement de m'avoir écoutée. Pouvoir mettre tout cela par écrit me soulage déjà un peu.

Je sais que je dois trouver moi-même la solution, mais si une idée vous vient, dites-la-moi. Et si vous pensez que mon cas est désespéré et que vous ne pouvez rien pour moi, dites-le-moi aussi. Je ne veux pas vous importuner.

J'irai de toute façon vérifier le contenu de la boîte à lait demain matin.

Et je vous remercie d'avance.

Le lapin de la lune

Shōta fut le premier à lire la lettre. Il releva la tête et cligna deux fois des yeux.

— Qu'est-ce que ça veut dire ?

— J'en sais rien, fit Atsuya. Qu'est-ce qui a pu se passer ?

— C'est la réponse du "Lapin de la lune", non ?

Les regards d'Atsuya et de Shōta convergèrent sur Kōhei.

— Et pourquoi elle nous est arrivée ? lui répondirent-ils d'une même voix.

— Comment ça, pourquoi... fit Kōhei en se grattant la tête.

Atsuya tendit le doigt vers la porte arrière.

— Ça fait à peine cinq minutes que t'as déposé ta lettre dans la boîte à lait. Elle n'y était déjà plus quand je suis allé essayer de la récupérer juste après. Même si ce "Lapin de la lune" a pu la prendre et la lire, il lui a fallu du temps pour écrire sa réponse. Mais ça, c'est sa deuxième lettre. Tu trouves pas ça bizarre, toi ?

— Si, évidemment, mais il n'empêche que c'est elle qui écrit la réponse, non ? En plus, elle a répondu à la question que je lui ai posée.

Atsuya n'avait aucun argument à opposer à Kōhei. Il disait vrai.

— Passe-la moi, dit-il en prenant la lettre des mains de Shōta.

Il la lut. Elle n'aurait pas pu l'écrire si elle n'avait pas lu la réponse de Kōhei.

— Putain, ça veut dire quoi, tout ça ? Quelqu'un a décidé de nous mener en bateau ? lâcha Shōta d'un ton irrité.

— Ça doit être ça, fit Atsuya en pointant le doigt vers lui. Quelqu'un nous tend un piège.

Il jeta la lettre par terre et ouvrit rageusement le placard le plus proche. Celui-ci ne contenait que des futons et des cartons.

— Tu fais quoi, Atsuya ? demanda Shōta.

— Je vérifie juste que personne se cache dans le placard. La seule explication, c'est que quelqu'un nous a entendus parler avant que Kōhei n'écrive sa réponse, et a immédiatement commencé à préparer la sienne. Ou bien on est peut-être sur écoute. Mettez-vous à chercher dans la maison.

— Du calme ! Qui ferait une chose pareille ?

— Qu'est-ce que j'en sais, moi ? Peut-être un mec bizarre, que ça amuse d'embêter les gens qui cherchent refuge dans cette vieille bicoque, répondit Atsuya tout en tournant la lampe de poche vers l'autel bouddhique.

Ni Shōta ni Kōhei ne firent le moindre geste pour l'aider.

— Et pourquoi vous cherchez pas, vous deux ?

— Moi, je crois que tu te trompes, fit Shōta. À mon avis, un mec comme ça peut pas exister.

— Et pourtant il y en a bien un. C'est la seule explication possible.

— Tu crois ça, toi ? répondit Shōta d'un ton sceptique. Comment t'expliques que la lettre ait disparu de la boîte à lait ?

— Euh… Il doit y avoir un truc. Comme un tour de magie.

— Un truc, hein…

Kōhei leva la tête après avoir relu la lettre.

— Cette meuf, elle est bizarre.

— Comment ça ? fit Atsuya.

— Elle écrit que ça serait bien si les téléphones-télévisions existaient. Peut-être qu'elle a pas de portable. Ou en tout cas que le sien n'a pas la fonction vidéoconférence.

— Peut-être parce qu'à l'hosto, on n'a pas le droit de se servir du téléphone, avança Shōta.

— Ouais, mais elle parle de téléphones qu'on voit dans les mangas. Donc elle ne doit pas savoir qu'il existe des téléphones qui permettent de faire ce dont elle parle.

— Mais c'est pas possible qu'elle le sache pas aujourd'hui.

— Pourtant, ça peut être que ça. Bon, à nous de lui en parler, dit Kōhei en s'asseyant à table.

— Me dis pas que tu veux lui écrire une réponse maintenant ! Puisque je te dis qu'il y a quelqu'un qui nous mène en bateau.

— On n'en est pas sûrs.

— Ça peut être que ça. La personne qui le fait nous entend parler et elle doit déjà être en train de rédiger sa réponse. Euh non, attends… fit Atsuya, qui venait d'avoir une idée. Écoute-moi, Kōhei, je sais ce qu'on va faire. Voici ce que tu vas lui écrire. Tu vas voir, c'est super.

— Qu'est-ce qui t'arrive, tout d'un coup ? s'enquit Shōta.

— Tu vas voir. Tu pigeras tout de suite.

Quelques instants plus tard, Kōhei reposa son stylo et annonça qu'il avait terminé. Atsuya se leva et vint se mettre à côté de lui. Il regarda la lettre. L'écriture de Kōhei ne s'était pas améliorée.

J'ai lu votre deuxième lettre. Et je vais vous apprendre quelque chose qui vous fera plaisir. Il existe des portables qui permettent la vidéo-téléphonie. Et de plusieurs marques. Votre ami n'a qu'à s'en servir discrètement à l'hôpital, de manière à ce que personne ne le voie.

— Tu crois que c'est bien comme ça ? demanda Kōhei.

— Je trouve que c'est très bien, répondit Atsuya. Mets vite la lettre dans l'enveloppe.

Il y en avait aussi une pour la réponse dans la deuxième lettre du "Lapin de la lune". Kōhei plia la feuille sur laquelle il avait écrit et la glissa à l'intérieur.

— Bon, cette fois-ci, je t'accompagne jusqu'à la boîte à lait. Shōta, tu restes ici, fit Atsuya en prenant la lampe de poche pour sortir par la porte arrière.

Une fois dehors, il regarda Kōhei placer la réponse dans la boîte à lait.

— Bien. Maintenant, tu vas te cacher quelque part pour surveiller la boîte.

— OK. Et toi, tu fais quoi ?

— Moi je vais aller de l'autre côté, pour voir qui glisse une enveloppe dans la fente du rideau métallique.

Il longea la maison et se dissimula dans son ombre. Pour l'instant, il n'y avait encore personne. Au bout de quelques instants, il sentit quelqu'un derrière lui. Il se retourna et vit Shōta s'approcher de lui.

— Qu'est-ce que tu fais là ? Je t'avais dit de rester à l'intérieur !

— T'as vu quelqu'un ?

— Pas encore. C'est bien pour ça que je suis toujours là.

Quelque chose qui ressemblait à de la panique apparut sur le visage de Shōta. Il ouvrit la bouche.

— Qu'est-ce qui t'arrive ?

Au lieu de répondre, Shōta lui tendit une enveloppe.

— C'est arrivé.

— De quoi tu parles ?

— Eh ben… commença Shōta, qui se passa la langue sur les lèvres avant d'ajouter : De la troisième lettre.

4

Je vous remercie de votre réponse à ma deuxième lettre. Le simple fait de savoir que quelqu'un prête attention à mes soucis me soulage déjà un peu.

Mais je dois avouer, et je le regrette beaucoup, que je ne vois pas vraiment à quoi vous faites allusion, ou plutôt, pour être tout à fait honnête, que je n'y comprends rien du tout.

C'est sans doute dû à mon ignorance, à mes lacunes, oui, ce doit être cela qui m'empêche de percevoir le sens de la plaisanterie que vous faites dans votre lettre, probablement dans le but de m'encourager. J'en suis désolée et vous prie de m'en excuser.

Ma mère me dit souvent que lorsque je suis confrontée à quelque chose que je ne comprends pas, je ne dois pas tout de suite aller demander de l'aide, mais d'abord chercher moi-même. Et je m'efforce de toujours suivre son conseil. Mais cette fois-ci, mes efforts ne m'ont pas permis d'avancer.

Vous parlez d'un portable, mais de quoi s'agit-il ?

J'ai eu beau chercher dans les dictionnaires, je n'ai rien trouvé qui puisse correspondre à ce dont vous parlez.

Tant que je ne saurai pas à quoi vous faites allusion, vos précieux conseils ne seront pour moi que confiture aux cochons ou perles aux pourceaux. Monsieur Namiya, pourriez-vous m'en dire plus ?

Je vous prie de m'excuser de solliciter votre attention si longtemps.

Le lapin de la lune

Les trois garçons étaient assis autour de la table sur laquelle étaient posées les trois lettres du "Lapin de la lune".

— Récapitulons, lança Shōta. Cette fois-ci aussi, la lettre que Kōhei avait écrite et mise dans la boîte à lait n'y était plus. Kōhei qui la surveillait, caché dans l'ombre, n'a vu personne s'en approcher. Atsuya, pour sa part, faisait le guet du côté de la devanture du magasin. Personne n'a touché le rideau métallique. Mais la troisième lettre est arrivée dans le magasin par la fente. Vous voyez quelque chose d'inexact dans ce que je viens de dire ?

— Non, rien, murmura Atsuya.

Kōhei se contenta de faire non de la tête.

— Donc, reprit Shōta en levant l'index, personne ne s'est approché de cette maison, mais la lettre de Kōhei a disparu, et nous en avons reçu une autre du Lapin de la lune. J'ai examiné attentivement la boîte à lait et la fente du rideau métallique, mais je n'ai trouvé aucune trace de quoi que ce soit. Comment vous l'expliquez ?

Le dos appuyé contre le dossier de sa chaise, Atsuya croisa les mains derrière la tête.

— C'est bien parce qu'on se l'explique pas qu'on est embêtés comme ça, non ?

— Et toi, Kōhei, t'en penses quoi ?

— J'y comprends rien, dit-il en secouant la tête.

— Et toi, Shōta, t'y piges quelque chose ?

Sans répondre à la question d'Atsuya, celui-ci baissa les yeux vers les trois lettres.

— Vous trouvez pas bizarre que ce "Lapin de la lune" sache pas ce qu'est un téléphone portable ?

— Elle se fout sans doute de nous.

— Tu crois ?

— Ben oui. Au jour d'aujourd'hui, tous les Japonais savent de quoi on parle quand on dit "un portable".

Shōta tendit le doigt vers la première lettre.

— Et vous pensez quoi de ça, vous ? Elle écrit : "les Jeux olympiques de l'an prochain". Mais quand on y pense, l'année prochaine, il n'y a ni Jeux olympiques d'hiver, ni Jeux d'été. Les Jeux olympiques de Londres viennent de se terminer.

Atsuya poussa un cri de surprise, qu'il tenta immédiatement de faire passer pour autre chose en se frottant les narines.

— Ah ouais. Elle pourrait se tromper là-dessus ? Sur la date des Jeux olympiques pour lesquels elle sera peut-être sélectionnée ? Elle ignore l'existence des portables et des smartphones, vous ne trouvez pas qu'elle est un peu trop à l'ouest ?

— Si, mais…

— Et c'est pas tout, reprit Shōta en baissant la voix. Il y a autre chose de super bizarre. Je m'en suis rendu compte quand j'étais dehors tout à l'heure.

— Et c'est quoi, bon sang ?

Shōta hésita une seconde avant de répondre.

— Ton téléphone, il indique quelle heure ?

— Mon téléphone ?

Il le sortit de sa poche pour vérifier.

— 3 heures 40.

— Ouais. Autrement dit, il s'est passé plus d'une heure depuis qu'on est arrivés ici.

— Oui, et alors ?

— Eh ben, suis-moi, répondit Shōta en se levant.

Ils sortirent à nouveau par la porte arrière, et Shōta alla se mettre dans l'espace entre la remise et la maison. Il leva les yeux vers le ciel.

— Quand on est arrivés ici, j'ai remarqué que la lune était juste au-dessus de nous.

— Moi aussi, je l'ai vue. Et alors ?

Shōta fixa Atsuya des yeux.

— Ça te paraît pas bizarre, à toi ? On est ici depuis plus d'une heure, mais la lune a pas du tout bougé.

Atsuya ne comprit pas immédiatement ce dont il parlait. Mais une seconde plus tard, son pouls s'accéléra et il frissonna avec l'impression que son visage était en feu.

Il sortit son téléphone et vit qu'il indiquait 3 h 42.

— Qu'est-ce qui se passe ? Comme se fait-il que la lune soit immobile ?

— Peut-être qu'on est à la saison où la lune ne bouge pas beaucoup ?

Shōta réfuta rageusement l'hypothèse de Kōhei.

— Il n'y a pas de saison comme ça !

Atsuya regardait la lune dans le ciel et l'écran de son téléphone. Il n'arrivait pas à comprendre.

Shōta se mit à toucher son écran. Il était apparemment en train d'appeler quelque part. Son visage était tendu, et il ne cligna pas une seule fois des yeux.

— Tu fais quoi ? T'appelles qui ? lui demanda Atsuya.

Shōta lui tendit son téléphone sans répondre. Probablement pour lui dire d'écouter. Atsuya le plaça contre son oreille et entendit une voix féminine.

— Il est exactement 2 heures 36 minutes, dit celle-ci.

Les trois garçons étaient de retour dans la maison.

— Nos téléphones sont pas cassés, fit Shōta. C'est cette maison qui est bizarre.

— Il y a quelque chose ici qui détraque les portables ?

Shōta ne répondit pas par l'affirmative à la question d'Atsuya.

— Je ne crois pas que les horloges de nos téléphones soient détraquées. Elles fonctionnent normalement. Mais le temps qu'elles donnent n'est pas le temps réel.

Atsuya fronça les sourcils.

— Comment c'est possible ?

— J'ai l'impression qu'il y a un écart temporel entre l'intérieur et l'extérieur de la maison. Le temps ne passe pas de la même façon. Et ce qui paraît long ici n'est qu'un instant dehors.

— Hein ? Mais qu'est-ce que tu racontes ?

Shōta posa à nouveau les yeux sur les lettres afin de regarder Atsuya.

— Bien que personne ne se soit approché de la maison, la lettre de Kōhei a disparu, et on en a reçu une nouvelle de ce "Lapin de la lune". Normalement, c'est impossible. Je vais vous dire ce que je pense. Quelqu'un a emporté la lettre de Kōhei, l'a lue et est ensuite revenu pour apporter une réponse. Mais sans qu'on le voie.

— Sans qu'on le voie ? Tu veux dire qu'il est invisible ou quoi ?

La question venait d'Atsuya.

— Ah… j'ai compris. C'est un fantôme. La maison est hantée, suggéra Kōhei en se recroquevillant sur lui-même pour regarder ses compagnons.

Shōta fit lentement "non" de la tête.

— Ce n'est ni dû à quelqu'un d'invisible ni à un fantôme. La personne dont je parle n'appartient pas au même monde que nous. Ce que je veux dire, poursuivit-il en désignant les trois lettres, c'est qu'il s'agit de quelqu'un du passé.

— Comment ça, du passé ? lâcha Atsuya d'un ton irrité.

— Ma théorie, c'est que la fente dans le rideau métallique et la boîte à lait sont toutes les deux reliées au passé. Lorsqu'une personne du passé glisse une lettre par la fente du rideau de fer du bazar Namiya, on la reçoit ici, dans notre présent. Je ne sais ni pourquoi ni comment ça arrive, mais cette théorie explique ce qui s'est produit. Autrement dit, "le lapin de la lune" vient du passé…

Atsuya ne réagit pas immédiatement, parce qu'il ne savait que dire. Son cerveau refusait de fonctionner.

— N'importe quoi, finit-il par glisser. Ce que tu racontes est impossible.

— Je suis d'accord avec toi. Mais je vois pas d'autre explication. Si tu crois pas à ma théorie, trouve autre chose. Donne-moi une explication qui tienne la route.

Atsuya chercha un argument à opposer à Shōta. Mais rien ne lui vint à l'esprit.

— Tout ça ne serait pas arrivé si toi, Kōhei, tu n'avais pas insisté pour qu'on lui réponde, reprocha-t-il à celui-ci en ayant conscience de le faire avant tout pour passer sa mauvaise humeur.

— Pardon…

— Ne t'en prends pas à Kōhei. Si ma théorie est correcte, nous vivons quelque chose d'extraordinaire ! Nous correspondons par lettre avec quelqu'un du passé, lança Shōta, les yeux brillants.

Atsuya était troublé. Il ne voyait pas du tout quoi faire.

— Partons, dit-il en se levant. Cassons-nous d'ici.

Les deux autres lui lancèrent un regard étonné.

— Pourquoi tu dis ça ? fit Shōta.

— Toute cette histoire ne me plaît pas du tout. Et puis ça pourrait nous créer de nouveaux ennuis. Partons d'ici. Des endroits où se planquer, il y en a plein. Ici, le temps ne passe presque pas. Le matin n'arrivera jamais, ça n'a aucun sens d'être ici.

Mais les deux autres ne lui donnèrent pas raison. Ils se taisaient, le visage sombre.

— Qu'est-ce qui vous prend, tous les deux ? Dites quelque chose, enfin ! s'écria-t-il.

Shōta releva la tête. Son regard était grave.

— Moi, je compte rester encore un peu ici.

— Hein ? Mais pourquoi ?

— Je le sais pas moi-même. Mais je sens que je suis en train de vivre quelque chose d'extraordinaire. De vraiment extraordinaire, qui ne se reproduira jamais. Et j'ai envie d'en faire quelque chose. Si tu veux partir, Atsuya, vas-y. Mais moi, je reste encore un peu ici.

— Et qu'est-ce que tu vas faire ici ?

Shōta dirigea son regard sur les lettres posées sur la table.

— D'abord, écrire une autre lettre. Parce que pouvoir correspondre avec quelqu'un du passé, c'est extraordinaire.

— Oui, c'est vrai, approuva Kōhei. Et puis il faut qu'on trouve une solution aux soucis de ce "Lapin de la lune".

Atsuya fit un pas en arrière sans cesser de les regarder, puis secoua plusieurs fois la tête, incrédule.

— Vous êtes malades, tous les deux. Correspondre avec quelqu'un du passé, vous trouvez ça rigolo ? C'est une mauvaise idée ! Vous ferez quoi si ça vous entraîne dans quelque chose de pas bien ? Pas de ça pour moi.

— Je t'ai déjà dit que tu étais libre de t'en aller, répéta Shōta d'un ton paisible.

Atsuya inspira profondément. Il avait envie d'exprimer son désaccord, sans trouver les mots pour le faire.

— OK, si ça vous chante. Mais venez pas vous plaindre si vous avez des ennuis plus tard.

Il revint dans la pièce à tatamis, récupéra son sac et sortit par la porte arrière sans leur jeter un regard. Il tourna les yeux vers le ciel. La lune qui était toujours aussi ronde n'avait presque pas bougé.

Il sortit son téléphone et se souvint qu'il avait une application horloge radio pilotée. Il s'en servit et vit que moins d'une minute s'était écoulée depuis qu'il avait appelé l'horloge parlante.

Il était le seul à marcher dans la rue mal éclairée. L'air était frais, mais cela ne le gênait pas, car son visage était encore rouge.

C'est impossible, se dit-il.

La fente du rideau métallique destinée au courrier et la boîte à lait seraient connectées au passé, et les lettres de cette femme qui avait choisi d'utiliser le pseudonyme de "Lapin de la lune" proviendraient du passé ?

Toute cette histoire n'avait ni queue ni tête. Certes, cela fournissait une explication à ce qui s'était produit, mais il ne faisait aucun doute que se laisser entraîner dans un univers aussi extraordinaire n'était pas une bonne idée. Personne ne pourrait les secourir s'il leur arrivait quelque chose. Non, lui et ses deux compagnons devaient d'abord prendre soin d'eux-mêmes. C'était une règle à laquelle il n'avait jamais dérogé. Se préoccuper des autres sans que cela soit absolument nécessaire n'apportait rien de bon. C'était encore plus vrai si l'autre venait du passé. De toute façon, ce "Lapin de la lune" ne ferait rien pour eux.

Il continua à marcher et arriva à une avenue sur laquelle passaient de temps en temps des voitures. Bientôt, il aperçut au loin une supérette de proximité.

La manière pitoyable dont Kōhei avait dit qu'il avait faim lui revint à l'esprit. Si ces deux-là continuaient à ne pas dormir, ils allaient avoir le ventre encore plus creux. Ils comptaient faire quoi, eux ? Ou bien se pouvait-il que le fait que le temps passe si lentement supprime aussi la faim ?

L'employé de la supérette risquait fort de se souvenir de lui s'il y entrait à une heure aussi tardive. De toute façon, sa silhouette serait enregistrée par la caméra de surveillance. Les deux autres n'avaient qu'à se débrouiller tout seuls. Ils trouveraient sûrement une solution.

Il se rendit compte qu'il était arrivé au magasin. Le vendeur, un jeune homme, y était seul.

Atsuya soupira. Je suis trop bon, se dit-il. Il cacha son sac derrière la poubelle et poussa la porte en verre.

Il en ressortit avec ses emplettes : des boulettes de riz, des viennoiseries et des boissons. Le vendeur ne le regarda pas une seule fois. La caméra de surveillance fonctionnait peut-être, mais la police n'allait quand même pas se mettre à vérifier les vidéos de toutes les supérettes pour voir si les suspects avaient fait de courses en pleine nuit. Quel malfaiteur serait assez stupide pour agir ainsi ? C'est du moins ce qu'il décida de penser.

Il récupéra son sac derrière les poubelles et fit le même chemin en sens inverse, avec l'intention de repartir une fois qu'il aurait donné de quoi manger à ses deux amis. Il ne tenait pas à s'éterniser dans cette bicoque bizarre.

Il y arriva vite, heureusement sans croiser personne en route.

Il jaugea à nouveau la maison du regard, en s'attardant sur la fente du rideau métallique. Il se demanda à quelle époque correspondrait une nouvelle lettre si d'aventure le bazar Namiya en recevait encore une.

Il passa dans l'espace entre le petit entrepôt et la maison et vit que la porte arrière était entrouverte. Puis il y entra en plissant les yeux pour voir ce qui se passait à l'intérieur.

— Atsuya ! s'exclama Kōhei d'un ton gai en le voyant. Tu es revenu. Comme ça fait plus d'une heure que tu es parti, je ne croyais plus à ton retour.

— Une heure ?

Surpris, Atsuya consulta sa montre.

— Non, seulement un quart d'heure. Et puis je ne suis pas revenu. Je voulais juste vous apporter ça, continua-t-il en posant le sac de la supérette sur la table. Je ne sais pas combien de temps vous comptez encore rester ici.

Kōhei prit une des boulettes de riz et poussa un cri de joie.

— Le matin n'arrivera jamais si vous restez ici, lança Atsuya à Shōta.

— En fait, on a eu une bonne idée.

— Une bonne idée ?

— La porte arrière était ouverte, non ?

— Oui.

— Quand elle est ouverte, le temps passe à l'intérieur comme à l'extérieur. On a essayé plusieurs trucs et on a trouvé ça. D'où la différence d'une heure avec toi.

— Ah, je vois… lâcha celui-ci en regardant la porte arrière. Comment cette maison rend-elle ça possible ?

— J'en sais rien, mais du coup, tu n'as plus besoin de partir, non ? Le matin arrivera même si tu restes ici.

— Il a raison. Mieux vaut rester ensemble, dit Kōhei.

— Mais vous comptez quand même continuer à écrire des lettres, non ?

— Ça te dérange ? Si t'es pas d'accord, on te force pas à le faire avec nous. Même si on préférerait avoir ton avis.

Atsuya fronça les sourcils.

— Mon avis sur quoi ?

— On a écrit une troisième réponse après ton départ. Et on a reçu une nouvelle lettre. Tu veux pas la lire ?

Il les dévisagea tous les deux. Leurs regards étaient implorants.

— Si, je veux bien, dit-il en s'asseyant sur une des chaises. Mais vous lui avez répondu quoi ?

— On a gardé le brouillon. T'as que le lire, il est sur la table.

Voici ce que disait leur missive. Il reconnut l'écriture de Shōta, plus facile à lire, et plus soignée.

S'il vous plaît, oubliez cette histoire de portable. Cela ne vous concerne pas pour le moment.

J'aimerais en savoir un peu plus sur vous et votre ami. Quels sont vos points forts ? Les goûts que vous partagez tous les deux ? Avez-vous fait des voyages ensemble ces derniers temps ? Vu des films ? Si vous aimez la musique, pouvez-vous me dire quelles chansons à la mode récentes vous plaisent ?

Savoir ce genre de choses m'aidera à vous donner de bons conseils. Je vous remercie d'avance.

Vous remarquerez sans doute que l'écriture a changé, mais cela n'a pas d'importance.

Bazar Namiya

— Pourquoi vous lui avez écrit ça ? demanda-t-il en agitant la lettre.

— Eh ben, parce qu'on s'est dit qu'on avait besoin de savoir de quelle époque elle nous écrivait. Tant qu'on le saura pas, difficile de savoir quoi lui répondre.

— Pourquoi ne pas lui demander directement ? "Vous êtes en quelle année ?"

Shōta fronça les sourcils en entendant cette suggestion d'Atsuya.

— Mets-toi à sa place, enfin ! Elle ne sait pas ce qui nous arrive. Si on lui posait cette question, elle penserait à tous les coups qu'on est fous.

Atsuya fit la moue et se gratta la joue. Il ne pouvait que se ranger à leur avis.

— Et elle vous dit quoi, dans sa réponse ?

Shōta ramassa l'enveloppe sur la table.

— Lis-la, tu verras.

Atsuya déplia la lettre en pensant qu'il aurait pu le lui expliquer.

Je vous remercie de votre troisième réponse. Dans l'intervalle, j'ai continué à faire des recherches sur ce que pouvait être un portable, j'en ai parlé autour de moi, mais je n'ai toujours pas compris. Si vous me dites que cela ne me concerne pas pour le moment, je vais m'efforcer de l'oublier. Mais si vous pouviez me l'expliquer un jour, je vous en serais reconnaissante.

Vous avez certainement raison de me demander de vous en dire plus sur mon ami et moi.

Comme je vous l'ai dit dans ma première lettre, je suis une sportive. Mon ami pratiquait autrefois le même sport que moi, et c'est comme ça que nous nous sommes rencontrés. Lui aussi avait été présélectionné pour les JO. Mais c'est la seule chose qui nous distingue. Pour le reste, nous sommes des gens tout à fait ordinaires. Nous aimons le cinéma tous les deux. Cette année, nous sommes allés voir ensemble Superman, Rocky 2, *et* Alien, *un film qui lui a plu, mais que je n'ai pas beaucoup apprécié. Nous aimons la musique. Parmi les artistes à la mode, j'aime bien Godiego et Southern All Stars. Vous ne trouvez pas que* Ellie my Love *est une très belle chanson ?*

Vous parler de tout cela me rappelle la bonne époque, quand mon ami n'était pas malade. Serait-ce votre intention ?

Quoi qu'il en soit, cette correspondance me réconforte. J'es-
père avoir le plaisir de vous lire demain.

Le lapin de la lune

— Je vois, murmura Atsuya. *Alien* et *Ellie my Love*,
ça date de quand ? C'est des trucs de la génération de
nos parents, non ?

Shōta fit oui en hochant la tête.

— Je viens de vérifier sur mon téléphone. Tu sais, on
n'a pas de réseau à l'intérieur, mais si on laisse la porte
arrière ouverte, on en a. Tout ça pour te dire que les
trois films dont elle parle sont sortis en 1979. Comme
la chanson.

Atsuya haussa les épaules.

— Comme ça on est fixés. Elle nous écrit de 1979.

— Oui. Et quand elle parle des Jeux olympiques,
c'est ceux de 1980.

— Sans doute. Et alors ?

Shōta scruta le visage d'Atsuya comme s'il y cherchait
le fond de son âme.

— Qu'est-ce qui te prend ? J'ai quelque chose sur la
figure ?

— Me dis pas que tu sais pas ça ! Que Kōhei l'ignore,
ça ne m'étonne pas, mais toi, quand même !

— De quoi tu parles ?

Shōta prit une longue inspiration avant de répondre.

— En 1980, les Jeux olympiques avaient lieu à Moscou. Et le Japon les a boycottés.

5

Atsuya en avait bien sûr entendu parler. Mais il ignorait que cela s'était produit en 1980.

La guerre froide n'était pas encore terminée à l'époque. Tout avait débuté avec l'invasion de l'Afghanistan par l'Union soviétique en 1980. Les États-Unis avaient annoncé qu'ils boycotteraient les Jeux pour manifester leur désapprobation et avaient appelé l'ensemble des pays occidentaux à en faire autant. Le Japon avait fini par imiter les États-Unis en choisissant le boycott. Après avoir rafraîchi ses connaissances sur Internet, Shōta fit ce résumé à Atsuya qui ignorait tous ces détails.

— Si c'est comme ça, le problème est résolu. Il suffit de lui écrire une lettre pour lui dire que comme le Japon ne participera pas aux Jeux de Moscou, elle n'a qu'à oublier son sport, et se consacrer entièrement à l'accompagnement de son ami.

La proposition d'Atsuya sembla déplaire à Shōta.

— Comment veux-tu qu'elle nous croie si nous lui disons cela ? D'ailleurs, à ce qu'il paraît, les athlètes japonais ont espéré jusqu'à la dernière minute, en tout cas jusqu'à ce que le boycott soit officiellement annoncé, qu'ils pourraient participer.

— Oui, mais si on lui disait que ça se passera comme ça… C'est pas possible, hein ? fit Atsuya d'un ton résigné.

— De toute façon, elle croirait qu'on se moque d'elle.

— Pfuh, jeta Atsuya en tapant la table du poing.

— Oui, mais euh… commença Kōhei en se grattant l'arrière du crâne. On pourrait simplement lui écrire qu'on pense que ce serait mieux qu'elle arrête tout pour s'occuper de lui, sans lui expliquer pourquoi on lui recommande ça, non ? C'est pas possible ?

Ses deux camarades se dévisagèrent mais ne firent pas non de la tête.

— Il a raison, commença Shōta. On peut. Et c'est ce qu'il faut qu'on fasse. Elle écrit au bazar Namiya parce qu'elle a besoin de conseils. Vous connaissez ce proverbe : "Celui qui est en train de se noyer voit son salut dans un brin de paille" ? C'est la situation dans laquelle elle se trouve. On n'a pas besoin de lui expliquer la vraie raison pour laquelle on lui donne ce conseil. Écrivons-lui que si elle l'aime, elle doit rester avec lui jusqu'au bout, et que c'est ce qu'il espère aussi au plus profond de son cœur.

Shōta prit le stylo et se mit immédiatement à écrire.

— Vous en pensez quoi ?

Le texte qu'il montra à Atsuya correspondait à ce qu'il venait de dire.

— Ça me semble bien.

— Parfait.

Shōta sortit par la porte arrière la lettre à la main, revint et ferma la porte. Ils entendirent le couvercle de la boîte à lait s'ouvrir et se refermer, puis, juste après, un léger bruit provenant du magasin.

Atsuya y alla et vit une nouvelle lettre dans le carton placé sous de la fente.

Je vous remercie de votre réponse.

Pour être tout à fait honnête avec vous, je ne m'attendais pas à tant de franchise de votre part, mais à quelque chose de plus ambigu, si je puis dire. Je pensais que vous me diriez que c'était à moi de faire mon choix. Mais je vois à présent que vous allez droit au but. C'est sans doute la raison pour laquelle le bazar Namiya rencontre un tel succès, et que tant de gens lui font confiance.

"Si vous l'aimez, vous devez rester avec lui jusqu'au bout."

Cette phrase m'est allée droit au cœur. Je suis convaincue que vous avez raison. Je n'ai plus besoin de douter.

Pourtant, car il y a un pourtant, je ne pense pas que c'est ce qu'il souhaite vraiment.

Je l'ai appelé aujourd'hui, dans l'intention de lui dire que je comptais renoncer aux Jeux olympiques, comme vous me le recommandez. Mais il a dû deviner ce que je m'apprêtais à lui dire, car il m'a lancé que si j'avais le temps de lui téléphoner, il préférait que je le consacre à l'entraînement. Qu'il était heureux de m'entendre, mais qu'il pensait que pendant que nous nous parlions, mes rivales creusaient l'écart avec moi.

Je suis très inquiète. J'ai peur que si je renonce aux Jeux, il soit tellement déçu que son état empire. Tant que je ne serai pas certaine que cela n'arrivera pas, je ne pourrai pas le lui dire.

Cette façon de penser exprime-t-elle ma propre faiblesse ?

Le lapin de la lune

Atsuya regarda le plafond sale une fois qu'il eut lu la lettre.

— Je ne la comprends pas, moi ! Pourquoi demande-t-elle conseil à quelqu'un si elle n'est pas prête à écouter ce qu'on lui répond ?

Shōta soupira.

— On n'y peut rien. Elle peut pas deviner qu'elle discute avec des gens qui connaissent l'avenir.

— Si elle lui a parlé au téléphone, ça veut dire qu'elle n'est pas avec lui en ce moment, dit Kōhei en regardant la missive. Je la plains.

— Et puis ce mec aussi, il m'énerve, reprit Atsuya. Il pourrait faire un effort et essayer de comprendre les sentiments de sa copine. Au final, les Jeux olympiques, c'est rien de plus qu'une version planétaire de la fête des sports au lycée. Ça reste du sport, et rien de plus. Comment une fille pourrait s'y consacrer entièrement quand elle sait que son mec est atteint d'une maladie incurable ? Il a beau être malade, il ne pense qu'à lui, celui-là !

— Oui, mais n'oublie pas qu'il souffre ! Il sait ce que les Jeux olympiques représentent pour elle. Et il ne veut pas qu'elle y renonce pour lui. Il fait le fort, ou plutôt, il veut se sacrifier pour elle. Lui aussi en fait trop, c'est sûr.

— C'est bien ce qui m'énerve. En réalité, son propre sacrifice lui monte à la tête.

— Tu crois ?

— Ben oui. J'en suis sûr. Il se prend pour une héroïne, non, je veux dire un héros tragique.

— Qu'est-ce qu'on peut lui écrire comme lettre, alors ? demanda Shōta tout en prenant le bloc de papier à lettres.

— Eh ben, écris-lui qu'il faut d'abord lui ouvrir les yeux à lui. Qu'elle lui dise clairement que le sport ne peut pas constituer une entrave à l'amour. Que les Jeux olympiques, ce n'est rien de plus qu'un genre de fête des sports, et que ce n'est pas la peine d'en faire autant pour eux.

Le stylo à la main, Shōta fronça les sourcils.

— Tu ne peux pas espérer qu'elle lui dise une chose pareille.

— Même si on ne peut pas, il le faut !

— Calme-toi, enfin. Si elle en était capable, elle n'aurait jamais écrit au bazar Namiya.

Atsuya se gratta la tête des deux mains.

— C'est pénible, cette histoire.

— Et si quelqu'un d'autre qu'elle le disait à son mec ? lâcha soudain Kōhei.

— Quelqu'un d'autre qu'elle ? Qui ça pourrait être ? demanda Shōta. Je te rappelle qu'elle n'a parlé de la maladie de son mec à personne.

— Oui, d'accord, mais elle ferait mieux d'en parler à ses parents, non ? Je suis sûr qu'ils comprendraient son point de vue.

— C'est ça, la solution, fit Atsuya en claquant des doigts. Ses parents à elle, ou à lui, d'ailleurs. Elle doit les mettre au courant. Une fois que ça sera fait, je suis sûr que plus personne n'attendra d'elle qu'elle participe aux JO. Shōta, écris-lui ça.

— D'accord, dit-il en prenant le stylo.

Je comprends vos hésitations. Mais je vous demande de me croire. S'il vous plaît, faites ce que je vous dis, même si vous pensez que je cherche à vous tromper.

Pour dire les choses clairement, votre ami a tout faux.

Il ne s'agit que de sport. Les Jeux olympiques ne sont qu'une gigantesque fête des sports. Sacrifier pour cela le peu de temps qui vous reste à passer avec celui que vous aimez, c'est tout simplement idiot. Vous devez le lui faire comprendre.

Si je pouvais, j'irais le lui dire moi-même. Mais ce n'est pas possible.

Donc faites-le-lui dire par vos parents ou les siens. Si vous leur apprenez sa maladie, ils vous aideront, c'est certain.

Vous ne pouvez plus hésiter. Allez immédiatement le retrouver. Oubliez les Jeux olympiques. Je ne vous veux pas de mal, mais faites-le. Un jour, vous penserez que vous avez bien fait de m'écouter.

Bazar Namiya

Shōta, qui était allé mettre la lettre dans la boîte à lait, revint par la porte arrière.

— Cette fois-ci, on y a été tellement fort que ça devrait le faire, non ?

Atsuya appela Kōhei, qui se trouvait dans la partie magasin.

— Sa réponse est arrivée ?

— Non, pas encore.

— Pas encore ? C'est bizarre, fit Shōta, perplexe. Jusqu'à présent, c'était presque simultané. La porte arrière est bien fermée ?

Il se leva pour aller le vérifier.

Quelques instants plus tard, Kōhei leur dit que la lettre était arrivée et la leur apporta.

Je suis désolée de ce si long silence. Près d'un mois s'est écoulé depuis votre réponse.

Le stage de renforcement a commencé avant que je ne réussisse à vous écrire.

Ce que je viens de dire n'est peut-être qu'un prétexte. En réalité, je ne savais que vous répondre.

J'ai été un peu étonnée de lire que pour vous, mon ami se trompe. La fermeté avec laquelle vous l'affirmiez, alors qu'il est malade, m'a fait sursauter.

Vous dites aussi qu'il ne s'agit que de sport. Peut-être est-ce vrai. Non, c'est sans doute exact. Si vous avez raison, lui et moi nous tourmentons pour quelque chose qui n'en vaut pas la peine.

Mais ni lui ni moi ne voyons les choses comme vous. Bien que nous sachions tous les deux que les autres peuvent les voir de cette manière, nous avons tous les deux tout donné pour notre sport.

Je suis cependant d'accord avec vous. Tôt ou tard, il faudra que nous parlions à nos parents de sa maladie. Mais

c'est impossible pour le moment. Sa grande sœur vient
d'avoir un enfant, et ses parents sont fous de joie. Il veut
les laisser profiter encore un peu de ce bonheur, et je com-
prends ce désir.

Je l'ai souvent appelé pendant ce stage. Chaque fois, il
a été très heureux de savoir que je m'entraînais du mieux
que je pouvais. Je n'ai eu à aucun moment l'impression
qu'il jouait la comédie.

Mais vous pensez que je ferais mieux de renoncer aux
Jeux olympiques ? Et de tout abandonner pour être à son
chevet ? Ce serait mieux pour lui ?

Plus j'y pense, moins je sais ce que je dois faire.

Le lapin de la lune

Atsuya avait envie de hurler. La lettre l'avait mis en
colère.

— Elle est vraiment conne, celle-là ! On lui recommande de tout arrêter, et elle part en stage ! Elle fera
quoi si son mec meurt pendant ce temps ?

— Elle n'a sans doute pas osé sécher le stage de
peur de lui faire de la peine, lâcha Kōhei d'un ton dé-
tendu.

— Mais ce stage ne servira de toute façon à rien. Et
qu'est-ce qu'elle raconte quand elle dit que plus elle y
réfléchit, moins elle sait ce qu'elle a à faire ? On lui a dit
ce qu'elle devait faire, elle n'a qu'à nous écouter.

— C'est qu'elle pense à lui, c'est tout, dit Shōta. Elle
ne veut pas qu'il perde son rêve.

bruit.

— Et si elle se blessait ? Blessée, elle ne pourrait pas
participer aux Jeux olympiques, non ? Et son mec serait
bien forcé d'y renoncer aussi, avança Kōhei.

— Hum… C'est peut-être pas une mauvaise idée, fit Atsuya.

— Je suis pas d'accord, réagit Shōta. Ça le privera aussi de son rêve à lui. Et ça, elle en est incapable, et c'est bien pour ça qu'elle souffre.

Atsuya fronça les sourcils.

— Y en a marre de cette histoire de rêve. On peut rêver d'autre chose que des Jeux olympiques, non ?

Shōta écarquilla les yeux comme s'il venait d'avoir une idée.

— J'ai trouvé ! Il faut le faire rêver d'autre chose que des Jeux. Par exemple de…

Il s'interrompit pour réfléchir.

— D'enfants.

— D'enfants ?

— D'un bébé. Elle n'a qu'à lui dire qu'elle est enceinte. De lui. Comme ça, il sera d'accord pour qu'elle renonce aux JO. Et il pourra rêver de l'enfant à naître. Ça l'encouragera à vivre.

Atsuya réfléchit un peu à cette idée puis il battit des mains.

— Shōta, tu es un génie ! Il ne reste qu'à le lui expliquer. C'est parfait. Son mec n'a plus que six mois à vivre, non ? Il ne saura pas qu'elle lui a menti.

Shōta revint s'asseoir à table.

Atsuya se dit que ça devrait marcher. Il ignorait quand la maladie de l'ami du "Lapin de la lune" avait été découverte, mais ce devait être peu de temps avant sa première lettre. Avant cela, il avait vécu normalement, autrement dit, ils avaient dû avoir des rapports sexuels. Peut-être avaient-ils utilisé des moyens contraceptifs, mais un accident était toujours possible.

Pourtant voici ce que disait la lettre qui arriva par la fente du rideau métallique immédiatement après qu'ils eurent glissé la leur dans la boîte à lait :

J'ai lu votre lettre. Encore une fois, votre proposition m'a prise au dépourvu, et intéressée. Vous avez raison, lui offrir un rêve autre que les Jeux olympiques serait une possibilité. S'il apprenait que j'étais enceinte, je suis sûre qu'il ne me demanderait pas d'avorter pour me permettre de continuer ma préparation aux Jeux olympiques, et qu'il espérerait que le bébé naisse en bonne santé.

Mais ce n'est pas si simple. Le premier problème est celui de la conception. La dernière fois que nous avons eu un rapport sexuel remonte à plus de trois mois. Vous ne croyez pas qu'il trouvera bizarre que je lui dise maintenant que je viens de découvrir que je suis enceinte ? Et s'il me demandait une preuve, comment ferais-je ?

S'il me croit, je suis certaine qu'il en parlera à ses parents. Les miens l'apprendront aussi. Et probablement toute la parenté et nos amis. Mais je ne pourrais pas leur dire à eux que c'est un mensonge. Parce qu'il me faudrait expliquer pourquoi je mens.

Je ne suis pas douée pour jouer la comédie. Je ne me sens pas capable de faire semblant d'être enceinte pendant longtemps. Il faudra aussi que je trouve un moyen de faire apparaître mon ventre qui ne grossira pas de lui-même. Mon entourage découvrira probablement que je mens.

Et il y a un autre problème grave. Si sa maladie progresse moins vite qu'annoncé, il y a un risque que la date prévue pour l'accouchement arrive. Il comprendra alors que j'ai menti. L'idée de sa peine à ce moment-là m'est insupportable.

Votre proposition me paraît excellente, mais impossible à mettre en œuvre pour les raisons que je viens d'énumérer. Je suis heureuse que vous m'ayez écoutée jusqu'à présent, et reconnaissante de vos suggestions. J'ai compris que je dois résoudre ce problème seule. Je n'attends plus de réponse de votre part, et vous prie de m'excuser de vous avoir fait perdre du temps.

Le lapin de la lune

— C'est quoi, ce truc ? lança Atsuya, qui venait de se lever après avoir jeté la lettre par terre. On s'est donné tant de mal pour l'aider, et à la fin, elle nous dit qu'elle a besoin de rien, merci ! Dès le départ, elle n'avait aucune intention de nous écouter ! Et elle n'a tenu compte de rien du tout.

— Pourtant, je pense qu'elle a raison. Ça ne serait pas facile de jouer la comédie si longtemps, dit Kōhei.

— Ferme-la ! Comment peut-elle dire des trucs pareils alors que la vie de son mec est en jeu ? On peut tout faire si on le veut vraiment ! le contra Atsuya en se rasseyant à la table de la cuisine.

— Tu veux lui écrire une réponse ? Ce ne sera pas la même écriture, lui demanda Shōta.

— Qu'est-ce que ça peut faire ? Je ne pourrai me calmer que si je lui dis.

— OK, je comprends. Tu n'as qu'à me dicter ce que tu veux lui dire et je l'écris, dit Shōta en s'asseyant en face d'Atsuya.

À l'attention du Lapin de la lune
Vous êtes bête ou quoi ? Non, vous êtes bête.
Je vous ai donné des tas de bons conseils, mais vous n'en avez suivi aucun. Combien de fois je dois vous dire d'oublier les Jeux olympiques ?
Vous ne pourrez pas y participer et vous feriez mieux de tout arrêter. Cela ne servira à rien.

Vous faire du souci pour ça est tout aussi inutile. Si vous avez du temps à perdre, servez-vous-en pour aller le retrouver.

Il sera triste si vous renoncez aux JO ?

Son état de santé se dégradera pour cette raison ?

Arrêtez de dire des bêtises ! Que vous ne soyez pas sélectionnée pour les Jeux, est-ce vraiment important ?

De nombreux pays sont en guerre dans le monde. Les Jeux olympiques n'ont aucune importance pour beaucoup d'entre eux. Le Japon n'est pas très différent. Vous vous en rendrez compte tôt ou tard.

Mais je n'en dirai pas plus. Faites ce que vous voulez. Vous le regretterez un jour.

Je me répète, vous êtes bête.

Bazar Namiya

6

Shōta alluma une nouvelle bougie. Quelques-unes suffisaient à éclairer toute la pièce.

— Elle ne répond pas, murmura Kōhei. C'est la première fois qu'elle met si longtemps à le faire. Elle y a peut-être renoncé.

— Ça m'étonnerait qu'elle réponde, fit Shōta avant de soupirer. Après un tel savon, normalement, soit on se fâche, soit on fait la tête. Dans un cas comme dans l'autre, ça m'étonnerait qu'elle réponde.

— Comment ça ? T'essaies de dire que j'ai eu tort ? grogna Atsuya en lui lançant un regard peu amène.

— Mais pas du tout ! Je suis d'accord avec toi et je trouve que tu as eu raison de lui écrire ça. Tu lui as écrit ce que tu voulais lui écrire, alors ne t'étonne pas si tu n'as pas de réponse.

— Hum… Je préfère entendre ça, fit Atsuya en tournant la tête.

— Quand même, je me demande ce qu'elle a fait, dit Kōhei. Est-ce qu'elle a continué la compétition ? Peut-être qu'elle a été sélectionnée pour les Jeux. Mais le Japon a décidé de les boycotter. Ça a dû être un sacré choc pour elle.

— Si c'est ce qui s'est passé, tant pis pour elle. Elle aura eu tort de ne pas nous avoir écoutés, cracha Atsuya.

— Et son mec, il lui est arrivé quoi ? Je me demande quand il est mort et s'il était encore vivant le jour où on a annoncé le boycott.

Shōta ne répondit rien à Atsuya. Un silence pénible s'installa entre eux.

— Dites, on va rester longtemps comme ça ? demanda soudain Kōhei. La porte arrière est fermée. Tant qu'on ne l'ouvre pas, le temps ne passe pas, non ?

— Mais si on l'ouvre, on coupe le contact avec le passé et on ne recevra pas sa lettre si elle se décide à en envoyer une, dit Shōta avant de regarder Atsuya. On fait quoi ?

Atsuya se mordit les lèvres. Il fit craquer ses doigts. Une fois qu'il eut fini avec tous ceux de la main gauche, il regarda Kōhei.

— Va ouvrir la porte.

— Tu es sûr ? demanda Shōta.

— Qu'est-ce que ça peut faire ? Oublions Mme Lapin de la lune. Toute cette histoire ne nous concerne pas. Kōhei, vas-y.

— OK, fit celui-ci en se levant.

Au même moment, ils entendirent un bruit qui venait du magasin.

Ils s'immobilisèrent tous les trois, se dévisagèrent et tournèrent la tête vers le magasin.

Atsuya se leva lentement et partit dans cette direction. Shōta et Kōhei le suivirent.

Ils entendirent un autre bruit. Quelqu'un frappait au rideau métallique. Comme si cette personne voulait voir ce qu'il y avait à l'intérieur. Atsuya s'arrêta et retint son souffle.

Une lettre finit par apparaître dans la fente.

Monsieur Namiya, habitez-vous toujours ici ? Si ce n'est pas le cas, je demande à la personne qui a trouvé cette lettre de ne pas continuer à lire et de la brûler. Elle ne dit rien d'important et n'apportera rien à celui qui la lit.

À partir de maintenant, cette lettre est destinée à M. Namiya.

Cela fait longtemps que je ne vous ai pas contacté. Vous souvenez-vous de moi ? Je suis le lapin de la lune, la personne qui vous a écrit plusieurs fois à la fin de l'année dernière. Plus de six mois se sont écoulés depuis notre dernier contact. J'espère que vous êtes en bonne santé.

Je tenais à vous dire ma gratitude. Je n'oublierai jamais la gentillesse avec laquelle vous m'avez prodigué vos conseils. Chacune de vos réponses reflétait votre sincérité.

Il y a deux choses que je tenais à vous faire savoir.

La première – il ne fait aucun doute que vous êtes au courant, c'est que le Japon a décidé de boycotter les Jeux olympiques. Je m'y étais préparée, jusqu'à un certain degré, mais quand cela a été annoncé officiellement, j'ai été très choquée. J'en ai été affectée, pas directement, car je n'avais pas été sélectionnée, mais pour tous mes amis qui l'avaient été.

Le sport et la politique sont deux choses qui n'ont rien à voir l'une avec l'autre, mais peut-être est-ce moins vrai lorsqu'il s'agit d'un problème entre deux pays.

Mon ami est la seconde chose dont je veux vous parler.

Il s'est éteint à l'hôpital le 15 février dernier après s'être battu avec toute son énergie contre la maladie. J'étais avec lui car j'étais libre ce jour-là. Je lui tenais la main quand il a lâché son dernier souffle.

Ses derniers mots pour moi ont été : "Merci de m'avoir fait rêver."

Je pense qu'il a espéré jusqu'à la fin que je serais sélectionnée. J'imagine que c'était son vœu le plus cher.

Voilà pourquoi j'ai recommencé à m'entraîner immédiatement après. Il ne restait que très peu de temps jusqu'au comité de sélection, mais j'étais convaincue que c'était ce que je pouvais faire de mieux pour le repos de son âme.

Comme je l'ai mentionné plus haut, je n'ai finalement pas été retenue. Je n'étais pas assez forte. Mais comme je m'étais donnée à fond, je n'avais aucun regret.

Même si j'avais été sélectionnée, je n'aurais pas pu participer aux JO. Je n'ai pourtant pas l'impression d'avoir eu tort de consacrer toute cette année à essayer d'y arriver.

Quand j'y repense à présent, j'ai pu le faire grâce à vous, monsieur Namiya.

À présent, je peux vous avouer que la première fois que j'ai sollicité vos conseils, j'étais sur le point de décider de renoncer aux Jeux olympiques. Vous devinerez que c'était parce que je voulais être jusqu'au bout aux côtés de celui que j'aimais, mais ce n'était pas la seule raison.

J'avais l'impression de ne plus progresser dans mon sport.

J'avais le sentiment douloureux d'avoir atteint mes limites. Épuisée par la lutte contre mes rivales, j'étais incapable de résister à la pression que les Jeux faisaient peser sur moi. J'avais envie de fuir.

Sa maladie a été découverte pendant cette période.

Je ne nie pas qu'il m'est arrivé de penser que cela me donnait une excellente raison de tout arrêter. Mon ami était atteint d'une maladie incurable. Que j'arrête tout pour m'occuper de lui était naturel. Personne n'oserait me critiquer. J'en étais persuadée.

Mais il a perçu ma faiblesse. Je crois que c'est pour cela qu'il n'a cessé de me répéter qu'il tenait à tout prix à ce que je ne renonce pas aux Jeux, et de me demander de ne pas le priver de son rêve. Cet égoïsme ne lui ressemblait pas du tout.

À ce moment-là, j'étais complètement perdue. Je voulais tout en même temps : le soigner, échapper aux Jeux, réaliser son rêve. Je n'arrivais plus à savoir ce qui comptait pour moi.

La première lettre que je vous ai adressée exprimait ce désarroi. Mais je ne vous ai pas dit la vérité qui était que j'avais envie de fuir, d'oublier les Jeux.

Vous avez su lire entre les lignes et voir ma lâcheté.

Au bout de quelques lettres, vous m'avez dit : "Si vous l'aimez, vous devez rester avec lui jusqu'au bout." Cette phrase m'a fait l'effet d'un coup de marteau sur la tête. Je crois que pour moi, les choses n'étaient pas si simples. J'étais plus rusée, plus ignoble, plus mesquine.

Plus tard, vous m'avez donné des conseils bien plus impolis.

"Il ne s'agit que de sport. Les Jeux olympiques ne sont qu'une gigantesque fête des sports." "Vous ne pouvez plus hésiter. Allez immédiatement le retrouver."

Cela m'a stupéfiée. Je ne comprenais pas comment vous pouviez être si sûr de vous. Et j'ai fini par saisir votre véritable intention. Vous me mettiez à l'épreuve, n'est-ce pas ?

Si je cessais de penser aux Jeux olympiques parce que vous m'ordonniez de le faire, cela indiquerait qu'en réalité, les Jeux n'avaient guère d'importance pour moi. Et qu'au lieu de me consacrer à mon sport, je ferais mieux de me dévouer tout entière à lui. Mais si je continuais à ne pas m'y résoudre, en dépit de vos injonctions répétées, cela montrerait l'importance que les Jeux avaient pour moi.

Quand j'ai réalisé cela, je me suis rendu compte d'autre chose.

Les Jeux olympiques étaient ce qui comptait le plus pour moi. J'en rêvais depuis que j'étais enfant. Je ne pouvais pas y renoncer si facilement.

Un jour, je lui ai dit que je l'aimais plus que n'importe qui au monde, et que j'avais toujours envie d'être à ses côtés. Que si je savais que s'il suffisait que j'arrête la compétition pour qu'il guérisse, je n'hésiterais pas une seconde. Mais que si ce n'était pas le cas, je ne voulais pas renoncer à mon rêve. *Parce que je pensais qu'il m'aimait aussi parce que j'étais prête à tout faire pour le réaliser. Que lui était toujours présent à mon esprit. Mais que je le priais de me laisser continuer à tenter de réaliser mon rêve.*

Et j'ai vu des larmes couler de ses yeux. Il m'a dit qu'il avait attendu cette déclaration. Qu'il avait souffert de me voir souffrir. Et que l'idée que je puisse renoncer à mon rêve lui était encore plus pénible que la perspective de la mort. Que même si nous étions physiquement éloignés loin de l'autre, nous étions toujours ensemble dans nos cœurs. Que je n'avais pas de soucis à me faire. Qu'il souhaitait que je continue à chercher à réaliser mon rêve. Je ne devais pas m'inquiéter. Il fallait que je continue, pour ne pas avoir de regrets. Oui, il m'a dit tout cela.

À partir de ce jour-là, j'ai pu me donner à fond dans mon sport. Parce que j'avais compris qu'être avec lui n'était pas la même chose que le soigner.

Les jours ont passé, et il a rendu son dernier souffle. Ma plus belle récompense a été ses derniers mots, et le visage heureux qu'il avait dans la mort. Je n'ai pas été sélectionnée pour les Jeux olympiques, mais j'ai obtenu quelque chose de plus précieux qu'une médaille d'or.

Monsieur Namiya, merci. Sans notre correspondance, j'aurais perdu quelque chose d'essentiel, et je l'aurais regretté pendant le restant de mes jours. Je vous remercie du fond du cœur de votre clairvoyance.

Peut-être n'habitez-vous plus ici, mais j'espère que cette lettre vous parviendra.

Le lapin de la lune

Shōta et Kōhei se taisaient. Atsuya se dit qu'ils étaient incapables de trouver les mots pour dire leur réaction, car c'était ce qu'il ressentait.

La dernière lettre du "Lapin de la lune" était inattendue. Elle n'avait pas renoncé aux Jeux olympiques. Elle avait lutté jusqu'au bout, n'avait pas été sélectionnée, et ne regrettait rien, même si le Japon avait décidé de boycotter. Elle était heureuse car elle avait connu quelque chose de plus précieux encore qu'une médaille d'or.

Qui plus est, elle croyait que c'était grâce au bazar Namiya. Elle était convaincue d'avoir choisi le bon chemin grâce aux lettres remplies de l'irritation et de la colère des trois garçons. Elle était probablement sincère en l'affirmant. Sinon, elle n'aurait pas écrit une telle lettre.

Il avait envie de rire. La situation lui paraissait hilarante. Il se mit à rire, doucement au début, puis à gorge déployée.

Shōta lui demanda ce qui lui arrivait.

— C'est drôle, non ? Elle est vraiment conne, celle-là. Nous, on lui disait de renoncer aux Jeux parce qu'on le pensait vraiment, et elle l'a interprété comme ça l'arrangeait. Et elle nous dit merci, parce qu'au final, les choses se sont passées comme elle l'espérait. Elle nous remercie de notre clairvoyance ! Mais on n'en a pas, nous !

Shōta sourit.

— Écoute, c'est quand même bien, puisque tout est bien qui finit bien.

— Je suis d'accord. Et puis moi, je me suis bien amusé, fit Kōhei. Jamais personne ne m'avait demandé conseil. Même si le résultat n'a aucun rapport avec nos conseils, je suis heureux qu'elle soit contente. Tu ne vois pas les choses comme ça, Atsuya ?

Celui-ci fit la grimace et se frotta le nez.

— J'avoue que ce n'est pas désagréable.

— Tu vois ! C'est comme je dis.

— Oui, mais je ne suis pas aussi content que toi. Tout ça, c'est très bien, mais maintenant il faut ouvrir la porte arrière. Le temps ne passe pas tant qu'on ne le fait pas, dit Atsuya en se dirigeant vers la porte arrière.

— Une seconde, s'il te plaît ! lança Shōta au moment où il allait ouvrir la porte.

— Qu'est-ce qu'il y a ?

Au lieu de répondre, Shōta alla vers le magasin.

— Qu'est-ce qui lui prend ?

Kōhei n'avait pas de réponse à donner à Atsuya.

Shōta revint en faisant une expression contrariée.

— Qu'est-ce qu'il y a ?

— Une autre lettre, dit-il en agitant une enveloppe de la main droite. Mais pas de la même personne.

Cette fois-ci, l'enveloppe était en papier brun.

II

UN HARMONICA DANS LA NUIT

1

La personne de l'accueil était un homme maigre qui avait visiblement plus de soixante ans. Il n'était pas là l'année dernière. Peut-être avait-il commencé à travailler ici après avoir pris sa retraite de fonctionnaire. Légèrement inquiet, Katsurō lui donna son nom, Matsuoka.

— Et vous êtes monsieur Matsuoka de… ?

Katsurō s'attendait à cette réponse.

— Matsuoka Katsurō. Je suis ici pour le spectacle de tout à l'heure.

— Le spectacle de tout à l'heure ?

— Oui, le spectacle de Noël.

— Ah, fit l'homme comprenant enfin de quoi il retournait. On m'avait dit qu'il y aurait de la musique et je m'attendais à un orchestre, mais vous êtes tout seul, n'est-ce pas ?

— Oui, désolé.

— Un instant, s'il vous plaît.

L'homme souleva le combiné du téléphone, échangea quelques mots avec son interlocuteur puis demanda à Katsurō de patienter quelques instants.

Une femme qui portait des lunettes ne tarda pas à arriver. Il se souvenait d'elle. L'an passé aussi, elle s'était occupée de la fête. Elle le salua en souriant. Katsurō la remercia d'avoir fait appel à lui, elle le remercia à son tour et le conduisit dans un espace de réception meublé d'un sofa et de deux fauteuils.

— Vous disposerez de quarante minutes, comme l'année dernière. C'est vous qui fixez le programme.

— Parfait, répondit-il. Ce sera surtout des chants de Noël. Et quelques-unes de mes compositions.

— Je vois, répondit-elle sans s'engager, peut-être parce qu'elle se demandait ce qu'il entendait par "ses compositions".

Il passa le temps qui restait avant le spectacle dans l'espace d'accueil où il but un verre de la bouteille de thé vert qu'on lui avait apportée.

C'était la deuxième fois qu'il venait au foyer Marukōen qui accueillait des enfants âgés de zéro à dix-huit ans. Construit à flanc de colline, le bâtiment de quatre étages offrait des services collectifs, des dortoirs et des chambres. Parce qu'il avait eu l'occasion de jouer dans des établissements similaires, Katsurō savait qu'il était un peu plus grand que la moyenne.

L'heure du spectacle approchant, il accorda sa guitare et fit quelques exercices de mise en voix. Tout allait bien, il était en forme.

La femme de tout à l'heure revint. Le concert allait commencer. Il but un dernier verre de thé et se leva.

La majorité des enfants qui l'attendaient, sagement assis sur des chaises métalliques dans le gymnase où aurait lieu le concert, étaient en âge de fréquenter l'école élémentaire. Ils l'applaudirent lorsqu'il monta sur scène. Les éducateurs leur avaient probablement dit de le faire.

Katsurō s'assit sur la chaise devant le micro et leur dit bonsoir. Ils en firent autant.

— C'est la deuxième fois que je viens chez vous. L'année dernière aussi, c'était pour Noël. Autrement dit, je suis un peu comme le père Noël, mais malheureusement, je ne vous apporte pas de cadeaux.

Quelques enfants rirent.

— À la place, j'ai des chansons, comme l'année dernière.

Il commença par *Le Petit Renne au nez rouge*, que beaucoup d'enfants reprirent avec lui parce qu'ils le connaissaient.

Il continua avec d'autres chants de Noël en s'adressant au public entre chacune. Ils avaient l'air contents et applaudissaient souvent. Tout va plutôt bien, se dit-il. Seule une petite fille d'une dizaine d'années, assise à l'extrémité droite du deuxième rang, ne paraissait pas partager leur plaisir. À la différence des autres, elle ne le regardait pas mais jetait des coups d'œil autour d'elle. Ses lèvres restaient fermées, peut-être parce qu'elle n'aimait pas chanter.

Son attitude mélancolique attira Katsurō d'une manière qu'il avait du mal à s'expliquer, comme si elle n'était pas une enfant mais une femme. Il avait envie qu'elle s'intéresse à lui.

Peut-être trouve-t-elle mon programme trop enfantin, se dit-il, et il décida de chanter la chanson du film *Emmène-moi faire du ski*, un grand succès sorti l'année précédente*, *Mon petit ami le père Noël*, une composition de Matsutōya Yumi. Ce qu'il faisait n'était pas tout à fait légal car il ne versait pas de droits d'auteur, mais le risque qu'il soit dénoncé était minime.

Les enfants qui avaient reconnu le tube de l'an passé étaient ravis, mais la petite fille au visage fermé continua à ne pas le regarder, comme lorsqu'il interpréta d'autres titres qui plaisaient généralement aux filles de son âge. Il en conclut qu'elle n'aimait probablement pas la musique.

---

* Ce film est sorti en novembre 1987.

— Voici déjà le moment de ma dernière mélodie, celle par laquelle je termine toujours. J'espère qu'elle vous plaira.

Il posa sa guitare, sortit son harmonica, inspira profondément, ferma les yeux et commença à jouer cet air qu'il avait interprété des milliers de fois et connaissait par cœur. Le morceau durait trois minutes trente, pendant lesquelles le silence s'installa dans la salle. Il ne rouvrit les yeux qu'à la fin. Et sursauta.

La petite fille de tout à l'heure le fixait d'un regard intense. Katsurō en fut aussi ému que si la petite fille était plus âgée.

Il quitta la scène sous les applaudissements. La femme de tout à l'heure vint le remercier. Il avait très envie de lui poser des questions sur cette enfant mais ne trouva pas de raison valable de le faire.

Il eut l'occasion de parler à la petite fille quelques instants plus tard, lorsqu'elle vint le trouver pendant le repas qui suivit le spectacle, auquel il avait été invité.

— Comment elle s'appelle, cette chanson ? lui demanda-t-elle en le regardant droit dans les yeux.

— Quelle chanson ?

— Celle que vous avez jouée à l'harmonica à la fin. Je ne la connaissais pas.

Il hocha la tête et sourit.

— C'est normal. C'est une de mes compositions.

— Une de vos compositions ?

— C'est moi qui l'ai écrite. Elle t'a plu ?

Cette fois-ci, ce fut elle qui hocha vigoureusement la tête.

— Je l'ai trouvée très belle. J'aimerais bien l'entendre encore une fois.

— Ah bon ! Attends-moi ici une minute.

Il alla chercher son harmonica dans la chambre où il serait hébergé pour la nuit, revint, et lui demanda de le suivre dans le couloir. Elle l'écouta jouer sans le quitter des yeux, puis lui posa une question :

— Elle n'a pas de titre, cette chanson ?

— Si, elle en a un. *Renaissance.*

— *Renaissance...* murmura-t-elle en se mettant à la fredonner.

Katsurō l'écouta, stupéfait. Elle était capable de la chanter dans son intégralité.

— Tu l'as déjà retenue ?

Pour la première fois, elle lui sourit.

— Je suis très forte pour me souvenir de ce que j'entends.

— Tu es extraordinaire, dit-il en la regardant.

Le mot "don" lui vint à l'esprit.

— Mais, vous, monsieur Matsuoka, vous n'êtes pas professionnel ?

— Professionnel... Eh bien... fit-il, en dissimulant son embarras.

— Je suis sûre que cette chanson peut avoir du succès.

— Tu crois ?

Elle fit oui de la tête.

— Moi, elle me plaît beaucoup.

— Merci, répondit-il en souriant.

Au même moment, une voix appela : "Seri !" La femme de tout à l'heure passa la tête dans le couloir.

— Tu veux bien t'occuper de faire manger Tatsu ?

— Oui, tout de suite, répondit la petite fille qui retourna dans le réfectoire après lui avoir adressé une courbette.

Il la suivit quelques instants après. Seri était assise à côté d'un petit garçon très maigre, à l'expression absente, à qui elle essayait d'apprendre à se servir d'une cuillère.

Comme la femme qui l'avait accueilli était à côté de lui, il lui demanda innocemment qui était cette petite fille.

— Son frère et elle sont arrivés chez nous au printemps dernier. Ils étaient tous les deux maltraités par leurs parents. Le petit garçon, Tatsu, ne parle qu'à sa sœur.

— Vraiment ? s'exclama-t-il en continuant à les regarder.

Il comprenait à présent les réticences de la petite fille vis-à-vis des chants de Noël.

Le repas terminé, il retourna dans sa chambre et s'allongea sur le lit. Bientôt il entendit des voix animées dehors et se leva pour aller jusqu'à la fenêtre. Des enfants tiraient de petites fusées d'artifice. Le froid ne paraissait pas les déranger. Seri et Tatsu les observaient un peu à l'écart.

Il se souvint de la question de la petite fille : "Vous n'êtes pas professionnel ?" On la lui avait souvent posée autrefois, mais cela faisait au moins mot dix ans qu'il ne l'avait pas entendue. À présent, elle ne lui faisait pas le même effet qu'autrefois.

Il leva les yeux vers le ciel nocturne en s'adressant intérieurement à son père : "Papa, désolé, mais je n'ai pas encore renoncé."

Il pensa à ce qui s'était passé huit ans auparavant.

2

Juillet venait tout juste de commencer quand il apprit la mort de sa grand-mère. Le téléphone sonna lorsqu'il s'apprêtait à ouvrir le café. C'était sa petite sœur, Emiko.

Katsurō n'était pas allé voir sa grand-mère bien qu'il ait su qu'elle allait mal et pouvait mourir à tout moment car ses problèmes rénaux et hépatiques s'aggravaient. Son état l'inquiétait, mais il avait ses raisons pour ne pas le faire.

— La veillée funéraire aura lieu demain, et la cérémonie, après-demain. Tu reviens quand ?

Un coude posé sur le comptoir, il se gratta la tête, hésitant.

— Je ne sais pas. Il faut que j'en parle au patron.

Le soupir d'Emiko ne lui échappa pas.

— Que tu parles à ton patron ? Mais tu ne travailles pas tous les jours, que je sache. Et il se débrouillait tout seul avant que tu arrives, non ? J'imagine que ça ne va pas changer grand-chose si tu n'es pas là un jour ou deux ! Tu nous as expliqué que tu avais accepté de l'aider parce qu'il était d'accord pour que tu t'absentes quand tu voudrais.

Elle disait vrai. Emiko avait toujours eu bonne mémoire. Katsurō se tut, conscient qu'il ne pouvait pas lui mentir.

— Ce serait embêtant que tu ne viennes pas, reprit-elle d'un ton pointu. Papa n'est pas en forme, et maman est épuisée parce qu'elle a longtemps soigné Mami. Et je n'ai pas besoin de te rappeler à quel point Mami t'a soutenu.

Katsurō soupira.

— D'accord, d'accord. Je verrai ce que je peux faire.

— Ne tarde pas, s'il te plaît. Le mieux serait que tu sois là ce soir.

— Ça, c'est exclu.

— Viens pour demain midi, alors !

— Je vais y réfléchir.

— Réfléchis vite ! Tu n'en fais toujours qu'à ta tête.

Elle raccrocha avant qu'il ait eu le temps de lui dire qu'elle n'avait pas à lui parler sur ce ton. Il s'assit sur un des tabourets du bar et regarda sans le voir le paysage de dunes à Okinawa du tableau accroché au mur. Le patron aimait ces îles méridionales et le bar était rempli d'objets qui s'y rapportaient.

Il tourna les yeux vers le fauteuil en osier et la guitare posée dans un coin du bar. C'était là qu'il s'asseyait lorsque les clients lui demandaient de jouer une chanson. Parfois, ils l'accompagnaient en chantant, mais ce n'était pas si fréquent. Ceux qui l'entendaient pour la première fois étaient souvent favorablement surpris et lui disaient qu'il avait la voix d'un professionnel, ou s'étonnaient qu'il ne le devienne pas.

Il leur répondait d'un ton modeste qu'il en était incapable, en se répétant à lui-même que c'était son objectif. Il avait abandonné ses études dans ce but.

Son intérêt pour la musique s'était éveillé en deuxième année de collège, la première fois qu'il avait eu une guitare entre les mains, chez un ami. "C'est celle de mon grand frère", lui avait dit celui-ci, et il lui avait montré comment en jouer. Au début, il avait eu du mal, mais ne s'était pas découragé et avait rapidement réussi à reproduire quelques morceaux faciles. La joie qu'il en avait tirée était indicible, et dépassait de loin le plaisir qu'il avait à jouer de la flûte à bec pendant les cours de musique au collège.

Quelques jours plus tard, il avait dit à ses parents qu'il voulait une guitare. Sa famille n'avait aucun lien avec la musique, et son père, qui tenait une poissonnerie, avait écarquillé les yeux puis s'était mis en colère. Il lui avait ordonné de cesser de fréquenter cet ami. Pour lui, jouer de la guitare menait apparemment à la dépravation.

Katsurō avait plaidé sa cause avec l'énergie du désespoir. Il s'était engagé à continuer à avoir de bonnes notes et à renoncer à la guitare s'il ne réussissait pas l'examen d'entrée du meilleur lycée de la ville.

Son insistance avait stupéfié ses parents à qui il n'avait jusqu'alors pas fait de demande de ce genre. Sa mère avait été la première à mollir, et son père n'avait pas tardé à céder. Il l'avait emmené en acheter une, non dans un magasin de musique mais chez un prêteur sur gages, en lui ordonnant d'un ton sans réplique de se satisfaire d'une guitare d'occasion. Il n'avait pas les moyens de faire plus, et son fils abandonnerait peut-être l'instrument.

Mais Katsurō était heureux. La première nuit, il avait dormi avec la guitare à côté de son oreiller.

Il s'était mis à jouer quotidiennement, en s'aidant d'un manuel lui aussi acheté d'occasion, sans pour autant négliger ses études. Ses notes n'avaient pas baissé, ses parents avaient cessé de lui reprocher de consacrer ses week-ends à la guitare, et il avait été admis dans le meilleur lycée de la ville.

Cet établissement avait un club de musique pop dont il était devenu membre. Avec deux garçons qui en faisaient aussi partie, il avait créé un groupe. Au début, les trois amis ne jouaient que des titres existants, mais par la suite, ils y avaient ajouté leurs propres compositions dont Katsurō, qui faisait aussi office de chanteur, était généralement l'auteur. Le groupe était apprécié au sein du lycée.

Il avait cessé de fonctionner en troisième année, pour permettre aux trois garçons de se consacrer à la préparation des examens d'entrée à l'université. Ils s'étaient promis de recommencer à jouer une fois qu'ils seraient étudiants, mais cela ne s'était pas fait car l'un d'entre eux avait échoué à son examen. L'année suivante, quand il l'avait réussi, il n'en avait plus été question.

Katsurō avait entamé des études d'économie dans une université de Tokyo. Il aurait préféré étudier la musique, mais ses parents ne l'auraient jamais accepté. Il savait depuis son plus jeune âge qu'ils attendaient de lui qu'il succède à son père dans la poissonnerie familiale. Ils n'avaient jamais rien envisagé d'autre pour lui, et il l'acceptait tacitement.

Son université comptait plusieurs clubs musicaux et il avait rejoint celui qui lui paraissait le plus intéressant. Le désenchantement n'avait pas tardé. Les autres membres ne pensaient qu'à s'amuser et ne prenaient pas la musique au sérieux. Lorsqu'il s'en était plaint, ils s'étaient moqués de lui. Pour eux, la musique n'était pas tout dans la vie, mais un simple divertissement. À quoi bon s'y donner à fond ? Aucun d'entre eux ne deviendrait musicien professionnel… Katsurō ne leur avait opposé aucun argument, comprenant que discuter avec eux était vain, et il s'était retiré du club.

Préférant éviter le stress que lui causait la compagnie de camarades qui ne partageaient pas son enthousiasme, il n'avait pas essayé les autres clubs de musique de l'université.

Il avait commencé à participer à des concours pour amateurs. Au début, il n'avait pas été sélectionné mais sa persistance lui avait permis de progresser. Il s'était fait des amis parmi les participants à ce genre d'événements, qui étaient souvent les mêmes. Leur enthousiasme l'avait stimulé. Comme lui, ils étaient prêts à tout sacrifier pour leur passion, et il ne pouvait pas faire moins.

Bientôt, la musique avait occupé l'intégralité de son temps éveillé. Il pensait en permanence à la prochaine chanson qu'il pourrait écrire. Il cessa de suivre les cours dont il ne voyait pas l'intérêt. Ses notes en pâtirent, ce qui était logique, et il rata plusieurs examens.

Ses parents, qui l'avaient laissé partir étudier à Tokyo, ne se doutaient de rien, persuadés qu'il leur reviendrait avec un diplôme au bout de quatre ans. L'été de ses vingt et un ans, il leur annonça par téléphone qu'il avait décidé d'abandonner ses études. Sa mère, qui avait décroché, éclata en sanglots. Son père, à qui il parla ensuite, le réprimanda en criant si fort que Katsurō dut éloigner le combiné de son oreille.

Il lui expliqua que continuer ses études n'avait plus de sens pour lui parce qu'il avait décidé de se lancer dans la musique, et son père hurla encore plus fort. Katsurō raccrocha. Tard le même soir, ses parents débarquèrent chez lui. La pâleur de sa mère contrastait avec le visage empourpré de son père.

Ils passèrent la nuit à discuter dans sa petite chambre d'étudiant. Son père pouvait accepter qu'il arrête ses études, à condition qu'il revienne immédiatement l'aider à la poissonnerie. Katsurō ne céda pas. Il resterait à Tokyo pour y tenter sa chance, car il savait qu'il le regretterait à jamais s'il ne le faisait pas. Ses parents ne dormirent pas de la nuit et repartirent par le premier train. Il les regarda s'éloigner depuis sa fenêtre, frappé par l'accablement qu'exprimait leur dos, une vision qui le poussa à joindre les mains.

Trois ans s'étaient écoulés depuis ce petit matin. Au lieu d'avoir obtenu son diplôme, il n'avait rien. Il continuait à faire de la musique et à participer à des concours pour amateurs. Il était presque arrivé en finale à plusieurs reprises et continuait à croire qu'il serait découvert un jour même si cela tardait. Aucune des maisons de disques à qui il avait envoyé des cassettes de démo ne l'avait rappelé.

Grâce à un client du bar, il avait rencontré un journaliste spécialisé, à qui il avait joué deux de ses compositions. Il lui avait aussi confié son souhait de devenir professionnel.

— Ce n'est pas mal, je trouve, dit l'homme aux cheveux gris permanentés. Tes chansons sont agréables à entendre, et tu chantes bien. Bravo !

Katsurō était ravi. Cela l'avait conforté dans l'idée qu'il serait bientôt reconnu.

Le client qui connaissait le journaliste avait posé la question que le jeune homme était trop timide pour risquer :

— Vous croyez qu'il a ses chances comme professionnel ?

— Hum… fit le journaliste après un instant de réflexion. À mon avis, mieux vaut ne pas y penser.

— Et pourquoi ? demanda Katsurō en relevant la tête.

— Des jeunes qui chantent aussi bien que toi, il y en a beaucoup. Je ne dirais pas la même chose si tu avais une voix originale.

Katsurō était trop sidéré pour répondre. Mais en réalité, il n'était pas surpris.

— Et ses chansons, vous en pensez quoi ? lança le patron du bar, qui assistait à la scène.

— Ses chansons ? Elles ne sont pas mal pour un amateur, répondit l'homme d'un ton neutre. Mais c'est tout. Elles font penser à celles qui existent déjà. Autrement dit, elles ne sont pas assez originales.

La critique était mordante. Katsurō eut soudain très chaud.

À compter de ce jour-là, il avait douté de son talent et de sa capacité à vivre de sa musique.

3

Il quitta finalement son appartement l'après-midi du lendemain, muni d'un sac polochon et d'une housse à vêtements dans laquelle se trouvait le complet-veston noir qu'il avait emprunté à son patron. Comme il ne savait pas quand il reviendrait à Tokyo, il aurait aimé emporter sa guitare, mais il y renonça pour ne pas s'exposer aux reproches de ses parents. Il glissa cependant son harmonica dans son sac.

Le train qu'il prit à la gare de Tokyo n'était pas plein, et il s'assit seul dans un espace à quatre places où il put poser ses pieds sur le siège d'en face, après avoir ôté ses chaussures.

Sa ville natale était à deux heures de la capitale, un trajet que certains de ses habitants faisaient tous les jours, mais Katsurō n'avait jamais envisagé de les imiter.

Quand il avait appris la mort de sa grand-mère, son patron lui avait immédiatement accordé un congé en lui recommandant de profiter de l'occasion pour discuter de son avenir avec ses parents. Katsurō avait interprété ce conseil comme un appel à prendre conscience qu'il était temps de renoncer à la musique.

Il regarda défiler la campagne en se demandant s'il avait tort de s'obstiner. Ses parents, qui devaient le penser, ne manqueraient pas de lui rappeler que la vie n'était pas aussi simple qu'il le croyait, et qu'il ferait mieux de revenir travailler à la poissonnerie, puisque de toute façon, il n'avait pas de vrai travail. Il s'imagina cette conversation et fit non de la tête. Assez de pensées pessimistes, se dit-il en ouvrant son sac d'où il sortit son baladeur et ses écouteurs. L'apparition du walkman un an plus tôt, une innovation qui permettait d'écouter de la musique partout, avait constitué une véritable révolution.

Il enclencha la touche "marche" et ferma les yeux. C'était une cassette du Yellow Magic Orchestra, un groupe japonais qui rencontrait un grand succès à l'étranger. Il avait entendu dire que lorsque le groupe avait assuré la première partie des Tubes à Los Angeles, toute la salle s'était levée pour l'applaudir.

Ça doit être ça, avoir du talent, pensa-t-il en se rendant compte qu'il n'arrivait pas à chasser son pessimisme.

Le train arriva bientôt dans la gare de sa ville natale. C'était la première fois qu'il revenait depuis qu'il avait interrompu ses études, mais rien ne lui parut changé. La rue principale était bordée de commerces fréquentés par des habitués.

Il s'arrêta devant le rideau de fer à moitié baissé de la poissonnerie familiale, située entre un fleuriste et un marchand de primeurs. Lorsque son grand-père l'avait créée, elle n'était pas ici, mais le magasin qui était plus grand avait brûlé pendant la guerre. Elle avait rouvert dans cette rue.

Il se glissa sous le rideau métallique. Dans la pénombre, il vit qu'il n'y avait pas de poisson sur l'éventaire. En été, on ne le laissait pas dehors. Ses parents avaient dû congeler les invendus. Une affichette collée au mur faisait savoir qu'on pouvait acheter ici de l'anguille grillée.

L'odeur de poisson lui rappela son enfance. Il continua vers l'arrière-boutique où se trouvait une marche qui menait au logement de ses parents. La porte était fermée, mais il y avait de la lumière à l'intérieur, et il discerna une silhouette.

Il inspira profondément avant de lancer un "bonjour" sonore.

La porte s'ouvrit, et Emiko apparut, vêtue d'une robe noire. Il fut surpris de voir qu'elle avait à présent l'air adulte. Elle le regarda des pieds à la tête et poussa un soupir de soulagement.

— Je suis contente que tu sois là. J'avais peur que tu ne viennes pas.

— Qu'est-ce que tu racontes ! Je t'avais dit que je m'arrangerais, répondit son frère en se déchaussant avant d'entrer dans le hall sombre. Tu es toute seule ? Où sont les parents ?

— Ils sont déjà partis. Ils ont besoin de moi, mais je t'attendais ici parce que tu n'aurais pas su où aller.

Il haussa les épaules.

— Ah bon.

— J'espère que tu n'as pas l'intention d'aller à la veillée funéraire habillé comme ça.

Il portait un jean et un tee-shirt.

— Bien sûr que non. Je vais me changer tout de suite.

— Dépêche-toi.

— Tu n'as pas besoin de me le dire.

Il monta à l'étage avec ses sacs. La plus grande des deux petites pièces avait été sa chambre jusqu'à ce qu'il quitte la maison. Il y entra et fut surpris par la touffeur et l'obscurité. Les rideaux étaient tirés. Il alluma la lumière. Dans la lumière blanche du tube fluorescent, sa chambre n'avait pas changé : le même taille-crayon noir était fixé sur son bureau où étaient posés une méthode de guitare et un dictionnaire, et les posters de ses idoles d'autrefois décoraient les murs.

Quand il était étudiant, sa mère lui avait dit que sa petite sœur voulait s'installer dans sa chambre. Il n'y voyait pas d'inconvénient, car il comptait déjà se lancer dans la musique et ne pensait pas retourner vivre chez ses parents.

Mais peut-être parce que ses parents n'avaient pas renoncé à l'espoir de le voir revenir, une perspective qui l'inquiétait, ils n'avaient rien changé à sa chambre.

Il mit son costume et quitta la maison avec Emiko. Il ne faisait heureusement pas trop chaud pour juillet.

La veillée funéraire avait lieu dans une salle de la maison de quartier, un bâtiment récent, à une dizaine de minutes à pied.

Le quartier résidentiel lui parut fort différent. D'après Emiko, la population de la ville augmentait. Que la ville évolue n'a rien d'étonnant, se dit-il.

— Et tu vas faire comment ?

— De quoi parles-tu ? répondit-il, bien qu'il ait compris ce à quoi elle faisait allusion.

— Eh bien, pour le futur. Ça serait bien de pouvoir vivre de la musique, mais tu crois que c'est possible ?

— Bien sûr. Sinon j'aurais déjà arrêté, dit-il en dissimulant son émoi.

Il avait l'impression de se mentir à lui-même.

— En toute honnêteté, je ne comprends pas comment un membre de ma famille pourrait avoir du talent. Bon, quand je t'ai entendu en concert, je t'ai trouvé très bon, mais il me semble qu'il faut plus que ça pour devenir professionnel, non ?

Le visage de Katsurō se ferma.

— Non, mais tu te prends pour qui ? Tu crois que tu es vraiment bien placée pour en juger ? Tu n'y connais rien !

Il s'attendait à ce qu'elle se mette en colère, mais il se trompait.

— C'est sûr que je n'y connais rien, fit-elle calmement. La musique, ce n'est pas mon domaine, et c'est bien pour ça que je te pose la question. Si tu penses que tu vas percer, tu pourrais dire un peu plus clairement comment tu crois que ça va se passer, non ? Et expliquer comment tu comptes gagner ta vie. Tu ne l'as jamais fait, et c'est normal que les parents et moi, on s'inquiète.

Elle avait raison, mais il refusa de l'admettre.

— Si tout allait comme sur des roulettes, les choses seraient bien plus simples. Je ne suis pas sûr que quelqu'un comme toi, qui fait ses études ici et qui s'apprête à travailler dans une petite banque du coin, puisse le comprendre.

Emiko, qui terminerait ses études l'année prochaine, savait déjà où elle serait embauchée. Cette fois-ci, elle va se fâcher, se dit-il, mais elle se contenta de pousser un soupir.

— Ça t'arrive de penser à comment vont faire les parents quand ils seront vieux ? demanda-t-elle d'un ton lassé.

Il ne lui répondit pas, car il n'aimait pas y réfléchir.

— Papa a eu un malaise il y a environ un mois. À cause de son problème cardiaque.

Katsurō s'arrêta et scruta le visage de sa sœur.

— C'est vrai ?

— Bien sûr que c'est vrai ! répondit-elle en le regardant dans les yeux. Heureusement, ce n'était pas trop grave. Mais c'est arrivé quand Mami allait déjà très mal, et on a eu vraiment peur.

— Je n'étais pas au courant.

— Je crois que papa a demandé à maman de ne pas t'en parler.

— Hum…

Il avait dû lui dire que ça ne servait à rien de prévenir ce fils qui ne se préoccupait pas de ses parents. Pris
de court, Katsurō garda le silence.

Ils continuèrent à marcher tous les deux. Emiko se
tut pendant le reste du trajet.

4

La maison de quartier ressemblait à celles des alentours, mais elle était un peu plus grande. Des gens en vêtements de deuil s'y pressaient.

Assise à la table de l'accueil, Kanako, sa mère, parlait avec un homme maigre. Katsurō s'approcha, et elle ouvrit tout grand la bouche. Au moment où il allait lui dire, suivant la formule consacrée, qu'il était rentré, il comprit qui était l'homme maigre debout à côté d'elle. La stupéfaction le rendit muet.

Son père, Takeo, qui avait tellement maigri qu'il ne l'avait pas reconnu de loin, scruta quelques instants le visage de son fils puis pinça les lèvres.

— Alors comme ça, tu es venu, finit-il par lancer d'un ton sec. Qui t'a prévenu ?

— Emiko.

— Hum, fit son père qui regarda sa fille et reposa ensuite les yeux sur son fils. Tu as du temps à perdre ici ?

Katsurō comprit le sous-entendu : ne s'était-il pas engagé à ne revenir qu'une fois qu'il aurait percé ?

— Si tu ne veux pas de moi ici, je peux partir tout de suite.

— Katsurō, s'il te plaît, l'implora sa mère d'un ton plaintif.

Takeo fit un geste de dénégation.

— Ce n'est pas ce que je veux dire. Écoute, j'ai beaucoup de choses à faire, alors ne me complique pas la vie.

Il s'éloigna sous les yeux de son fils.

— Merci d'être ici, dit sa mère. J'avais peur que tu ne rentres pas.

Katsurō comprit que sa sœur l'avait appelé à la demande de sa mère.

— Emiko a tellement insisté que je n'avais pas le choix. Mais qu'est-ce qu'il a maigri, papa ! J'ai appris qu'il avait de nouveau eu un malaise, mais maintenant, ça va ?

Sa mère eut l'air accablé.

— Il dit que tout va bien, mais j'ai l'impression qu'il est encore faible. Enfin, il a plus de soixante ans, alors…

— Il est déjà si vieux…

Son père avait trente-six ans quand il avait épousé sa mère. Il avait dû travailler dur pour relancer la poissonnerie et avait attendu longtemps avant de se marier. Sa mère l'avait souvent raconté à ses enfants.

Les membres de la famille de son père commencèrent à arriver après 18 heures. Ses nombreux frères et sœurs vinrent avec leurs familles respectives, et il y eut bientôt une vingtaine de personnes. Katsurō ne les avait pas vus depuis plus de dix ans. Un de ses oncles, qui avait trois ans de moins que Takeo, lui serra la main avec effusion.

— Katsurō ! Tu as l'air en pleine forme. Alors comme ça, tu es toujours à Tokyo. Et tu fais quoi ?

— Euh… Eh bien… des tas de choses, répondit-il, gêné de ne pouvoir être plus clair.

— Comment ça, des tas de choses ? J'espère que tu n'as pas fait exprès de redoubler à l'université, pour pouvoir t'amuser plus longtemps.

Katsurō sursauta. Il venait de comprendre que ses parents avaient caché le fait qu'il avait abandonné ses études. Kanako, qui était tout près de lui, fit semblant de n'avoir rien entendu.

Un sentiment d'humiliation monta en lui. Ses parents n'osaient pas dire autour d'eux que leur fils voulait vivre de sa musique. Il s'en voulut de ne pas l'avoir fait lui-même. Il se passa la langue sur les lèvres et regarda son oncle droit dans les yeux.

— J'ai arrêté.

— Quoi ? fit celui-ci, déconcerté.

— J'ai arrêté l'université. J'ai abandonné en route, continua-t-il en voyant du coin de l'œil sa mère frémir. Parce que je veux vivre de ma musique.

— De ta musique ? répéta son oncle comme s'il n'avait jamais rien entendu d'aussi étrange.

Comme la cérémonie venait de commencer, la conversation n'alla pas plus loin. Mais il remarqua que son oncle échangeait quelques mots avec ses frères et sœurs, avec une expression abasourdie. Il cherchait probablement à vérifier si Katsurō n'avait pas menti.

Le service continua avec la lecture des soutras. Le tour de Katsurō de prendre une pincée d'encens devant le cercueil arriva. Sur la photo disposée devant lui, sa grand-mère souriait. Katsurō se souvenait de sa gentillesse avec lui quand il était petit. Si elle vivait encore, elle approuverait sans doute son choix.

Une fois la cérémonie terminée, le public alla dans une autre pièce où l'attendaient des sushis et de la bière. Il ne restait plus que la famille de son père. Comme la défunte était morte à presque quatre-vingt-dix ans, le chagrin était modéré, et l'ambiance presque joyeuse, comme s'ils étaient tous heureux de se retrouver.

Soudain, quelqu'un éleva la voix.

— Ça suffit maintenant ! Occupe-toi de tes affaires et pas de celle des autres !

Katsurō n'eut pas besoin de se retourner pour comprendre que c'était celle de son père.

— Mais ce ne sont pas les affaires des autres ! Avant l'installation dans le nouvel endroit, c'était la maison de notre père. Moi aussi, j'y ai habité.

L'oncle avec qui il se disputait était celui auquel Katsurō avait parlé tout à l'heure. Sans doute parce qu'ils avaient bu, les deux frères avaient le visage cramoisi.

— La maison construite par notre père a brûlé. C'est moi qui ai fait bâtir celle où j'habite aujourd'hui. Tu n'as aucun droit de dire quoi que ce soit à son sujet.

— Comment ça ? C'est bien parce que la poissonnerie s'appelait Uomatsu que tu as pu retrouver la clientèle. Et maintenant, tu veux la fermer sans même nous demander notre avis.

— Qui a parlé de la fermer ? Je n'ai aucune intention d'arrêter de travailler.

— Tu t'es vu ? Tu crois vraiment que tu vas pouvoir continuer longtemps ? Tu es bien incapable de soulever une caisse de poisson aujourd'hui. Ta première erreur a été d'envoyer ton fils étudier à Tokyo. On n'a pas besoin de faire des études pour devenir poissonnier !

— Autrement dit, pour toi, tous les poissonniers sont des imbéciles ? rétorqua Takeo en se levant.

Comme les deux frères semblaient sur le point d'en venir aux mains, les autres membres de la fratrie se hâtèrent de s'interposer. Takeo se rassit.

— Mais quand même… T'es bizarre, toi. Personne ne peut te comprendre, murmura l'oncle qui continuait à boire. Comment as-tu pu accepter que ton fils décrète qu'il arrêtait ses études pour se lancer dans la chanson ?

— Laisse-moi tranquille et occupe-toi de tes affaires, répondit Takeo.

Les tantes de Katsurō firent se lever l'oncle qui continuait à chercher querelle à son frère.

L'ambiance redevint plus paisible, mais pesante. Un autre de ses oncles se leva en disant qu'il était tard, ses frères et sœurs l'imitèrent rapidement, et bientôt il ne resta plus que Katsurō, ses parents et sa sœur.

— Rentrez les premiers, leur dit Takeo. Je veillerai à ce que l'encens ne s'éteigne pas.

— Tu es sûr que cela ne va pas trop te fatiguer ? s'inquiéta son épouse.

— Ne me traite pas comme un malade ! répondit son mari avec mauvaise humeur.

Katsurō quitta la maison de quartier avec Kanako et Emiko. Mais il s'arrêta au bout de quelques pas.

— Continuez sans moi, je vous rejoindrai tout à l'heure.

— Pourquoi ? Tu as oublié quelque chose ? demanda sa mère.

— Non, mais… grommela-t-il.

— Tu veux parler à papa ? s'enquit Emiko.

— Oui. Je pense que ça serait bien, répondit-il.

— Ah bon. OK. Maman et moi, on rentre. À tout à l'heure !

Plongée dans ses réflexions, Kanako ne fit pas le moindre geste. Puis elle releva la tête et regarda son fils.

— Papa ne t'en veut pas, tu sais. Il trouve que tu as raison de faire ce que tu veux.

— … Vraiment ?

— C'est bien pour ça qu'il s'est disputé avec son frère, tout à l'heure.

— Ah oui…

Katsurō l'avait perçu. Quand son père avait dit à son frère de ne pas se mêler de ce qui ne le regardait pas, il lui avait signifié que lui et sa famille acceptaient le choix de leur fils. C'était précisément la raison pour laquelle Katsurō avait envie de lui parler.

— Papa espère que tu parviendras à réaliser ton rêve, reprit sa mère. Il ne veut pas t'en empêcher. Et il ne voudrait pas que tu y renonces à cause de ses ennuis de santé. Tu peux bien sûr discuter avec lui, mais n'oublie pas ce que je viens de te dire.

— D'accord.

Il les regarda s'éloigner et tourna les talons.

En montant dans le train à Tokyo, il ne s'était pas du tout attendu à ce que les choses se passent ainsi. Il pensait subir les reproches de ses parents, et affronter l'incompréhension de ses oncles et tantes. Mais ses parents l'avaient défendu. Il n'avait pas oublié leur départ de son appartement trois ans auparavant. Comment avaient-ils réussi à changer d'attitude à son égard ?

Presque toutes les lumières de la maison de quartier étaient éteintes. Il n'en restait qu'une, dans la pièce du fond.

Au lieu d'entrer, il s'approcha à pas de loup de sa fenêtre. Il pouvait voir son père à l'intérieur parce que le panneau coulissant transparent qui servait de rideau était légèrement entrouvert.

Ce n'était pas la pièce dans laquelle ils avaient mangé, mais celle où reposait le cercueil devant lequel brûlait de l'encens. Takeo était assis sur la chaise la plus proche de celui-ci.

Son fils le vit se lever pour aller prendre quelque chose dans sa sacoche posée un peu plus loin, un objet enveloppé de tissu blanc.

Il ne comprit pas ce que faisait son père qui s'approcha ensuite du cercueil et sortit du tissu un objet brillant. Katsurō devina immédiatement ce que c'était : un vieux couteau, dont il connaissant l'histoire pour l'avoir souvent entendue.

Son grand-père, qui s'en servait lorsqu'il avait ouvert sa poissonnerie, l'avait remis à Takeo quand celui-ci lui avait succédé. C'était aussi avec ce couteau que Takeo avait fait son apprentissage.

Il souleva ensuite le tissu blanc qui recouvrait le cercueil et déposa l'instrument dessus. Il se recueillit devant le corps de sa mère et se mit à prier, les mains jointes.

Katsurō le regarda, le cœur serré, avec l'impression de deviner ce que son père disait à sa grand-mère.

Il lui présentait sans doute ses excuses. Le magasin que son mari avait créé et que leur fils avait repris ne continuerait pas à exister. Le couteau ne serait pas transmis à son petit-fils. Katsurō s'écarta de la fenêtre et partit de la maison de quartier sans y être entré.

5

Pour la première fois, il se reprochait son attitude par rapport à son père. Il lui devait de la reconnaissance pour l'avoir laissé faire ce qu'il voulait.

Aurait-il dû se comporter différemment ?

Comme son oncle l'avait dit, Takeo n'était pas en bonne santé. Jusqu'à quand pourrait-il continuer à tenir la poissonnerie ? Kanako était capable de le remplacer temporairement, mais elle devrait aussi le soigner. Ses parents n'auraient peut-être pas d'autre choix que de fermer le magasin en urgence.

Emiko commencerait à travailler le printemps prochain. La banque n'était pas loin de chez eux, elle ne déménagerait pas. Mais son salaire ne serait pas suffisant pour entretenir leurs parents.

Devait-il renoncer à la musique et succéder à son père ?

C'était la voie la plus réaliste. Mais que deviendrait son rêve ? Sa mère lui avait dit que son père ne souhaitait pas qu'il y renonce en raison de sa santé défaillante.

Katsurō poussa un soupir et s'arrêta. Il regarda les alentours et ne reconnut pas l'endroit. Les nouvelles constructions étaient si nombreuses qu'il s'était égaré.

Il parcourut les alentours au petit trot. Bientôt, il arriva à un endroit qui lui était familier, à côté d'un terrain vague où il jouait souvent quand il était enfant.

Le chemin était en pente douce. Il le gravit lentement et vit sur sa gauche une maison qu'il reconnut, un bazar où il venait autrefois acheter des articles de papeterie. L'enseigne défraîchie indiquait : "Bazar Namiya".

Il y associait un autre souvenir. Le vieux monsieur qui le tenait offrait ses conseils aux gens qui avaient des problèmes. Les soucis qu'il avait eus enfant ne méritaient pas ce nom. Ses camarades et lui avaient demandé comment gagner la course à pied de l'école, ou encore comment recevoir plus d'étrennes. Mais le vieux M. Namiya répondait à tout sérieusement. Pour résoudre la question concernant les étrennes, il avait suggéré d'exiger qu'elles soient données dans une enveloppe transparente. Ainsi, les gens qui tenaient à leur apparence y mettraient un peu plus d'argent.

Le vieil homme était-il toujours en vie ? Katsurō contempla le bazar d'un œil mélancolique. Le rideau de fer rouillé était tiré, et il ne vit pas de lumière à l'étage.

Il arriva à l'arrière de la maison en longeant l'entrepôt voisin sur le mur duquel lui et ses amis avaient souvent fait des graffitis autrefois. Au lieu de se fâcher, le vieux monsieur leur avait conseillé d'en faire de plus jolis.

Katsurō constata qu'il n'y en avait plus. Le temps les avait peut-être effacés.

Au même moment, il entendit un vélo freiner devant le magasin. Il tendit le cou et aperçut une jeune fille qui descendait de sa bicyclette.

Elle la mit sur sa béquille et prit quelque chose dans son sac, qu'elle glissa ensuite dans la fente du rideau métallique. Katsurō ne put réprimer un petit cri de surprise qui résonna dans le silence ambiant.

La jeune fille lui lança un regard apeuré et tenta d'enfourcher immédiatement son vélo. Elle devait le prendre pour quelqu'un de dangereux.

— Attendez, s'il vous plaît. Je ne vous veux pas de mal, dit-il en sortant de l'obscurité. Je ne me suis pas caché, je suis allé derrière la maison car elle me rappelle de vieux souvenirs.

Elle tourna vers lui un visage soupçonneux. Ses longs cheveux étaient noués en queue de cheval, son visage n'était presque pas maquillé, et elle était jolie. Elle avait sans doute le même âge que lui, et un corps de sportive, avec des bras musclés.

— Vous m'avez vue faire, n'est-ce pas ?

Katsurō ne répondit pas à cette question posée d'une voix un peu rauque, car il ne l'avait pas comprise.

— Vous n'avez pas vu ce que j'ai fait ? répéta-t-elle d'un ton insistant.

— Vous avez glissé une enveloppe.

Elle fronça les sourcils et se mordit les lèvres. Puis elle leva à nouveau les yeux vers lui.

— Je voudrais vous demander d'oublier ce que vous venez de voir. Et de m'oublier. Au revoir, dit-elle, sur le point de partir.

— Un instant, s'il vous plaît ! fit-il en allant se mettre devant son vélo. La lettre que vous avez glissée, c'est une demande de conseils ?

Elle baissa la tête et le regarda par en dessous.

— Qui êtes-vous ?

— Quelqu'un qui connaît bien ce bazar. Enfant, je venais souvent demander conseil à M. Namiya.

— Comment vous appelez-vous ?

Katsurō fronça les sourcils à son tour.

— Avant de me demander mon nom, peut-être pourriez-vous me donner le vôtre ?

— Non, je ne peux pas, répliqua-t-elle immédiatement. Et l'enveloppe que je viens de glisser ne contient pas une demande de conseils, mais mes remerciements.

— Vos remerciements ?

— Il y a six mois, je lui ai demandé conseil, et il m'en a donné de très précieux. Je suis venue le remercier de m'avoir permis de résoudre mon problème.

— Il vous a conseillée ? Le vieux monsieur du bazar ? Il habite encore ici ? demanda-t-il en regardant alternativement l'inconnue et le rideau rouillé.

Elle pencha la tête de côté, perplexe.

— J'ignore s'il habite toujours ici. Mais l'an dernier, quand je lui ai adressé une lettre, j'ai trouvé une réponse dans la boîte à lait le lendemain.

C'était ainsi que cela fonctionnait. On glissait une lettre dans la fente du rideau métallique, et le lendemain, on recevait une réponse dans la boîte à lait.

— Est-ce qu'on peut encore solliciter son avis maintenant ?

— Je n'en sais rien. Je l'ai consulté l'année passée. Je ne suis pas sûre que ma lettre de remerciements sera lue, mais je voulais quand même l'écrire.

Les conseils qu'elle avait reçus lui avaient visiblement été précieux.

— C'est tout ce que vous vouliez me demander ? Si je ne me dépêche pas de rentrer, mes parents vont se faire du souci.

Katsurō s'écarta.

— Oui. Allez-y !

Elle pédala vigoureusement, gagna de la vitesse et disparut en moins de dix secondes du champ de vision de Katsurō.

Il scruta à nouveau le bazar qui semblait abandonné. Seul un fantôme aurait pu écrire une réponse à une demande de conseil.

— Hum, fit-il.

Tout ça était idiot. Et impossible. Il secoua la tête de côté et repartit.

Emiko était seule dans le séjour quand il revint dans la maison familiale. Elle lui expliqua qu'elle venait de boire un verre car elle ne trouvait pas le sommeil. Une bouteille de whisky et un verre étaient posés sur la table basse. Depuis quand sa petite sœur buvait-elle de l'alcool ? Elle ajouta que leur mère était déjà couchée.

— Tu as parlé à papa ?

— Non. Finalement, je suis allé faire un petit tour sans retourner le voir.

— Un petit tour ? À cette heure-ci ? Où ça ?

— Dans le coin. Je voulais te demander quelque chose. Tu te souviens du bazar Namiya ?

— Du bazar Namiya ? Bien sûr. Il se trouve à un drôle d'endroit.

— Quelqu'un y habite encore ?

— Hein ? répliqua-t-elle d'un ton soupçonneux. Je ne crois pas. Le magasin a fermé définitivement il y a quelque temps, et je crois que la maison est vide.

— Hum… C'est bien ce qui me semblait.

— Pourquoi me demandes-tu ça ?

— Pour rien.

Emiko fit la moue.

— Moi, je voulais savoir ce que tu comptes faire. Laisser tomber la poissonnerie, c'est ça ?

— Tu n'as pas à me parler sur ce ton.

— Pourtant, c'est bien ce dont il s'agit. Si tu ne la reprends pas, elle va fermer. Moi, ça m'est égal. Mais que vont faire papa et maman ? Tu ne comptes quand même pas les abandonner ?

— Tu m'embêtes avec tes questions. J'y ai réfléchi.

— Et c'est quoi, ta conclusion ? Dis-le-moi !

— Tu m'embêtes !

Il monta l'escalier et s'allongea sur son lit sans quitter son costume. Les idées tournoyaient dans sa tête, et il n'arrivait pas à une conclusion claire.

Il finit par se relever pour aller s'asseoir à son bureau d'écolier. Il en ouvrit le tiroir où il trouva un bloc de papier et un stylo.

Il se mit à écrire une lettre au bazar Namiya.

6

La cérémonie des adieux du lendemain se déroula sans incident. La famille paternelle était à nouveau réunie, mais, sans doute à cause de la veille, Katsurō se sentit un peu mis à l'écart. Son oncle ne s'approcha pas de lui.

Les commerçants du quartier et les membres de l'association du voisinage, que Katsurō connaissait depuis l'enfance, étaient nombreux.

Il reconnut aussi plusieurs camarades de classe, avec un peu de mal pour certains, à cause de leur costume noir. L'un d'entre eux était le fils d'un fabricant de sceaux personnels, qui avait sa boutique dans la même rue que la poissonnerie. Katsurō se rappela en le voyant qu'une connaissance lui avait dit que ce camarade, dont le père était mort quand il était enfant, avait commencé très tôt à apprendre à graver des sceaux avec son grand-père. À sa sortie du lycée, il s'était mis à travailler avec lui et tenait maintenant le magasin.

Lorsqu'il vint présenter ses condoléances après s'être incliné devant le cercueil, Katsurō eut l'impression qu'il était plus âgé que lui.

Une fois la cérémonie terminée, la famille accompagna le cercueil sur le lieu de crémation. Tous ses membres se rassemblèrent ensuite pour un autre service.

Les remerciements que leur adressa ensuite Takeo marquèrent la fin des obsèques.

Katsurō, son père, sa mère et sa sœur les regardèrent partir puis se préparèrent à les imiter. Ils chargèrent le break du magasin des éléments de l'autel portatif et des couronnes de fleurs. Les bagages étaient si nombreux qu'il restait peu de place sur la banquette arrière. Takeo était au volant.

— Katsurō, monte devant, dit Kanako.

Il fit non de la tête.

— Non, vas-y toi, maman. Je vais rentrer à pied.

Elle le regarda avec méfiance, peut-être parce qu'elle croyait qu'il ne voulait pas s'asseoir à côté de son père.

— Je veux passer quelque part, mais je ne serai pas long.

— Ah bon…

Tournant le dos à sa famille qui paraissait peu satisfaite de son initiative, il se mit à marcher d'un bon pas. Il n'avait pas envie de leur expliquer où il allait. Il regarda sa montre et vit qu'il était presque 18 heures.

Hier, il était ressorti tard pour aller au bazar Namiya, avec une enveloppe dans la poche arrière de son jean, qui contenait la lettre dans laquelle il exposait ses préoccupations actuelles. Que devait-il faire ? Continuer à chercher à réaliser son rêve ou y renoncer et reprendre le commerce familial ?

Ce matin au réveil, il avait regretté cette initiative, qui lui paraissait incroyablement stupide. Plus personne ne tenait le bazar, la maison était inhabitée, et la fille d'hier soir probablement dérangée. Il avait fait une erreur et ne voulait pas que sa lettre soit lue.

Il conservait cependant un peu d'espoir. Peut-être allait-il, comme la jeune fille d'hier soir, recevoir un conseil qui lui serait précieux.

Il gravit la pente, alternant entre le doute et l'espoir. Bientôt, il vit l'enseigne défraîchie et remarqua que les murs de la bâtisse, autrefois de couleur crème, avaient noirci, ce dont il ne s'était pas rendu compte hier parce qu'il faisait trop sombre.

Il prit l'étroit passage entre la maison et l'entrepôt en prenant garde à ne pas frôler le mur pour ne pas salir son costume. Il n'avait pas oublié que la boîte à lait était à côté de la porte de derrière, et retint son souffle en soulevant le couvercle non sans difficulté, car la charnière était rouillée.

Une enveloppe en papier brun s'y trouvait, celle glissée dans sa missive de la veille. Quelqu'un avait écrit : "À l'attention de l'artiste-poissonnier".

Il était stupéfait. Cela signifiait-il que quelqu'un habitait encore ici ? Il s'approcha de la porte arrière et tendit l'oreille sans rien entendre.

La maison était inhabitée mais quelqu'un y venait tard le soir vérifier s'il n'y avait pas de nouvelles lettres et apporter les réponses à celles qui avaient été reçues ? Ce n'était pas impossible. Mais pourquoi se donner tant de mal ?

Katsurō repartit, perplexe. Il décida que ce n'était pas le plus important. Le bazar Namiya avait ses raisons qui lui étaient propres. Pour le moment, ce que disait la réponse comptait plus pour lui. La lettre à la main, il marcha en cherchant un endroit où la lire.

Il passa à côté d'un petit square, où il y avait un toboggan, une balançoire et un bac à sable. Il s'assit sur un banc après s'être assuré qu'il n'y avait personne alentour. Puis il inspira profondément et ouvrit la lettre. Un seul feuillet qu'il se mit à lire, fébrile.

Monsieur l'artiste-poissonnier,

J'ai pris connaissance de vos tourments. Merci de m'avoir informé de vos soucis futiles.

Tout va bien pour vous. Vous êtes le fils unique d'un poissonnier qui a succédé à son père à la tête d'une affaire familiale. Vous aussi pouvez le faire sans vous donner aucun mal. La poissonnerie a sans doute des clients fidèles, et vous n'aurez pas à vous créer une clientèle.

J'ai une question pour vous. Vous ne connaissez personne qui ne trouve pas de travail ? Si votre réponse est négative, je vous envierai encore plus.

Pensez à où vous en serez dans trente ans. Cela vous permettra peut-être de vous rendre compte que vos soucis actuels sont frivoles. Dans trente ans, même les gens qui ont fait des études supérieures auront du mal à trouver du travail. Et ceux qui en auront seront forcément en meilleure position. Je suis sûr qu'il en sera ainsi. Je suis prêt à le parier.

Mais vous, vous avez arrêté vos études avant d'avoir obtenu votre diplôme. C'est ça, non ? Vous avez gâché l'argent que vos parents avaient dépensé pour vous. C'est vraiment incroyable.

Et vous aimez la musique. Vous voulez devenir artiste, n'est-ce pas ? Vous voulez sacrifier le commerce familial en espérant vivre de votre art. Eh ben dites donc !

Je ne vois pas à quoi mes conseils vous serviraient. Faites ce qui vous plaît. Moi, je pense que les gens qui vivent sans penser au lendemain méritent de souffrir un jour. Mais bon, puisque j'ai pour principe de répondre à toutes les demandes de conseils, je vais vous en donner un.

Je ne vous condamne pas, mais abandonnez votre guitare et reprenez le magasin familial. Votre père est malade, n'est-ce pas ? Ce n'est pas le moment de vous tourner les pouces. Vous n'arriverez pas à vivre de votre musique. Seuls

les gens qui ont un talent spécial réussissent à le faire. Vous
n'en avez pas. Cessez de rêver, et regardez la réalité en face.

Bazar Namiya

Sa main s'était mise à trembler avant même d'avoir fini la lettre. De colère.

Pourquoi devait-il se faire insulter de cette façon ?

Il s'attendait à lire qu'il devait abandonner la musique et succéder à son père. C'était plus facile, d'un point de vue réaliste. Nul besoin d'employer un langage aussi blessant. Il ne le méritait pas.

Il regretta d'avoir sollicité les conseils du bazar Namiya, roula l'enveloppe et la lettre en boule avant de les fourrer dans sa poche. Puis il se releva, en pensant les jeter dans une corbeille s'il en voyait une.

Mais il n'en croisa pas, et les avait encore quand il arriva chez lui. Ses parents et sa sœur étaient occupés à dresser l'autel temporaire devant l'autel bouddhique de la maison.

— Tu en as mis du temps pour rentrer ! Où étais-tu ? lui demanda sa mère.

— Euh… Nulle part, répondit-il avant de gravir l'escalier.

Une fois dans sa chambre, il quitta son costume noir et jeta la lettre dans la corbeille à papier. Puis il se ravisa et se leva pour la reprendre. Il déplia la feuille froissée et la relut. Elle lui déplut tout autant.

Il n'avait aucune intention d'en tenir compte mais n'avait pas non plus envie d'en rester là. Son auteur se trompait lourdement à son sujet. "À la tête d'une affaire familiale…" Comme si la poissonnerie était une entreprise prospère ! Il devait le prendre pour un enfant gâté qui avait été élevé dans le luxe.

Et ce conseil de regarder la réalité en face ! Comme si Katsurō ne le faisait pas. C'était d'ailleurs pour cela qu'il se tourmentait à propos de son avenir. Non, l'auteur de la lettre n'avait rien compris à ce qu'il avait écrit.

Il alla s'asseoir à son bureau, ouvrit son tiroir, en sortit son bloc et un stylo. La lettre qu'il rédigea était la suivante :

À l'attention du bazar Namiya

Je vous remercie de votre réponse à laquelle je ne m'attendais pas. Mais son contenu m'a déçu.

Pour dire les choses clairement, vous n'avez rien compris à mes tourments. Je sais parfaitement qu'il serait plus raisonnable de succéder à mon père.

Cela peut sembler évident, mais là non plus, le succès n'est pas assuré.

Il me semble que vous vous faites des idées au sujet de ce que vous appelez "l'entreprise familiale". Ce n'est qu'une toute petite poissonnerie de quartier dont les affaires ne sont pas particulièrement florissantes. Le chiffre d'affaires permet tout juste de vivre au jour le jour. Même si je devais la reprendre, mon avenir ne serait pas assuré. Envisager de faire autre chose n'est pas aussi insensé que vous semblez le penser. Comme je vous l'ai dit dans ma première lettre, mes parents soutiennent mon projet. Je les décevrais si je devais renoncer à mon rêve aujourd'hui.

Vous trompez sur un autre point. La musique est pour moi un métier comme un autre. Je veux gagner ma vie en écrivant des chansons et en les jouant moi-même. Mais j'ai bien peur que vous me voyiez comme quelqu'un qui souhaite profiter de son art pour avoir une vie facile. Ce doit être pour cela que vous avez écrit que je voulais devenir artiste. Permettez-moi d'être clair : je ne me qualifie pas d'artiste. Je ne cherche pas à vivre à l'écart du monde en pratiquant mon art, mais à devenir musicien professionnel.

Je suis parfaitement conscient du fait que seuls ceux qui ont un talent spécial peuvent réussir. Mais comment pouvez-vous affirmer que je n'en ai pas ? Vous ne m'avez jamais entendu chanter, n'est-ce pas ? Je vous demande de ne pas vous laisser aller à des conclusions hâtives. Ne pensez-vous pas que l'on ne peut comprendre quelque chose que si on essaie de le faire ?

Le musicien-poissonnier

7

Le lendemain, Katsurō prenait son déjeuner lorsque son père lui demanda quand il comptait rentrer à Tokyo. La poissonnerie avait rouvert aujourd'hui, et Katsurō l'avait vu partir de bon matin au marché de gros.

— Je n'ai pas encore décidé, répondit-il.

— Tu peux te permettre de prendre ton temps comme ça ? La musique, c'est si facile ?

— Je ne prends pas particulièrement mon temps. Je sais ce que j'ai à faire.

— Et c'est quoi ?

— J'ai vraiment besoin de te le dire maintenant ?

— Quand je pense à tes grandes déclarations il y a trois ans… Je ne veux pas que tu fasses les choses à moitié.

— Arrête, s'il te plaît. Je sais ce que j'ai à faire, tu n'as pas besoin de me le dire, répliqua Katsurō qui posa ses baguettes et se leva.

Kanako observa la scène depuis la cuisine avec une expression inquiète.

Son fils sortit en fin de journée. Il avait bien sûr l'intention d'aller au bazar Namiya où il était passé la nuit précédente afin de déposer sa deuxième lettre par la fente du rideau métallique.

Lorsqu'il souleva le couvercle de la boîte à lait, il vit, comme la veille, l'enveloppe qu'il avait fournie. L'auteur

des lettres devait venir vérifier tous les jours si de nouvelles missives n'étaient pas parvenues.

Il lut celle qui lui était destinée dans le même square
que la veille.

À l'attention du musicien-poissonnier
Un commerce, petit ou grand, est un commerce. C'est
grâce à ce commerce que vous avez pu aller à l'université,
non ? Et si ses affaires marchent mal, n'est-ce pas votre rôle,
en tant que fils, de contribuer à les redresser ?

Je ne dis pas que vous devez renoncer à la musique. Pour-
quoi ne pas vous en contenter comme hobby ?

Il ne fait aucun doute pour moi que vous n'avez pas
de don pour la musique. Je le sais, même si je ne vous ai
jamais entendu.

Vous vous y consacrez entièrement depuis trois ans, et
vous n'avez pas encore percé, n'est-ce pas ? C'est la preuve
de votre manque de talent.

Les gens qui en ont percent bien plus vite que ça. Quel-
qu'un qui possède un éclat particulier attire l'attention.
Personne ne vous a remarqué. Il est temps que vous le recon-
naissiez.

Vous n'aimez pas qu'on vous qualifie d'artiste ? Pour moi,
cela montre que vous êtes en retard sur votre époque. Écou-
tez, je ne vous veux pas de mal, mais je vous conseille de vous
tourner dès aujourd'hui vers la profession de poissonnier.

Bazar Namiya

Katsurō se mordit les lèvres. Cette réponse ne valait
pas mieux que la première. Elle était tout aussi mépri-
sante.

Étrangement, il ne sentit pas la colère monter en lui.
Au contraire, la lettre ne lui déplaisait pas.

Il la relut. Et poussa un profond soupir.

Il dut reconnaître que ce qui était écrit n'était pas faux. Le ton de la lettre était rugueux, mais elle exprimait la vérité. "Quelqu'un qui possède un éclat particulier attire l'attention." Katsurō en était conscient, mais il avait jusqu'à présent refusé de l'admettre. Il se consolait en pensant qu'il avait manqué de chance, mais quelqu'un qui avait du talent n'avait pas besoin d'avoir en plus de la chance.

Personne ne lui avait jamais parlé aussi clairement. Généralement, on se contentait de lui recommander d'arrêter en lui disant que ce ne serait pas facile. Parce que ceux qui parlaient ne voulaient pas s'engager. L'auteur de ces lettres était différent. Il n'y allait pas par quatre chemins.

Katsurō reposa les yeux sur la lettre en se demandant qui pouvait l'avoir écrite. Qui osait s'exprimer aussi clairement ? En général, les gens préféraient prendre des gants et se montraient plus délicats. Ces deux lettres étaient directes. Il était certain qu'elles n'avaient pas été écrites par le vieux M. Namiya. Lui se serait exprimé plus gentiment.

Il aurait aimé rencontrer l'auteur de ces lettres. L'écrit ne permettait pas de tout dire. Une conversation aurait été plus rapide.

Une fois la nuit tombée, Katsurō sortit à nouveau. Il avait une autre enveloppe dans la poche de son jean. Voici ce qu'il avait écrit, après mûre réflexion :

À l'attention du bazar Namiya
Je vous remercie de votre deuxième réponse.
En toute honnêteté, elle m'a choqué. Je ne m'attendais pas à une critique aussi acérée. Je pensais avoir un certain talent. Je rêvais d'être découvert un jour.

Mais votre clarté m'a fait du bien.

Elle m'a permis de me voir autrement. J'ai l'impression, tout bien réfléchi, de m'être entêté à croire à mon rêve. Peut-être n'ai-je pas été capable de sortir de mes illusions. Pourtant, et j'en ai honte, je n'ai pas encore pris de décision. J'ai envie de continuer encore un peu à faire de la musique.

Je me suis aussi rendu compte d'autre chose. À savoir de ce qui me tourmente vraiment.

Je pense que cela fait longtemps que je sais ce que je devrais faire. Mais je n'ai pas réussi à me décider à renoncer à mon rêve. Et je ne sais toujours pas comment me tirer de cette situation. Mon état est le même que quelqu'un qui aime sans être payé de retour. Je sais que je ne le serai pas mais je ne peux pas renoncer à celle que j'aime.

Je n'arrive pas à m'exprimer comme je le voudrais par écrit. Et c'est pour cela que j'ai une demande à vous faire. Ne pourrions-nous pas nous voir, une seule fois, pour discuter ? Je suis très curieux de savoir qui vous êtes.

Où pourrais-je vous voir ? Si vous me le dites, je viendrai là où vous êtes.

Le musicien-poissonnier

Comme les jours précédents, le bazar Namiya était isolé dans l'obscurité. Katsurō s'approcha du rideau de fer et souleva le couvercle de la fente. Il sortit sa lettre, la glissa à moitié, et s'arrêta.

Il eut soudain l'impression d'une présence de l'autre côté.

S'il ne se trompait pas, quelqu'un viendrait peut-être chercher la lettre, et s'il la retenait, il devrait pouvoir attirer cette personne dehors. Il décida d'attendre quelques instants.

Il consulta sa montre et vit qu'il était un peu après 23 heures.

Il mit à nouveau sa main dans sa poche et en sortit son harmonica. Puis il inspira profondément et se mit à en jouer. Il voulait que la présence à l'intérieur de la maison l'entende.

La mélodie qu'il joua était celle de ses compositions qui avait le plus de succès, une mélodie qu'il avait intitulée *Renaissance*, pour laquelle il n'avait pas encore trouvé de paroles. Quand il jouait cette ballade paisible au bar, c'était toujours à l'harmonica.

Il remit ensuite l'harmonica dans sa poche et observa l'enveloppe coincée dans la fente. Mais rien ne se passa. Il avait dû se tromper, la maison était vide. Peut-être était-ce le matin que quelqu'un venait chercher le courrier.

Il la poussa à l'intérieur et l'entendit tomber.

8

— Katsurō, lève-toi !

Il ouvrit les yeux parce que quelqu'un le secouait par l'épaule, et vit le visage blafard de sa mère. Il bâilla et cligna des yeux.

— Qu'y a-t-il ?

Tout en parlant, il prit sa montre sur la table de nuit. Il était un peu après 7 heures.

— Papa a eu un malaise au marché de gros.

— Quoi ? Quand ?

Il était parfaitement réveillé.

— Je viens de l'apprendre. Quelqu'un nous a téléphoné du marché. Ton père a été transporté à l'hôpital.

Katsurō sauta du lit et enfila son jean posé sur le dossier de sa chaise.

Une fois prêt, il sortit avec sa mère et sa sœur. Elles avaient mis un mot sur le rideau de fer pour dire que la poissonnerie serait exceptionnellement fermée aujourd'hui.

Ils allèrent en taxi à l'hôpital où les attendait un des dirigeants du marché. Kanako le connaissait.

— Il s'est senti mal pendant qu'il transportait une caisse, et nous avons immédiatement appelé une ambulance, expliqua-t-il.

— Ah bon… Je vous remercie de l'avoir accompagné, mais maintenant que nous sommes là, nous nous occuperons de la suite. S'il vous plaît, retournez à votre travail, et toutes mes excuses pour le dérangement, dit Kanako.

Elle et ses deux enfants rencontrèrent ensuite le médecin, un homme aux cheveux blancs qui avait un beau visage.

— Votre mari est surmené, et son cœur a eu une petite défaillance. S'est-il particulièrement fatigué ces derniers jours ? demanda-t-il d'un ton calme.

Kanako expliqua qu'il venait d'enterrer sa mère, et le médecin hocha la tête.

— Il était déjà très fatigué, et la tension nerveuse n'a rien arrangé. Son cœur a retrouvé son rythme, il n'y a pas de soucis à se faire de ce côté pour l'instant, mais votre mari doit faire attention. Ce serait bien qu'il soit suivi régulièrement.

— J'y veillerai, répondit Kanako.

Ils allèrent ensuite le voir dans la chambre où il se reposait. En les voyant arriver, le malade fronça les sourcils.

— Je ne vais pas mal, vous n'aviez pas besoin de venir tous les trois, dit-il d'une voix qui manquait de tonus.

— Tu as repris le travail trop vite, non ? Maintenant, il faut que tu te reposes deux ou trois jours.

Il fit non de la tête.

— Comme si c'était possible… Ça va aller. Les clients seraient embêtés si j'arrêtais de travailler. Les gens comptent sur nous.

— Mais tu ne seras pas plus avancé si tu en fais trop et que tu vas vraiment mal.

— Je t'ai dit que je n'allais pas mal.

— Écoute, papa, n'en fais pas trop, dit Katsurō. Si tu tiens à ce que le magasin soit ouvert, je te donnerai un coup de main.

Son père, sa mère et sa sœur le dévisagèrent d'un œil étonné, et il y eut un silence.

— Qu'est-ce que tu racontes ? cracha son père. Tu ne sais même pas découper un poisson !

— Ce n'est pas vrai. Tu as oublié que jusqu'au lycée, je t'aidais pendant les vacances, en été ou autrement.

— Tu as ton travail à toi, non ?

— Oui mais… commença Katsurō.

Takeo sortit les mains de sous la couverture, comme pour empêcher son fils de continuer.

— Et la musique, alors ?

— Eh ben… Je me disais que j'allais peut-être arrêter.

— Quoi ? Tu veux abandonner comme un lâche ? fit son père, le visage fermé.

— Non, pas du tout, mais je pense que je ferais mieux de prendre la relève au magasin.

— Tss… C'est pour arriver à ça que tu nous as fait ces grandes déclarations il y a trois ans ? Je vais te dire les choses clairement. Je n'ai aucune envie que tu reprennes la poissonnerie.

Stupéfait, Katsurō regarda son père.

— Mais qu'est-ce que tu dis… lança Kanako, inquiète.

— Je ne dirais pas ça si tu affirmais que c'était ce que tu voulais vraiment faire. Mais ce n'est pas le cas. Et tu ne deviendrais jamais un bon poissonnier si tu venais dans ton état d'esprit actuel. Tôt ou tard, tu finirais par regretter d'avoir arrêté la musique.

— Ce n'est pas vrai.

— Mais si ! Moi, je le sais. Et je sais aussi qu'un jour tu penserais que si seulement je n'étais pas tombé malade, tu n'en serais pas là, que tu t'es sacrifié pour ta famille ou que sais-je encore. Tu t'inventeras des excuses. Et tu n'assumeras pas du tout ce que tu as fait, en rejetant la faute sur les autres.

— Ce n'est quand même pas la peine de lui parler comme ça, plaida Kanako.

— Toi, tais-toi. Katsurō, tu ne dis rien, hein ? Parce tu sais que j'ai raison.

Son fils, qui faisait la moue, le regardait d'un œil noir.

— J'ai tort de me préoccuper de la poissonnerie ?

Takeo souffla bruyamment par les narines.

— Attends d'avoir réussi quelque chose pour dire ça. Tu as réussi quoi avec la musique, jusqu'à présent ? Rien, non ? Puisque tu as décidé de t'y consacrer en ne faisant aucun cas de ce que te disaient tes parents, arrange-toi pour arriver à quelque chose avec elle. Imaginer que puisque ça ne marche pas, tu peux quand même devenir poissonnier, c'est me manquer de respect.

Après cette déclaration enflammée, Takeo grimaça de douleur en se tenant la poitrine.

— Ça va ? demanda sa femme d'une voix inquiète. Emiko, va chercher le médecin.

— Ne t'en fais pas. Ce n'est rien. Katsurō, écoute-moi bien, reprit Takeo en regardant son fils. Je ne vais pas mal au point de ne pas pouvoir continuer à travailler et de devoir dépendre de toi. Cesse de trop penser à tout, et repars à zéro avec la musique. Va te battre à Tokyo comme si ta vie en dépendait. Peu importe que tu réussisses ou non. Mais laisse une trace. Ne reviens pas avant d'être absolument certain que tu en es incapable. Tu m'as compris ?

Ne sachant que répondre, Katsurō se tut.

— Tu m'as compris ? répéta son père en haussant le ton.

— Oui, fit son fils tout bas.

— Tu m'as vraiment compris hein ? Tu me donnes ta parole d'homme ?

En guise de réponse, son fils hocha lentement la tête.

De retour à la maison, Katsurō entreprit de mettre de l'ordre dans sa chambre, pour la première fois depuis plusieurs années. Il rangea non seulement les affaires qu'il avait apportées, mais aussi celles qui se trouvaient dans sa chambre.

— Débarrassez-vous du lit et du bureau. Et des étagères aussi, demanda-t-il à sa mère quand il fit une pause pour le déjeuner. Je ne me servirai plus de cette chambre.

— Donc je peux la prendre ? demanda sa sœur.

— Oui, bien sûr.

— Super ! s'écria-t-elle en battant des mains.

— Katsurō, j'espère que tu sais que tu peux revenir quand tu veux malgré ce qu'a dit ton père, fit sa mère.

Il lui adressa un sourire embarrassé.

— Tu as entendu papa, non ? J'ai donné ma parole d'homme.

— Mais… commença Kanako sans aller plus loin.

Il fallut à Katsurō le reste de l'après-midi pour terminer ses rangements. Kanako était partie chercher Takeo à l'hôpital. À son retour, il avait meilleure mine que le matin.

Ils dînèrent d'une marmite japonaise de bœuf. Kanako avait acheté de la viande d'excellente qualité, et Emiko s'en réjouit comme un enfant. Takeo, à qui le médecin avait recommandé de ne pas fumer ni boire d'alcool pendant quelques jours, regretta de ne pouvoir prendre une bière. Pour Katsurō, ce fut le premier repas agréable depuis les obsèques de sa grand-mère.

Une fois le dîner achevé, il se prépara à repartir à Tokyo. Sa mère aurait préféré qu'il attende le lendemain, mais Takeo lui dit de le laisser agir à sa guise.

— Bon, j'y vais, dit-il en quittant la maison de ses parents.

— Prends bien soin de toi, lança Kanako.

Takeo garda le silence.

Katsurō n'alla pas directement à la gare. Il voulait s'arrêter une dernière fois au bazar Namiya. Peut-être y trouverait-il une réponse à la lettre qu'il avait déposée hier soir.

Il y en avait bien une qu'il mit dans sa poche, après avoir jeté un nouveau coup d'œil sur le bâtiment à l'abandon. Il avait l'impression que l'enseigne poussiéreuse cherchait à lui dire quelque chose.

Il ne lut la réponse qu'une fois qu'il était assis dans le train.

À l'attention du musicien-poissonnier
J'ai lu votre troisième lettre.

Une rencontre avec vous est impossible, et je ne peux pas non plus vous expliquer pourquoi. D'ailleurs, je pense que ce ne serait pas une bonne idée. Vous ne pourriez qu'être déçu. Et vous vous en voudriez d'avoir pris mes conseils au sérieux. N'en parlons plus.

Vous dites que vous avez souvent pensé à abandonner la musique.

Mais je ne crois pas que cela va durer. Vous allez continuer dans cette voie. Peut-être aurez-vous déjà pris cette décision au moment où vous lirez cette lettre.

Je suis désolé mais je suis incapable de vous dire si c'est bien ou mal.

Mais je tiens à vous faire savoir une chose.

Vous n'aurez pas décidé d'être musicien pour rien.

Vos mélodies joueront un rôle crucial dans la vie d'autres personnes. Et elles ne disparaîtront pas.

Je serais très embarrassé si vous me demandiez plus de précisions à ce sujet, mais sachez que c'est une certitude.

Croyez-le jusqu'au bout. Oui, jusqu'à la fin.
Je ne peux pas vous en dire plus.

Bazar Namiya

Cette réponse rendit Katsurō perplexe. Son ton était différent des précédentes. Elle était aimable. Ce qui l'intriguait plus encore était que l'auteur avait deviné sa décision de ne pas renoncer à une carrière de musicien. Tout bien pensé, peut-être était-ce à cause de cette clairvoyance que le bazar Namiya pouvait apporter ses conseils aux personnes qui avaient des soucis.

"Croyez-le jusqu'au bout. Oui, jusqu'à la fin."

Il se demanda ce que cela signifiait. Son rêve se réaliserait-il ? Mais pourquoi l'auteur de la lettre pouvait-il l'affirmer avec tant de force ?

Il replia la feuille de papier, la mit dans l'enveloppe qu'il glissa dans son sac. Quoi qu'il en soit, la missive lui donnait du courage.

9

Une pile de CD à la jaquette bleue trônait devant la vitrine du magasin de musique devant lequel Katsurō passa. Il en prit un en main en retenant son sourire. Sous le titre *Renaissance* au milieu de la couverture figuraient les caractères de son nom, Matsuoka Katsurō.

Il avait fini par percer.

Le chemin avait été long. Quand il était revenu à Tokyo, il s'était à nouveau lancé dans la bataille avec une énergie renouvelée, participant à tous les concours et auditions imaginables, envoyant inlassablement des cassettes de démo aux producteurs de disques. Il avait aussi souvent joué dans la rue. Mais cela ne l'avait mené à rien.

Le temps avait passé très vite, au point qu'il ne savait plus quoi essayer. Un jour, un des spectateurs venus l'écouter dans le bar était venu lui demander s'il pouvait envisager de jouer dans des foyers pour enfants.

Il avait accepté en n'en attendant rien.

Un public d'une vingtaine d'enfants l'attendait dans le petit foyer. Il avait hésité sur le choix des chansons, et la réaction des enfants avait aussi été indécise.

Puis l'un d'entre eux avait commencé à applaudir, et tous les autres l'avaient imité. Cela avait transformé l'ambiance, et il s'était rendu compte que cela faisait longtemps qu'il n'avait pas joué avec autant de plaisir.

Il avait alors commencé à tourner dans des foyers à travers tout le Japon. À présent, son répertoire de chansons pour enfants comptait plus de mille titres. Bien qu'il n'ait jamais percé…

Il n'avait jamais percé ? Mais ce CD, c'était quoi, alors ? Il marquait ses débuts, non ? Avec la mélodie qui était sa préférée.

Il se mit à la fredonner, mais ne réussit pas à retrouver les paroles. C'était trop bête ! Sa propre composition !

Mais enfin, quelles étaient les paroles ? Il sortit le CD de son enveloppe afin de les lire. Mais ses doigts refusèrent de lui obéir. La musique dans le magasin était très forte. C'était quoi, d'ailleurs ?

L'instant d'après, il ouvrit les yeux sans comprendre où il était. Il ne reconnaissait pas le plafond ni les rideaux. Il tourna les yeux vers le mur et se souvint qu'il se trouvait dans une chambre du foyer Marukōen.

La sonnerie qui continuait à retentir était très forte. Il entendit aussi des appels au secours. Puis une voix qui disait : "Il y a le feu, mais restez calme."

Il se leva d'un bond, prit son sac de voyage et sa veste, enfila ses chaussures. Par chance, il s'était endormi tout habillé. Mais sa guitare ? Qu'en faire ? Une seconde plus tard, il avait décidé de ne pas la prendre.

Il sortit dans le couloir rempli de fumée. Un employé, un mouchoir devant la bouche, lui fit signe de s'approcher.

— La sortie de secours est par ici.

Il le suivit et descendit l'escalier à toute allure.

Puis il s'arrêta, car il avait reconnu la petite Seri.

— Qu'est-ce que tu fais ici ? Dépêche-toi se sortir, lança-t-il.

Les yeux de la petite fille étaient rouges. Elle pleurait.

— Je ne trouve pas Tatsuyuki… mon petit frère.

— Quoi ? Mais où est-il ?

— Je ne sais pas, peut-être sur le toit. Il y va toujours quand il n'arrive pas à dormir.

— Sur le toit…

Il eut une seconde d'hésitation, puis il se mit en mouvement. Il donna d'abord ses affaires à la petite fille.

— Prends ça, s'il te plaît. Et sors immédiatement.

Il remonta l'escalier sous les yeux écarquillés de Seri.

La fumée était de plus en plus dense. Des larmes coulaient des yeux de Katsurō. Sa gorge était douloureuse. Il ne voyait plus rien et avait du mal à respirer. Mais aucune flamme n'était visible, et cela l'inquiétait. Où était le foyer de l'incendie ?

À l'instant où il se disait qu'il était en danger et ferait mieux de redescendre, il entendit un enfant qui pleurait.

— Où es-tu ? cria-t-il.

La fumée qui pénétra dans sa bouche le fit tousser. Il continua à avancer et sentit quelque chose s'effondrer. Soudain, la fumée fut moins dense, et il distingua un petit garçon recroquevillé sur lui-même.

Il le prit sur ses épaules et essaya de redescendre l'escalier. Au même moment le plafond tomba avec un grondement sourd. Les flammes l'entourèrent.

Le petit garçon hurlait. La panique gagna Katsurō.

Rester sur place était impossible. S'il voulait survivre, il devait redescendre. Il courut dans les flammes avec le petit garçon sur ses épaules. Il ne savait où se diriger. Une boule de feu l'engloutit. Tout son corps lui faisait mal. Respirer était impossible.

Soudain, il ne vit plus que du rouge et du noir. Il crut entendre quelqu'un crier mais ne put répondre. Il était incapable de bouger et ne savait plus s'il avait encore un corps.

Il se sentit perdre conscience, s'endormir.
Un passage d'une lettre lui revint à la mémoire.

Vos mélodies joueront un rôle crucial dans la vie d'autres personnes. Et elles ne disparaîtront pas.
Je serais très embarrassé si vous me demandiez plus de précisions à ce sujet, mais sachez que c'est une certitude.
Croyez-le jusqu'au bout. Oui, jusqu'à la fin.

Ah, c'est donc ça. Maintenant, c'est la fin. Il faut que j'y croie encore. Et comme ça, je laisserai une trace. Comme le voulait mon père. Même si je n'ai pas réussi.

10

Une minute plus tôt, les cris enthousiastes des spectateurs résonnaient dans l'immense salle de spectacle. Les chansons choisies par l'artiste pour ses trois premiers rappels avaient aussi pour but de les faire exulter. Mais la dernière était d'une autre nature. Ses fans de longue date devaient le savoir, car le silence s'était installé lorsqu'elle reprit le micro.

— Cette chanson est toujours la dernière, annonça-t-elle. C'est grâce à elle que j'ai été découverte. Mais ce n'est pas tout. Celui qui l'a composée est l'homme qui a sauvé la vie de mon frère, l'unique membre de ma famille. Il l'a sauvé au prix de la sienne. Sans lui, je ne serais probablement pas ici ce soir. C'est pour cela que je la chanterai toujours. Je n'ai pas d'autre moyen de lui exprimer ma gratitude. Merci de l'écouter.

Les premières notes de *Renaissance* retentirent.

III

JUSQU'AU MATIN DANS LA CIVIC

1

Il était 8 h 25 sur sa montre qu'il consulta une fois qu'il eut franchi le guichet. Cela lui parut bizarre, et il leva les yeux vers l'horloge accrochée au-dessus du panneau des horaires. 20 h 45, lut-il. Namiya Takayuki claqua de la langue. Sa vieille tocante était à nouveau déréglée.

Ces derniers temps, la montre que son père lui avait offerte pour fêter son admission à l'université plus de vingt ans auparavant s'arrêtait souvent. En soi, cela n'avait rien d'étonnant et il envisageait de s'acheter une montre à quartz. Avec leur mécanisme révolutionnaire contenant une fine lamelle de cristal, elles coûtaient autrefois autant qu'une petite voiture, mais leur prix avait considérablement baissé ces derniers temps.

Il sortit de la gare, continua dans la rue commerçante et s'étonna de voir des magasins encore ouverts à cette heure tardive. Les commerces semblaient tous florissants. Il avait entendu dire que les lotissements sortis de terre ces dernières années avaient apporté de nouveaux habitants à la ville et que le quartier de la gare se portait bien.

Cela surprenait Takayuki, mais il n'était pas mécontent de voir que la petite ville de province dans laquelle il avait grandi avait retrouvé de la vitalité. Il regrettait parfois que le bazar familial ne soit pas situé dans ce quartier.

Il tourna dans une petite rue, continua tout droit pendant quelque temps et arriva dans un quartier résidentiel. Chaque fois qu'il y passait, il remarquait de nouvelles maisons. Bon nombre des habitants de la ville travaillaient à Tokyo, à deux heures de train. Takayuki se dit qu'il en aurait été incapable. Il habitait à Tokyo avec sa femme et son fils de dix ans dans un trois-pièces un peu exigu pour eux.

D'ici, Tokyo était trop loin, continua-t-il à penser, mais il allait peut-être devoir accepter de s'éloigner du centre de la capitale. Il fallait savoir faire des compromis dans la vie, et un trajet un peu plus long était sans doute supportable.

Il quitta le quartier résidentiel et tourna à droite à un carrefour. La rue montait un peu. Il aurait pu continuer les yeux fermés. Son corps connaissait les moindres détails de ce trajet qu'il avait emprunté tous les jours jusqu'à ce qu'il finisse le lycée. Bientôt il vit un petit magasin sur la droite. Un lampadaire éclairait son enseigne défraîchie et presque illisible. Le rideau de fer était baissé.

Il s'arrêta devant la devanture, et leva à nouveau les yeux vers les caractères quasiment effacés qui indiquaient : "Bazar Namiya".

Le magasin était séparé de l'entrepôt voisin par un passage d'environ un mètre de large qu'il emprunta pour arriver à l'arrière de la maison. C'était ici qu'il laissait son vélo quand il était écolier.

La boîte à lait qui était juste à côté de la porte de derrière n'accueillait plus de bouteilles de lait depuis près de dix ans. Son père avait cessé de s'en faire apporter après la mort de sa mère. Mais la boîte était toujours là.

Juste à côté, il y avait un bouton, celui de la sonnette qui ne marchait plus.

Il appuya sur la poignée de la porte qui s'ouvrit sans difficulté.

Il reconnut les vieilles chaussures alignées dans l'espace avant la marche pour entrer dans la maison. Elles appartenaient toutes au même propriétaire.

Il dit bonsoir tout bas, ôta ses chaussures sans attendre de réponse et entra. La première pièce était la cuisine, la deuxième, une pièce à tatamis qui était aussi l'arrière-boutique.

Yūji qui était assis sur ses talons à la table basse posée sur les tatamis, un pull en laine sur les cuisses, tourna doucement la tête vers Takayuki. Ses lunettes de presbyte avaient glissé sur le bout de son nez.

— Tu es là, toi ?

— Comment ça ? La porte n'était pas fermée à clé. Je t'ai pourtant déjà dit de faire plus attention !

— Ça n'a aucune importance. J'entends très bien si quelqu'un entre.

— Vraiment ? Pourtant tu n'as pas répondu quand j'ai dit bonsoir.

— Je t'ai entendu, mais j'étais en train de réfléchir, et je n'avais pas envie de répondre.

— Décidément, tu veux toujours avoir raison, répondit son fils en posant un sac en papier sur la table. Je t'ai apporté les petits pains aux haricots rouges de chez Kimura-ya que tu aimes.

— Hum… répondit son père, les yeux brillants. Tu n'aurais pas dû.

— Ce n'est pas grand-chose.

Yūji se leva et prit le paquet. Il le posa sur l'autel bouddhique domestique derrière lui, fit tinter deux fois la clochette et se rassit. Petit et maigre, il se tenait le dos bien droit malgré ses presque quatre-vingts ans.

— Tu as déjà dîné ?

— J'ai mangé des pâtes de sarrasin en sortant du bureau. Je dormirai ici ce soir.

— Ah bon. Tu l'as dit à ta femme, j'espère.

— Bien sûr. Elle se fait toujours du souci pour toi, tu sais. Tu vas bien ?

— Oui, je te remercie. Tu n'avais pas besoin de venir jusqu'ici pour t'en assurer.

— Tu pourrais au moins être aimable puisque je suis là.

— Je veux juste que tu comprennes que tu n'as pas à te faire de soucis pour moi. L'eau du bain est encore chaude, si tu as envie d'en prendre un.

Tout en parlant, Yūji avait porté son regard sur la table, ou plutôt sur la feuille de papier à lettres posée à côté d'une enveloppe adressée au bazar Namiya.

— Tu l'as reçue ce soir ?

— Non, elle a dû arriver tard dans la nuit avant-hier. Je l'ai vue ce matin.

— Tu aurais dû y répondre ce matin, alors.

Les réponses aux demandes de conseils reçues par le bazar étaient à relever le lendemain matin dans la boîte à lait – c'était la règle fixée par Yūji. C'était d'ailleurs la raison pour laquelle il se levait tous les matins à 5 h 30.

— Non, et d'ailleurs l'auteure de cette lettre le savait. La lettre précise que la réponse est attendue le surlendemain.

— Ah bon…

Cela paraissait bizarre à Takayuki. Pourquoi le patron d'un bazar s'astreignait-il à répondre aux personnes qui lui exposaient leurs soucis ? Il connaissait bien sûr la réponse à cette question. Cette initiative de son père lui avait même valu la visite d'un journaliste. Depuis la parution de l'article qu'il avait écrit dans un magazine, les demandes avaient afflué. Certaines d'entre elles étaient sérieuses, mais il y en avait beaucoup qui relevaient de la plaisanterie. Plus quelques-unes qui étaient malintentionnées. Un soir, le bazar avait reçu une trentaine de demandes, toutes écrites de la même main. Yūji s'était quand même donné la peine d'y répondre, bien que son fils lui ait dit que ce n'était pas nécessaire.

— Tu vois bien qu'il s'agit d'une plaisanterie. Ça ne te paraît pas idiot d'y répondre sérieusement ?

Son père ne s'en était pas fâché.

— Tu n'y comprends décidément rien, avait-il lâché d'une voix triste.

Son fils lui avait demandé d'un ton revêche ce qu'il y avait à comprendre.

— Les gens qui adressent des lettres au bazar Namiya, et cela vaut pour les plaisantins, malintentionnés ou non, ne sont pas foncièrement différents des gens tourmentés par un problème, expliqua-t-il en regardant son fils. Ils ont comme un trou dans leur cœur, par lequel fuient des choses importantes pour eux. La preuve, c'est qu'ils viennent tous chercher leur réponse. Ils soulèvent tous le couvercle de la boîte à lait, parce qu'ils sont curieux de voir ce que le vieux pépé du magasin va leur dire. Réfléchis un peu au temps qu'il faut pour écrire trente lettres de demande de conseils, même pour rire. Quelqu'un qui fait quelque chose d'aussi fastidieux attend nécessairement une réponse. C'est exactement pour cela que j'en donne une, et que je réfléchis au contenu de chacune. Il faut écouter les gens quand ils parlent avec leur cœur.

Et il avait répondu à chacune de ces trente lettres à temps pour les mettre tôt le matin dans la boîte à lait. Quand il avait ouvert le magasin, à 8 heures, la boîte à lait était vide. La plaisanterie ne s'était pas répétée. Mais quelque temps plus tard, quelqu'un avait glissé par la fente du rideau métallique une feuille sur laquelle il était écrit : "Pardon. Et merci." L'écriture était celle de l'auteur des trente missives. Takayuki n'avait pas oublié l'expression de son père quand il la lui avait montrée fièrement.

C'est devenu sa raison de vivre, pensait-il. Dix ans plus tôt, lorsque sa mère était morte d'une maladie cardiaque, son père allait mal. Ses deux enfants avaient déjà quitté la maison. Devenu veuf à presque soixante-dix ans, il devait dorénavant vivre seul et cela risquait de le priver de sa force vitale.

Takayuki avait une sœur, Yoriko. Deux ans plus vieille que lui, elle était mariée et vivait avec les parents de son mari. Son père ne pouvait pas s'appuyer sur elle, et Takayuki était le seul à pouvoir l'aider. À l'époque, sa femme et lui venaient juste d'avoir un enfant, et leur logement était trop petit pour accueillir son père.

Yūji était conscient de tout cela. Il n'allait pas bien, mais n'avait jamais parlé de fermer le bazar. Takayuki savait aussi que cela l'arrangeait.

Sa sœur l'avait appelé un jour pour lui apprendre une nouvelle stupéfiante.

— Écoute, c'est incroyable, mais papa va très bien. Peut-être mieux que lorsque maman vivait encore. Ça m'a rassurée. Pour l'instant, je ne pense pas qu'on ait à se faire de soucis. Tu devrais aller le voir. Je suis sûre que toi aussi, tu seras étonné, avait-elle dit d'un ton plein d'entrain.

Et elle avait continué, encore plus enjouée.

— Tu sais pourquoi il va aussi bien ?

— Non.

— Non, bien sûr, tu ne peux pas le savoir. Moi aussi, quand il me l'a dit, j'ai eu du mal à le croire.

Ce n'était qu'après ce préambule qu'elle lui avait expliqué que son père s'était lancé dans ce qui était en quelque sorte une activité de conseils pour les gens qui avaient des soucis.

Takayuki n'avait pas vraiment saisi ce dont il s'agissait et il avait profité du dimanche suivant pour aller voir son père, parce que cela l'intriguait. Il avait eu peine à croire le spectacle qu'il avait découvert. Un attroupement s'était formé devant le magasin, avec une majorité d'enfants, mais aussi quelques adultes. Les yeux tournés vers le mur sur lequel étaient collées des affichettes, ils les lisaient en riant.

Il s'était approché et avait vu que les papiers étaient des feuilles de papier à lettres, de bloc, ou même de petites fiches. L'une d'entre elles disait : "J'ai besoin d'un conseil. Je voudrais avoir 10 sur 10 à un contrôle sans tricher et sans travailler. Comment y arriver ?"

L'écriture était celle d'un enfant. La réponse était collée en dessous. Takayuki reconnut l'écriture de son père.

"Demande à la maîtresse de faire un contrôle qui porte sur toi. Comme toutes les questions parleront de toi, tu auras forcément juste à toutes les réponses."

Il trouva que la question et la réponse ne concernaient pas un vrai problème.

Il lut les autres questions. Comment faire venir le père Noël chez soi si l'on n'a pas de cheminée ? Comment apprendre la langue que les singes parlent sur leur planète ? La plupart relevaient de la plaisanterie. Mais son père apportait une réponse à chacune. Ce devait être cela qui plaisait. Une boîte avec une fente dans le couvercle était posée devant l'entrée du bazar, avec une affiche qui indiquait :

BOÎTE À SOUCIS
N'HÉSITEZ PAS À FAIRE PART AU BAZAR NAMIYA
DE TOUTES LES QUESTIONS QUI VOUS PRÉOCCUPENT

— Je reconnais que c'est un peu un jeu pour moi.
J'ai commencé à répondre aux défis que me lançaient
les gamins du coin quand je me sentais trop replié sur
moi-même, et je ne m'attendais pas à un tel succès. Il y
a des gens qui viennent de loin pour lire tout ça. Je ne
comprends pas pourquoi ça plaît à ce point. Mais ces
derniers temps, les gosses ont de sacrées idées, et il faut
vraiment que je me creuse la tête pour y répondre. Ce
n'est pas facile !

Yūji lui expliqua tout cela d'un ton animé, en souriant à moitié. Il allait beaucoup mieux qu'immédiatement après la mort de sa femme, cela ne faisait aucun
doute. Sa sœur ne lui avait pas menti.

Au départ, son père prodiguait des conseils amusants,
mais il se mit aussi à recevoir des lettres évoquant des
problèmes plus sérieux. Cela le conduisit à modifier son
système : les demandes étaient dorénavant à glisser par
la fente du rideau métallique, et les réponses à relever
dans la boîte à lait. Mais lorsqu'il recevait des questions
comiques, auxquelles il répondait sur le même ton, il
continuait à les afficher.

Assis en face de la table basse, les bras croisés, devant
une feuille de papier à lettres, Yūji ne semblait pas prêt
à écrire. Les sourcils froncés, les lèvres serrées, il paraissait préoccupé.

— Tu as l'air pensif, dit son fils. Le problème est
complexe ?

Yūji hocha lentement la tête.

— La demande émane d'une femme. Et le genre
de questions qu'elle me pose est celui qui me donne le
plus de mal.

Takayuki devina qu'il s'agissait d'un problème de cœur.
Son père et sa mère avaient fait un mariage arrangé et se
connaissaient à peine le jour de leurs noces. Il trouvait

déraisonnable de demander son avis sur un sujet pareil à un homme de la génération de son père.

— Tu n'as qu'à répondre comme bon te semble !

— Comment ça ? Je ne fonctionne pas comme ça, répliqua son père d'un ton presque courroucé.

Takayuki haussa les épaules et se leva.

— Tu n'aurais pas une bière ?

Comme son père ne lui répondait pas, il ouvrit la porte du réfrigérateur, un vieux modèle à deux portes que sa sœur lui avait donné deux ans plus tôt, quand elle en avait acheté un nouveau. Le précédent datait des années 1960, l'époque où Takayuki était étudiant.

Il y trouva deux bouteilles de bière. Son père aimait cette boisson et en avait toujours au frais. Depuis qu'il avait dépassé la soixantaine, il avait pris goût aux gâteaux qu'il n'appréciait pas autrefois.

Takayuki prit une des deux bouteilles, la décapsula et mit deux verres sur la table.

— Tu en boiras aussi, non ?

— Non, pas maintenant.

— Vraiment ? Ça ne te ressemble pas.

— Je ne bois pas quand j'écris. Je te l'ai déjà dit, non ?

— Hum… fit son fils en remplissant son propre verre.

Son père releva la tête et le dévisagea.

— Le père est marié, et il a des enfants, déclara-t-il à brûle-pourpoint.

— De quoi tu parles ?

Yūji désigna la lettre du doigt.

— De la personne qui me demande conseil. Le père a une femme et des enfants.

Takayuki continuait à ne pas comprendre. Il but une gorgée de bière et reposa son verre.

— Ça n'a rien d'étonnant. Mon père à moi aussi avait une femme et des enfants. Sa femme est morte, mais pas les enfants. Dont moi.

Yūji le regarda avec une expression irritée et secoua la tête de côté.

— Ce n'est pas ce que ça veut dire. Le père dont je parle n'est pas celui de la femme qui a écrit, mais de l'enfant.

— De l'enfant ? L'enfant de qui ?

— Eh bien… fit son père d'un ton exaspéré. L'enfant qu'elle attend. Celle qui m'a écrit.

— Ah bon ! Je comprends mieux. Celle qui t'a écrit est enceinte, mais d'un homme qui est marié et a des enfants.

— Exactement. C'est ce que je te dis depuis tout à l'heure.

— Tu t'es mal exprimé. Je ne pouvais que penser que tu parlais de son père à elle.

— Parce que tu tires des conclusions hâtives.

— Tu crois ? fit Takayuki en tendant la main vers son verre.

— Mais tu en penses quoi ? insista son père.

— De quoi ?

— Tu m'écoutes, oui ou non ? Le père de l'enfant dont elle est enceinte est marié, et il a des enfants. À ton avis, elle devrait faire quoi ?

Takayuki saisit enfin ce dont il était question. Il but une gorgée de bière et soupira.

— Les jeunes femmes d'aujourd'hui n'ont aucun principe. Et celle-là est stupide. Elle s'attendait à quoi en ayant une aventure avec un homme marié ? Elle aurait dû réfléchir avant.

Son père fronça les sourcils et tapa du poing sur la table.

— Je ne t'ai pas demandé un cours de morale. À ton avis, que doit-elle faire ?

— C'est évident, non ? Avorter, c'est la seule solution. Tu vois autre chose ?

Yūji manifesta son mécontentement en reniflant bruyamment, puis il se gratta derrière l'oreille.

— J'étais bête de te poser la question.

— Comment ça ?

Son père eut une expression accablée et prit l'enveloppe.

— Toi aussi, tu dis qu'avorter est la seule solution. La femme qui m'a écrit a dû avoir la même idée. Tu ne comprends pas que c'est à cause de ça qu'elle souffre ?

Takayuki se tut, car son père avait raison.

— Écoute bien, reprit celui-ci. Elle m'écrit qu'elle sait qu'elle ferait mieux d'avorter, qu'elle ne croit pas que le père de l'enfant soit prêt à assumer sa paternité, et elle comprend aussi que si elle décide d'avoir l'enfant toute seule, elle n'aura pas la vie facile. Mais elle n'arrive pas à envisager de ne pas l'avoir, tellement son envie d'avoir un enfant est forte. Tu comprends pourquoi ?

— Non, je ne peux pas dire que je le comprenne. Mais toi, si ?

— Oui, parce que j'ai lu sa lettre. Elle dit que c'est sa dernière chance.

— Sa dernière chance ?

— Que si elle ne garde pas cet enfant, elle n'en aura probablement pas. Elle est divorcée. Quand elle était mariée, elle n'arrivait pas à concevoir. On lui a dit qu'elle ne pouvait pas et qu'elle devait renoncer à devenir mère. Apparemment, c'est pour ça qu'elle a divorcé.

— Elle n'arrivait pas à tomber enceinte…

— Voilà pourquoi elle vit sa grossesse comme sa dernière chance. Maintenant que tu le sais, toi non plus

141

tu ne lui répondrais pas qu'avorter est la seule solution, non ?

Takayuki vida son verre de bière et prit la bouteille.

— Je comprends ce que tu dis, mais quand même, elle ferait mieux d'avorter, non ? Ça ne sera pas simple pour son enfant. Il n'aura pas la vie facile.

— Elle écrit qu'elle en est parfaitement consciente.

— Peut-être, commença Takayuki après avoir rempli son verre. Mais en réalité, elle ne te demande pas de conseils, non ? Elle est prête à garder l'enfant. Et ce que tu lui diras ne changera rien, non ?

— C'est possible, fit son père en hochant la tête.

— Comment ça, c'est possible ?

— À force de lire des demandes de conseils, j'ai compris une chose. Les gens qui m'en envoient ont souvent déjà décidé ce qu'ils allaient faire. Ils me demandent conseil pour s'assurer qu'ils ont pris la bonne décision. C'est pour ça que parmi eux, certains m'écrivent une seconde lettre. Sans doute parce que je ne suis pas arrivé à une autre conclusion que la leur.

Son fils but son verre, et fit la moue.

— Je ne comprends pas comment tu as pu t'embêter à faire ça si longtemps.

— Pour aider les autres. Et c'est parce que c'est difficile que c'est intéressant.

— Tu es vraiment bizarre. Mais si tu as raison, pourquoi réfléchis-tu si longtemps ? Il suffit de lui écrire qu'elle n'a qu'à avoir l'enfant et lui souhaiter bonne chance, non ?

Yūji regarda son fils en serrant les lèvres. Il fit doucement non de la tête.

— Tu n'y comprends décidément rien. La lettre de cette femme fait vraiment sentir son désir de garder l'enfant. Mais l'important dans son cas, c'est que le désir n'est pas nécessairement la même chose que l'intention. À mon avis, il n'est pas impossible qu'elle ait très envie d'avoir l'enfant, tout en sachant qu'avorter est la seule solution, et elle m'a écrit pour que je la conforte dans ce sens. Si c'est de cela qu'il s'agit, je la ferai souffrir encore plus si je lui dis : "Allez-y, gardez l'enfant."

Takayuki se mit à se masser les tempes. Il avait mal à la tête.

— Moi, je lui dirais sans doute de faire comme elle veut.

— Ne t'en fais pas, personne ne te demande d'écrire la réponse. L'important est de se baser sur ce qu'elle a écrit pour saisir ce qu'elle pense.

Ce n'est vraiment pas facile, se dit son fils. Mais son père prenait tant de plaisir à offrir ses conseils précisément parce qu'il devait se creuser les méninges. Tout ça n'arrangeait pas les affaires de son fils qui n'était pas seulement venu s'assurer qu'il allait bien.

— Écoute, papa, je voudrais te parler d'autre chose.

— Comment ça ? Tu vois bien que je suis occupé, non ?

— Ça ne prendra pas beaucoup de temps, et puis la seule chose que tu as à faire est de réfléchir, non ? Penser à autre chose peut t'aider. Tu auras peut-être une bonne idée quand tu te remettras à écrire ta réponse.

Cet argument dut le convaincre car il regarda son fils.

— Et de quoi veux-tu me parler ?

Takayuki se redressa.

— Yoriko m'a dit que les affaires du magasin sont vraiment mauvaises.

Le visage de son père exprima sa mauvaise humeur.

— Elle aurait mieux fait de se taire.

— Elle m'a mis au courant parce que ça l'inquiète. C'est normal qu'une fille s'inquiète pour son père, non ?

Parce qu'elle avait autrefois travaillé chez un comptable, sa sœur s'occupait de la déclaration de revenus du bazar. Elle avait appelé son frère l'autre jour après avoir terminé la dernière.

— Le bazar va très mal. Il perd de l'argent, et pas qu'un peu. N'importe qui pourrait faire la déclaration, parce qu'il n'y a pas à réfléchir à la manière de présenter les comptes pour payer moins d'impôts. Cette année, il n'en paiera pas du tout.

— Ça va mal à ce point ?

— Si papa allait la remettre directement aux impôts, on lui proposerait probablement de demander le minimum vieillesse, avait-elle répondu.

Takayuki regarda son père dans les yeux.

— Papa, tu ne crois pas qu'il est temps de fermer définitivement le magasin ? Tous les gens qui habitent dans le coin vont faire leurs courses à la gare, non ? Autrefois, quand il y avait moins de magasins là-bas, le bazar marchait bien grâce à l'arrêt de bus qui n'est pas loin, mais ce n'est plus le cas maintenant. Ça ne vaut pas le coup de continuer, si ?

Son père l'écouta en se frottant le menton, l'air mécontent.

— Et si je ferme définitivement, je ferai quoi ?

Takayuki inspira avant de répondre.

— Tu n'as qu'à venir habiter avec nous.

— Quoi ? s'exclama Yūji en fronçant les sourcils.

Son fils fit le tour de la pièce des yeux en remarquant de nouvelles fissures sur les murs.

— Si tu fermes le bazar, tu n'auras plus aucune raison de continuer à habiter dans une vieille maison comme celle-ci. Viens vivre avec nous. Ma femme est d'accord.

— Dans votre petit appartement ? demanda son père.

— Nous pensons déménager. Acheter une maison.

Yūji écarquilla les yeux.

— Tu envisages d'acheter une maison ?

— Je ne vois pas ce que ça a de surprenant. J'aurai bientôt quarante ans. Nous avons commencé à chercher. Et on s'est demandé comment toi tu allais faire.

Son père détourna les yeux en faisant non de la main.

— Pourquoi refuses-tu ?

— Je peux me débrouiller tout seul, sans dépendre de toi.

— Je comprends que tu dises ça, mais je ne vois pas comment tu peux y arriver. Tu n'as quasiment plus de revenus, tu comptes vivre de quoi ?

— Ça ne te regarde pas. Puisque je te dis que je peux me débrouiller seul !

— Et comment ?

— Tu me casses les oreilles ! lança son père d'un ton vif. Tu travailles demain, non ? Donc tu devras te lever tôt. Cesse de discutailler, va prendre ton bain et te coucher. J'ai des choses à faire, moi !

— Tu parles de cette lettre, c'est ça ? demanda Takayuki en la pointant du menton.

Son père ne lui répondit pas, les yeux baissés vers le papier à lettres devant lui. Takayuki poussa un soupir et se leva.

— Bon, je vais prendre mon bain.

Son père ne dit rien.

La salle de bains n'était pas grande, et la baignoire en acier inoxydable était petite. Takayuki s'y assit et regarda dehors. Le pin devant la fenêtre était déjà là quand il était enfant.

Plus encore que le bazar, Yūji ne voulait sans doute pas abandonner sa boîte à soucis. S'il fermait le magasin et partait d'ici, il ne pourrait pas continuer. Il perdrait aussi cette occupation qui l'amusait. La lui retirer serait cruel, se dit-il.

Le lendemain, à 6 heures, la sonnerie du réveil à remontoir dont il se servait quand il était enfant le réveilla. Il entendit du bruit dehors pendant qu'il se changeait dans sa chambre à l'étage et jeta un coup d'œil par la fenêtre. Une silhouette s'éloignait de la boîte à lait, une femme aux longs cheveux, vêtue de blanc, dont il ne vit pas le visage.

Il quitta sa chambre et descendit. Son père était déjà debout. Il faisait chauffer de l'eau dans la cuisine.

— Bonjour, fit-il.

— Tu es déjà levé. Tu veux manger quelque chose ? demanda Yūji en regardant l'horloge de la cuisine.

— Non, je te remercie. Il faut que j'y aille. Comment t'es-tu débrouillé pour la réponse ?

Yūji, qui était en train de sortir des flocons de bonite séchée d'une boîte, regarda son fils, le visage fermé.

— Je l'ai écrite. Ça m'a pris du temps.

— Et tu lui as répondu quoi ?

— Je ne peux pas te le dire.

— Pourquoi ?

— C'est évident, non ? Je me dois de respecter la vie privée des gens qui sollicitent mon avis.

— Hum, fit Takayuki, étonné d'entendre son père parler de vie privée. Je l'ai vue quand elle est venue chercher la réponse.

— Quoi ? Tu l'as vue ? demanda Yūji d'un ton courroucé.

— Entrevue, de dos. Depuis la fenêtre de l'étage.

— J'espère qu'elle ne t'a pas remarqué.

— Non, je ne crois pas.

— Tu n'en es pas sûr ?

— Ne t'en fais pas. Je l'ai aperçue, rien de plus.

146

Son père secoua la tête de côté, sans dissimuler son mécontentement.

— Il ne faut pas essayer de voir les gens qui viennent chercher une réponse. C'est une autre règle. Une personne qui pense qu'elle a été vue ne reviendra pas.

— Je n'ai pas essayé de la voir. Je regardais dehors, et je l'ai vue, c'est tout.

— Ça m'a fait plaisir que tu viennes, mais ta visite n'a pas été qu'agréable, continua son père.

— Je suis désolé, fit son fils d'une petite voix.

Il alla se brosser les dents, se laver la figure et se prépara à sortir. Son père se faisait un œuf sur le plat. Il vivait seul depuis longtemps et avait appris à cuisiner.

— Pour le moment, on a besoin de rien changer, lui dit Takayuki. Tu peux rester ici.

Yūji ne lui répondit pas. Il avait probablement décidé de ne pas lui parler.

— Bon, j'y vais.

— D'accord, grommela son père.

Il sortit par la porte arrière et souleva le couvercle de la boîte à lait. Elle était vide. Il se demanda ce que son père avait pu écrire et se rendit compte qu'il aurait vraiment aimé le savoir.

2

Takayuki était à son bureau, au quatrième étage d'un bâtiment qui donnait sur l'avenue Yasukuni. Il travaillait pour une entreprise qui vendait et louait des équipements de bureau, principalement à de petites entreprises. Le patron, qui était jeune, était convaincu que l'avenir appartenait aux PC, l'abréviation de *personal computer*. Selon lui, il y aurait bientôt un ordinateur à chaque poste de travail. De formation littéraire, Takayuki en doutait, mais son patron attendait de ses employés qu'ils apprennent déjà à utiliser ces machines qui pouvaient servir à tout.

Sa sœur appela alors qu'il était plongé dans un manuel intitulé *Comprendre les PC*, auquel il ne comprenait rien et qu'il avait envie de jeter par terre.

— Je suis désolée de te téléphoner au travail, commença Yoriko d'un ton confus.

— Ce n'est pas grave. Que se passe-t-il ? C'est encore à propos de papa ?

Il ne voyait pas d'autre raison possible.

— Oui, fit-elle. Le magasin était fermé quand je suis passée le voir hier. Il t'en a parlé ?

— Non, pas du tout. Qu'est-ce qui lui est arrivé ?

— Quand je lui ai posé la question, il m'a répondu qu'il prenait parfois un jour de congé.

— Ça doit être ça, alors.

— Non, je ne crois pas. J'ai croisé quelqu'un du quartier quand je suis partie et je lui ai demandé s'il savait quelque chose. Il m'a dit que le bazar était fermé depuis presque une semaine.

— C'est bizarre, fit Takayuki en fronçant les sourcils.

— Je suis bien d'accord. Et puis papa avait mauvaise mine. J'ai eu l'impression qu'il avait maigri.

— Il est peut-être malade.

— Oui, c'est ce que je me dis aussi.

La nouvelle était préoccupante. Offrir des conseils était devenu une raison de vivre pour Yūji. Il ne pouvait le faire qu'à condition d'être en bonne santé et de continuer à ouvrir le bazar.

Deux ans plus tôt, Takayuki était allé le voir pour lui suggérer de venir vivre chez lui. Grâce à cette visite, il devinait que si son père avait fermé le bazar, cela signifiait qu'il était malade.

— Écoute, j'irai le voir ce soir après le travail.

— Je te remercie. À toi, il te dira ce qui lui arrive.

— En tout cas, je lui demanderai, répondit Takayuki qui ne partageait pas la certitude de sa sœur.

Il quitta son bureau, se dirigea vers la gare et s'arrêta en chemin pour appeler sa femme. Elle ne cacha pas son inquiétude quand il lui expliqua ce qui se passait.

Il n'avait pas vu son père depuis le Nouvel An, quand celui-ci était venu le voir à Tokyo. Il l'avait trouvé en bonne forme. Que s'était-il passé pendant les six mois qui s'étaient écoulés depuis ?

Il arriva au bazar peu après 21 heures et observa la boutique depuis la rue avant d'y entrer. Le volet métallique était baissé, ce qui n'avait rien d'extraordinaire étant donné l'heure, mais le magasin semblait presque abandonné.

Il alla jusqu'à l'entrée à l'arrière de la maison, tourna la poignée de porte et fut surpris de constater que le verrou était mis. Il introduisit dans la serrure le double de la clé qu'il avait, dont il ne s'était pas servi depuis longtemps, ouvrit et entra. La lumière de la cuisine était éteinte. Il trouva son père allongé sur un futon dans la pièce à tatamis.

Celui-ci dut remarquer le bruit qu'il fit car il tourna la tête vers lui.

— Qu'est-ce que tu fais ici ?

— Yoriko m'a appelé pour me dire que le magasin était fermé depuis une semaine.

— Yoriko se mêle décidément de ce qui ne la regarde pas.

— Comment peux-tu dire une chose pareille ? Qu'est-ce qui se passe ? Tu es malade ?

— Oui, mais ce n'est rien de grave.

Son père venait de confirmer qu'il n'était pas bien.

— Mais qu'est-ce qui ne va pas ?

— Rien de grave, je te l'ai dit. Je n'ai mal nulle part.

— Dans ce cas, explique-moi pourquoi le bazar est fermé.

Yūji ne répondit pas. Il est décidément têtu, pensa son fils. Mais quand il scruta le visage de son père, il sursauta. Ses sourcils froncés, ses lèvres serrées, lui firent comprendre qu'il souffrait.

— Qu'est-ce qui t'arrive, papa ?

— Takayuki, commença son père. Cette chambre, elle existe toujours ?

— Quelle chambre ?

— Chez toi, à Tokyo.

— Oui, fit Takayuki en hochant la tête.

Il avait acheté une maison à Mitaka l'année précédente. Elle n'était pas neuve, il y avait fait faire des travaux avant d'emménager, et son père y était déjà venu.

— Mais vous n'avez aucune pièce libre, non ?

Il comprit la question de son père, mais elle le prit au dépourvu.

— Bien sûr que si. On a prévu une pièce pour toi, celle à tatamis, au rez-de-chaussée. Tu l'as vue quand tu es venu nous voir, non ? Elle n'est pas grande, mais très claire.

Yūji poussa un profond soupir et se gratta le front.

— Ça ne va pas déranger ta femme ? Tu es sûr qu'elle est d'accord ? Maintenant que vous avez enfin une maison à vous, ça ne va pas lui plaire qu'un vieux comme moi vienne habiter chez vous.

— Ne t'en fais pas pour ça. Nous avons choisi exprès une maison assez grande pour t'accueillir.

— Vraiment ?

— Tu es enfin d'accord ? Pour nous, tu peux venir quand tu veux.

— Je te remercie, répondit son père, le visage grave. Je crois que c'est le moment.

Takayuki était ému. Son père en était là… Il s'efforça de ne pas le montrer.

— Tu ne nous gênes pas du tout. Mais que s'est-il passé ? Avant, tu disais que tu comptais continuer à tenir le bazar longtemps. Tu as des problèmes de santé, c'est ça ?

— Non, ce n'est pas ça. Inutile de te faire du souci. Ce qui se passe, c'est que…

Yūji s'interrompit et reprit après quelques secondes.

— Je crois que c'est le moment, c'est tout.

— Ah bon… fit son fils qui ne voyait pas quoi dire d'autre.

Yūji déménagea une semaine plus tard, sans passer par une entreprise, uniquement avec l'aide de sa famille. Il n'emporta que le strict nécessaire, sans toucher au bazar, parce qu'il n'avait encore rien décidé à ce sujet. La boutique n'aurait probablement pas trouvé acquéreur si elle avait été mise en vente.

La chanson *Ellie my Love* passa à la radio dans la camionnette qu'ils avaient louée pendant qu'ils roulaient vers Tokyo. Sortie en mars de la même année, elle connaissait un grand succès.

Sa belle-fille et son petit-fils firent bon accueil à Yūji, et Takayuki n'en fut pas surpris, même s'il comprenait que la présence de son beau-père ne pouvait que peser à sa femme, Kumiko. Mais il la savait assez vertueuse et généreuse pour ne pas le montrer. Il l'avait épousée parce qu'il connaissait son caractère.

Son père paraissait satisfait de sa nouvelle vie. Il passait son temps à lire ou à regarder la télévision dans sa chambre qu'il quittait parfois pour aller se promener et semblait particulièrement heureux de voir son petit-fils tous les jours.

Malheureusement cela ne dura pas.

Peu de temps après son arrivée, il tomba malade. Une nuit, il fut pris de vives douleurs. Une ambulance le conduisit à l'hôpital. Il se plaignait d'avoir très mal au ventre, ce qui ne lui était jamais arrivé. Takayuki ne savait que penser. Le lendemain, un médecin lui expliqua que son père souffrait probablement d'un cancer du foie. Il faudrait des examens pour confirmer ce diagnostic, mais la maladie en était certainement à un stade avancé. Takayuki demanda si cela signifiait qu'il n'y avait pas d'espoir de guérison ; l'homme de sciences répondit tout de go que c'était sans doute le cas, et qu'une opération était inutile.

Yūji, qui était alors sous sédation, n'en fut pas informé. Le médecin ne souhaitait pas lui communiquer le nom de sa maladie, et il avait convenu avec Takayuki de lui mentir.

Lorsque celui-ci en parla à sa sœur, elle éclata en sanglots et se reprocha de n'avoir pas emmené son père chez le médecin. Takayuki fut peiné de l'entendre dire cela. Lui-même avait remarqué la méforme de son père, sans l'imaginer malade à ce point.

Environ un mois plus tard, il passa voir son père à l'hôpital, un soir après le travail. Il le trouva occupé à regarder dehors depuis la fenêtre de la chambre à deux lits qu'il était seul à occuper.

— Tu as l'air en forme, dis donc !

Yūji le regarda et sourit.

— Oui, ça va plutôt mieux. Ça m'arrive, parfois, tu sais !

— Tant mieux ! Tiens je t'ai apporté des petits pains aux haricots rouges, dit-il en posant un sachet en papier sur la table de chevet.

— J'ai une faveur à te demander, reprit son père.

— De quoi s'agit-il ?

— Eh bien… commença-t-il avant de détourner les yeux et de soupirer. Je voudrais retourner au magasin.

— Mais qu'est-ce que tu veux faire là-bas ? Tu ne vas quand même pas me dire que tu veux recommencer à travailler dans ton état ?

Yūji fit non de la tête.

— Je ne vois pas comment je pourrais, étant donné que je n'ai presque plus rien à vendre. Il ne s'agit pas de ça. J'ai simplement envie de retourner là-bas.

— Mais pourquoi ?

Son père se tut, peut-être parce qu'il se demandait s'il devait le dire.

— Réfléchis un peu, papa. Malade comme tu es, tu ne peux pas te débrouiller tout seul. Tu as besoin de quelqu'un pour s'occuper de toi. Et tu comprends bien que c'est difficile, non ?

Son père fronça les sourcils et fit non de la tête.

— Je n'ai besoin de personne. Je peux me débrouiller seul.

— Comment peux-tu dire une chose pareille ? Tu comprends bien qu'on ne peut pas te laisser seul étant donné ton état de santé. Ne dis pas n'importe quoi !

Yūji lui adressa un regard suppliant.

— Je voudrais juste passer une nuit là-bas.

— Une nuit ?

— Oui, une nuit. Je voudrais passer une nuit seul chez moi.

— Comment ça ? Pourquoi ?

— Je ne peux pas te l'expliquer. Tu ne comprendrais pas. Ne le prends pas mal. Tu penserais que je suis un imbécile.

— Explique-moi plutôt de quoi tu parles.

— Non, fit son père en secouant la tête de côté. Je ne peux pas. Et d'abord, tu ne me croirais pas.

— Comment ça ? Mais qu'est-ce que je ne croirais pas ?

Son père ne répondit pas à sa question.

— Dis-moi, Takayuki, reprit-il sur un autre ton. Les médecins t'ont dit que je pouvais quitter l'hôpital quand je voulais, non ? De toute façon, ils ne peuvent rien pour moi, et vous pouvez donc me laisser faire ce que je veux, non ?

Cette fois-ci, ce fut au tour de son fils de se taire. Son père avait raison. Les médecins lui avaient dit qu'ils ne pouvaient plus rien faire, et que la mort allait survenir dans un avenir proche.

— Je t'en supplie, Takayuki, fit le vieil homme en joignant les mains.

— Papa, s'il te plaît, répondit son fils, le visage déformé par la tristesse.

— Je n'en ai plus pour longtemps. Laisse-moi faire ce que je veux sans me poser de questions.

Les paroles paternelles affectèrent profondément son fils qui ne comprenait absolument pas ce souhait, mais désirait le satisfaire. Il soupira.

— Tu veux faire ça quand ?

— Le plus tôt sera le mieux. Pourquoi pas ce soir ?

— Ce soir ? répéta son fils en écarquillant les yeux. Pourquoi si vite ?

— Parce qu'il ne me reste pas beaucoup de temps, je te l'ai dit.

— Mais il faut que j'en parle à l'hôpital, à ma famille, et à Yoriko.

— Ce n'est pas la peine. Ne dis surtout rien à Yoriko. Et tu n'as qu'à informer l'hôpital que je veux rentrer chez toi pour un soir. Comme ça, on pourra se mettre en route directement.

— Qu'est-ce qui te prend, papa ? Dis-moi au moins de quoi il s'agit.

Son père détourna les yeux.

— Si je le faisais, tu ne serais plus d'accord.

— Je te promets de ne pas réagir comme ça. Je vais t'emmener au bazar. Mais dis-moi pourquoi.

Yūji tourna lentement la tête vers lui.

— J'espère que tu ne me mens pas. Tu vas me croire ?

— Oui. Je te croirai. Je te donne ma parole d'homme.

— Très bien, fit son père en hochant la tête. Je vais tout te dire.

3

Yūji se tut pendant presque tout le trajet en voiture bien qu'il ne dorme pas. Trois heures après avoir quitté l'hôpital, lorsqu'ils arrivèrent près de chez lui, il se mit à regarder dehors avec une expression nostalgique.

Takayuki n'avait parlé de leur expédition qu'à sa femme. Le malade ne pouvant voyager en train, il fallait prendre la voiture. Et le père et le fils passeraient probablement la nuit sur place.

Takayuki gara la Civic qu'il avait achetée l'année précédente devant le bazar. Il consulta sa montre après avoir tiré le frein à main et vit qu'il était un peu après 23 heures.

— On est arrivés !

Il venait de retirer la clé du démarreur et s'apprêtait à descendre lorsque la main de Yūji vint se poser sur sa cuisse.

— Toi, tu restes ici. Tu peux partir.

— Mais non, je ne peux pas.

— Combien de fois dois-je te dire que je vais me débrouiller seul ? Je ne veux personne avec moi.

Takayuki baissa les yeux. Il comprenait pourquoi son père disait cela. En tout cas, s'il croyait à cette étrange histoire qu'il lui avait racontée.

— Je suis désolé de t'avoir fait venir si loin pour te congédier comme ça.

— Ne t'en fais pas pour ça, répondit son fils en se frottant sous le nez. Bon, je reviendrai demain matin. Je vais trouver un endroit où passer le temps jusque-là.

— Tu ne vas quand même pas dormir dans la voiture, j'espère. Ce n'est pas bon pour la santé.

Takayuki claqua de la langue.

— Tu es mal placé pour me dire une chose pareille. Mets-toi à ma place. Tu crois que tu pourrais rentrer tranquillement chez toi après avoir emmené ton père malade dans une maison quasiment abandonnée ? De toute façon, il faut que je revienne ici demain matin, et le plus simple est d'attendre dans la voiture.

Yūji n'eut pas l'air content, ses rides devinrent plus profondes, et il lui demanda à nouveau pardon.

— Tu es vraiment sûr que tu veux être seul ? Je ne veux pas revenir et te retrouver clamsé dans le noir, moi !

— Ne t'inquiète pas. Et de toute façon, l'électricité n'a pas été coupée, je ne serai pas dans le noir, dit son père en ouvrant avec peine la portière.

Il descendit de voiture et se retourna vers son fils.

— J'ai failli oublier quelque chose d'important. Tiens, je voulais te donner ça, ajouta-t-il en lui tendant une enveloppe.

— C'est quoi ?

— Je voulais que ça soit mon testament. Mais comme je t'ai déjà tout raconté, je me suis dit que je pouvais aussi bien te le donner maintenant. Et c'est peut-être mieux comme ça. Lis-le une fois que je serai dans la maison. Et jure-moi que tu feras ce que je te demande. Sinon, plus rien n'aura de sens.

Takayuki prit l'enveloppe sur laquelle rien n'était écrit. Mais il devina qu'elle n'était pas vide.

— Bon, je compte sur toi, dit son père qui commença

à marcher en s'appuyant sur la canne que lui avait fournie l'hôpital.

Son fils le regarda partir en silence. Son père ne se retourna pas une seule fois et disparut dans le passage entre la maison et l'entrepôt voisin.

Takayuki passa quelques instants sans faire aucun mouvement. Puis il se ressaisit et ouvrit l'enveloppe. Elle contenait une lettre singulière.

> *Takayuki,*
>
> *J'imagine que j'aurai quitté ce monde quand tu liras ces lignes. C'est triste, mais cela ne sert à rien d'en parler. De toute façon, je ne serai plus là pour trouver ça triste.*
>
> *J'ai bien sûr une raison pour t'adresser cette lettre. Je tiens absolument à te demander un service. Je voudrais que tu fasses passer cette annonce lorsque le trente-troisième anniversaire de ma mort arrivera :*
>
> *"La boîte à soucis du bazar Namiya sera à nouveau en service tel jour tel mois (la date de ma mort) de minuit à l'aube, et j'ai une faveur à demander aux personnes qui y ont autrefois eu recours. Qu'avez-vous pensé des réponses qui vous ont été fournies ? Vous ont-elles été utiles ou non ? Dites-moi franchement ce que vous en avez pensé. Comme autrefois, merci de glisser vos réponses dans la fente du rideau métallique."*
>
> *J'imagine que tu trouves ma demande absurde. Mais il s'agit pour moi de quelque chose de très important. Et j'aimerais que tu me rendes ce service.*
>
> *Ton père*

Takayuki lut deux fois la lettre et esquissa un sourire. Quelle aurait été sa réaction à cet étrange testament si son père ne lui avait pas tout expliqué ? La réponse était

évidente. Il l'aurait ignoré et se serait dit que la proximité de la mort faisait perdre la raison à son père. La
lettre l'aurait préoccupé pendant quelque temps, puis
il l'aurait vite oubliée. Trente et quelques années après,
il ne s'en serait même pas souvenu.

À présent cependant, il n'avait aucune intention de
ne pas en tenir compte, parce que l'histoire singulière
que son père lui avait racontée le tourmentait.

Quand celui-ci la lui avait exposée, il lui avait montré
une coupure de journal et lui avait demandé de la lire.

L'article paru trois mois plus tôt traitait de la mort
d'une femme qui habitait la ville voisine. Plusieurs
personnes l'avaient vue lancer intentionnellement sa voiture dans l'eau du port. La police et les pompiers étaient
intervenus rapidement, mais la conductrice était déjà
décédée. Le bébé âgé d'environ un an qui l'accompa-
gnait avait sans doute été projeté hors de la voiture juste
après sa chute dans l'eau, et il avait survécu. Kawabe
Midori, la femme à l'origine de l'accident, avait vingt-
neuf ans et n'était pas mariée. Elle avait emprunté la voiture d'une amie en lui disant qu'elle en avait besoin pour
conduire son enfant à l'hôpital. Selon ses voisins, elle
n'avait pas de travail et semblait en grande difficulté. Elle
devait d'ailleurs être expulsée de son logement à la fin
du mois parce qu'elle n'avait pas payé son loyer depuis
plusieurs mois. La police, qui n'avait retrouvé aucune
trace de freinage, avait conclu qu'il s'agissait selon toute
vraisemblance d'un suicide.

Lorsque Takayuki avait demandé à son père quel était
son lien avec cette nouvelle, celui-ci avait plissé les sourcils avec une expression peinée et lui avait répondu :

— Je t'ai parlé de cette femme qui m'avait envoyé une
lettre pour me dire qu'elle était enceinte mais se demandait si elle devait garder l'enfant dont le père était marié

à quelqu'un d'autre ? Je crois que c'est d'elle qu'il s'agit. Ça s'est passé dans la ville voisine, et l'âge de l'enfant correspond.

— Tu crois ? Ce n'est pas plutôt un simple hasard ?

Yūji avait fait non de la tête.

— Elle avait signé sa lettre du pseudonyme *Green River*. Et la victime s'appelait Kawabe Midori. Kawa, cela correspond à *river*, en anglais, et Midori, à *green*. Moi, je ne peux pas croire qu'il s'agisse d'un hasard.

Takayuki n'avait pas d'argument à lui opposer. Cela pouvait difficilement être une coïncidence.

— Pour moi, le vrai problème n'est pas de savoir si la victime est bien celle qui m'avait demandé conseil, reprit son père, mais de comprendre si la réponse que je lui ai donnée était justifiée ou non. Et pas seulement à elle, d'ailleurs, mais à toutes les personnes qui m'ont fait part de leurs problèmes. Je les ai toujours écrites après mûre réflexion. Je ne mens pas en disant ne jamais les avoir rédigées à la légère. Mais j'ignore si elles ont été utiles à ceux qui m'ont parlé de leurs problèmes. Certaines personnes qui ont écouté mes suggestions en ont peut-être été très malheureuses. Prendre conscience de cette possibilité m'a bouleversé. Je n'avais plus aucune envie de recevoir des demandes de conseils, et c'est la raison pour laquelle j'ai fermé le bazar.

C'était donc ça, se dit son fils. La décision abrupte de son père qui avait toujours refusé de cesser de travailler était restée une énigme pour lui.

— J'ai continué à y réfléchir tout le temps que j'ai passé chez toi. L'idée que mes réponses aient pu perturber la vie de ceux qui les avaient reçues m'empêchait de dormir. Et quand je suis tombé malade, je me suis demandé si ce n'était pas un châtiment divin.

— Tu as trop d'imagination.

Pour Takayuki, quelle que soit la réponse paternelle, la décision de la mettre ou non en pratique relevait de la personne qui l'avait reçue, et Yūji n'avait pas à s'en sentir responsable. Mais son père ne partageait pas son point de vue et il n'avait cessé d'y penser pendant son hospitalisation. Cela expliquait qu'il ait commencé à faire des rêves étranges, qui avaient tous pour cadre le bazar Namiya.

— Je rêvais que j'étais dans un magasin la nuit et que quelqu'un glissait une lettre par la fente du volet métallique. Je le voyais mais je ne savais pas où j'étais. J'avais l'impression de regarder depuis le ciel, et parfois de tout près. Mais cela se passait sous mes yeux. C'était dans le futur, dans dix, vingt, ou trente ans de maintenant. Je serais bien incapable de dire pourquoi je voyais cela, mais je le voyais.

Son père avait fait le même rêve presque tous les soirs. Bientôt, il avait commencé à penser que ce n'était pas un simple rêve, mais un présage qui lui annonçait un événement futur.

— Ceux qui glissaient des lettres dans la fente étaient tous des gens qui m'avaient consulté autrefois et à qui j'avais répondu. Ils m'écrivaient pour me dire ce qui s'était passé dans leur vie depuis, comment elle avait changé.

Il avait eu envie de venir relever ces missives.

— Comment pourrais-tu relever du courrier venu du futur ?

— Je sais que cela paraît bizarre mais j'ai l'impression que si je vais au bazar, j'y recevrai ces lettres. Voilà pourquoi je tiens absolument à y aller.

Yūji lui avait expliqué tout cela d'un ton ferme. Son fils n'avait pas eu le sentiment qu'il lui décrivait des hallucinations, même si, au fond de lui-même, il n'y croyait pas. S'il avait promis à son père le contraire, c'était parce qu'il ne voulait pas refuser sa requête.

4

Il faisait encore nuit lorsque Takayuki se réveilla dans sa petite Civic garée à côté d'un square. Il alluma la lumière de l'habitacle pour lire l'heure. Presque 5 heures du matin.

Il releva le dossier de son siège, fit quelques mouvements pour détendre son cou endolori et descendit de voiture. Il alla dans les toilettes du square et se passa de l'eau sur la figure. Il s'étonna que cet endroit où il était souvent venu jouer quand il était enfant soit si petit et se demanda comment lui et ses amis avaient réussi à y faire du base-ball.

Il remonta en voiture, démarra et alluma les phares. Le bazar n'était qu'à quelques centaines de mètres de là.

Le jour se levait. Une fois arrivé à destination, il faisait assez clair pour qu'il puisse lire les caractères de l'enseigne.

Il se gara puis marcha jusqu'à l'arrière de la maison familiale. La porte était fermée à clé. Il décida de frapper au lieu de se servir de son double.

Une dizaine de secondes plus tard, son père vint lui ouvrir. Il avait l'air apaisé.

— C'est presque l'heure de partir, fit Takayuki d'une voix un peu rauque.

— Oui. Entre donc.

Une fois à l'intérieur, il prit soin de bien refermer la porte, avec l'impression que cela modifiait légèrement l'air. La différence entre l'intérieur et l'extérieur le frappa.

Il se déchaussa et monta la marche intérieure. Bien que la maison n'ait pas été occupée depuis plusieurs mois, elle avait gardé quasiment le même aspect qu'autrefois, et il y avait très peu de poussière.

— C'est plus propre que je ne le pensais… Tu as aéré ? commença-t-il.

Il s'interrompit car il venait de voir ce qu'il y avait sur la table.

Une bonne dizaine de lettres, dans de belles enveloppes. Presque toutes adressées au bazar Namiya.

— Elles sont arrivées dans la nuit ?

Son père fit oui de la tête, les contempla puis leva les yeux vers son fils.

— Tout s'est passé comme je le pensais. Sitôt que je me suis assis à cette table, elles sont toutes tombées de la fente du rideau de fer. Comme si elles attendaient mon retour.

Takayuki fit un signe de dénégation de la tête.

— Hier, je suis resté un peu devant l'entrée arrière avant de repartir. Personne ne s'est approché du magasin. Et personne n'est passé devant non plus.

— Ah bon… Pourtant toutes ces lettres sont arrivées. Elles viennent du futur.

Takayuki prit une chaise et s'assit en face de son père.

— C'est incroyable…

— Tu avais dit que tu me croyais, non ?

— Oui, bien sûr, mais…

Takayuki eut un sourire peiné.

— Au fond de toi, tu doutais, hein ? Et que penses-tu maintenant ? Tu n'imagines quand même pas que je les ai toutes écrites.

— Je n'irais pas jusque-là. De toute façon, tu n'en aurais pas eu le temps.

— Ça n'aurait pas été simple de rassembler autant d'enveloppes et de papier à lettres. Permets-moi de te dire que rien ne vient du magasin.

— Je n'en doute pas. Je n'ai jamais rien vu de pareil.

Takayuki était troublé. Un tel conte de fées était-il possible ? Quelqu'un leur aurait-il joué un tour ? Mais qui aurait eu une raison de le faire ? Qui souhaiterait tromper un vieil homme qui n'avait plus longtemps à vivre ?

Des lettres venues du futur... Peut-être était-ce la seule explication possible. Si c'était vrai, c'était fabuleux. Normalement, il aurait dû en être ému. Mais il était calme. Troublé, certes, mais d'un calme qui l'étonnait lui-même.

— Et tu les as toutes lues ?

— Oui, répondit son père en saisissant une enveloppe dont il sortit une lettre qu'il tendit à son fils. Lis celle-là.

— Je peux ?

— Celle-ci, oui.

Takayuki la prit et la déplia. Il poussa un cri de surprise car elle n'était pas manuscrite mais imprimée. Son père hocha la tête.

— Plus de la moitié des lettres sont imprimées comme celle-ci. Dans le futur, tout le monde aura chez lui une machine pour imprimer facilement des lettres.

Cela seul prouvait que la lettre venait de l'avenir. Takayuki inspira profondément avant de commencer à lire.

À l'attention du bazar Namiya
Le bazar va-t-il vraiment reprendre du service ? L'annonce disait que ce serait pour une seule nuit. Qu'est-ce que cela peut signifier ? J'ai longtemps hésité, mais j'ai décidé

de vous écrire en me disant que même si ce n'était pas vrai, je ne risquais pas grand-chose.

Il y a environ quarante ans, je vous ai posé la question suivante : "Je voudrais avoir 10 sur 10 à un contrôle sans tricher et sans travailler. Comment y arriver ?"

J'étais à l'école élémentaire, et je vous ai vraiment posé cette question stupide. Mais vous m'avez donné une réponse merveilleuse. "Demande à la maîtresse de faire un contrôle qui porte sur toi. Comme toutes les questions parleront de toi, tu auras forcément juste à toutes les réponses."

Quand j'ai lu votre suggestion, j'ai trouvé que ce n'était pas très honnête de votre part. Parce que je voulais avoir 10 sur 10 en orthographe ou en calcul.

Mais je n'ai pas oublié votre réponse. Je m'en suis souvenu à chaque contrôle par la suite, au collège comme au lycée. Elle m'avait fait forte impression. Vous aviez répondu sérieusement à la question d'un enfant.

J'ai compris à quel point votre réponse était merveilleuse lorsque je suis moi-même devenu enseignant.

Quand j'ai commencé à travailler, j'ai eu assez rapidement l'impression de me heurter à un mur. Les enfants de ma classe ne m'acceptaient pas, et ne m'obéissaient pas non plus. De plus, ils ne s'entendaient pas bien entre eux et n'arrivaient pas à fonctionner comme un groupe. J'avais le sentiment qu'une distance existait entre eux, et qu'ils ne s'intéressaient qu'à leurs amis proches.

J'ai essayé diverses choses, je leur ai fourni des occasions de faire du sport ou de jouer ensemble, j'ai aussi organisé des débats. Mais rien n'a marché. Mes élèves ne semblaient prendre aucun plaisir aux activités que je leur proposais.

L'un d'entre eux m'a dit que tout cela ne l'intéressait pas du tout, et que ce qu'il voulait que je lui apprenne, c'était comment avoir 10 sur 10 aux contrôles.

Je suis sûr que vous avez déjà deviné la suite. Un jour, je leur ai fait faire un contrôle, que j'ai intitulé "contrôle des amis". Chacun d'entre eux devait choisir au hasard un camarade de classe, et répondre à des questions à son sujet : sa date de naissance, son adresse, le nom de ses frères et sœurs s'il en avait, la profession de ses parents, ses goûts, ses talents particuliers, les artistes qu'il aimait. Une fois le contrôle terminé, je demandais à l'élève sur lequel portait le test de donner les réponses. Les enfants vérifiaient eux-mêmes s'ils avaient donné les bonnes réponses.

Mes élèves n'ont pas mordu au jeu tout de suite, mais la deuxième ou la troisième fois que nous l'avons fait, ils ont commencé à s'y intéresser. Le secret pour obtenir une bonne note était de bien connaître ses camarades de classe. Grâce à cette activité, ils ont appris à mieux communiquer entre eux.

Cette expérience a été cruciale pour moi qui débutais dans la carrière. Elle m'a donné plus confiance en moi, et je continue chaque année à faire ce type de contrôle.

C'est vous qui avez rendu cela possible. Cela fait longtemps que je souhaitais vous dire ma gratitude, mais je ne savais comment. Je suis heureux d'avoir enfin l'occasion de le faire.

Le gamin 10 sur 10

PS : Cette lettre sera-t-elle récupérée par quelqu'un de votre famille ? Si c'est le cas, j'aimerais qu'elle soit placée devant la photo du vieux M. Namiya sur l'autel domestique. D'avance merci.

Yūji vit son fils remettre la lettre dans l'enveloppe et lui demanda ce qu'il en pensait.

— C'est plutôt bien, non ? répondit-il. Je me souviens

de la question de cet enfant qui voulait avoir 10 sur 10 sans travailler. Qu'il t'écrive aujourd'hui…

— Moi, je ne m'y attendais pas. Et qu'il me soit reconnaissant… Je n'ai fait preuve que d'un peu d'à-propos vis-à-vis d'une question dont je me disais qu'il pouvait s'agir d'une plaisanterie.

— Mais ton correspondant ne l'a jamais oubliée.

— Apparemment non. Et qui plus est, il l'a adaptée à sa sauce et s'en est servi dans sa vie. Il m'est reconnaissant, mais il n'a pas à l'être. Si tout s'est bien passé, c'est grâce à ses propres efforts.

— N'empêche qu'il a dû être content qu'au lieu d'ignorer sa question, tu y répondes sérieusement. Je crois que c'est pour ça qu'il ne l'a jamais oubliée.

— Pourtant, ce n'était pas grand-chose, dit Yūji en regardant les autres enveloppes. La plupart des autres lettres vont dans le même sens. Les gens me remercient. Je leur en suis reconnaissant, mais dans tous les cas, si mes réponses ont été utiles, c'est grâce aux efforts de ceux qui les ont lues. Si tous ces gens n'avaient pas été sérieux, s'ils n'avaient pas mené leur vie honnêtement, je ne pense pas qu'ils m'auraient écrit.

Takayuki approuva du chef. Il était d'accord.

— C'est plutôt bien que tu saches cela maintenant. Tu n'as pas eu tort de faire ce que tu as fait.

— Oui, on peut peut-être dire ça, fit son père en se grattant le menton avant de prendre une autre lettre. Il y en a encore une que j'aimerais que tu lises.

— Moi ? Mais pourquoi ?

— Tu comprendras en la lisant.

Takayuki prit l'enveloppe et sortit une lettre manuscrite, à la belle écriture.

À l'attention du bazar Namiya

Dès que j'ai découvert sur la Toile que le bazar reprenait du service pour cette nuit seulement, j'ai immédiatement décidé de vous écrire.

Pour tout vous dire, j'ai entendu parler de votre boîte à soucis, mais c'est tout. Quelqu'un d'autre que moi vous a écrit. Mais avant de vous dire de qui il s'agit, je voudrais vous parler de mon enfance.

Je l'ai passée dans un foyer d'accueil. Je n'ai aucun souvenir de mon arrivée là-bas. Quand j'ai pris conscience du monde, j'y vivais, au milieu d'autres enfants. Cela me paraissait tout à fait normal.

Mais lorsque j'ai commencé à fréquenter l'école, le doute s'est installé en moi. Pourquoi n'avais-je ni parents ni famille ?

Un jour, l'employée dont je me sentais la plus proche m'a expliqué pourquoi je m'y trouvais. D'après elle, j'avais perdu ma mère dans un accident quand j'avais un an. Elle m'a aussi appris que je n'avais pas de père. Elle a ajouté qu'elle m'en dirait plus un jour.

Je n'y comprenais rien. Pourquoi n'avais-je pas de père ? Le temps a passé et cette question est restée sans réponse.

Quand j'étais au collège, le professeur d'éducation civique nous a donné un devoir dont le thème était les circonstances de notre naissance. J'ai fait des recherches à la bibliothèque où j'ai trouvé un article de journal qui parlait de la mort d'une certaine Kawabe Midori. Sa voiture était tombée dans la mer, et elle n'avait pas survécu. Elle avait un passager, un bébé d'environ un an. L'article disait qu'étant donné qu'il n'y avait aucune trace de freinage, on soupçonnait un suicide.

Comme je connaissais le nom de ma mère, et celui de la ville où elle habitait, j'ai eu la certitude que l'article parlait d'elle et de moi.

Le choc a été violent. Tout d'abord parce que la mort de ma mère résultait d'un suicide, mais aussi parce que je venais de découvrir qu'elle souhaitait que je meure avec elle.

J'ai quitté la bibliothèque sans retourner au foyer. Et je serais incapable de vous dire où j'ai erré. Je n'en ai qu'un vague souvenir. À ce moment-là, la seule idée que j'avais en tête était que j'aurais dû mourir avec ma mère et que je ne méritais pas de vivre. Ma mère, la personne qui aurait dû m'aimer plus que personne au monde, avait voulu ma mort. Quelle valeur pouvait avoir ma vie ?

Trois jours plus tard, quand j'ai repris conscience de l'endroit où je me trouvais, j'étais à la police. Les policiers m'ont dit que je gisais dans un petit espace de jeux sur le toit d'un grand magasin. Je ne sais pas du tout ce que je faisais là. La seule chose dont je me souvienne, c'est d'avoir pensé que si je me jetais de là-haut, je mourrais sans doute.

J'ai ensuite passé quelques jours à l'hôpital, d'abord parce que j'étais très faible, mais aussi parce que mes poignets portaient la trace de plusieurs coupures. On avait aussi retrouvé un cutter ensanglanté dans le cartable que j'ai toujours gardé depuis.

Pendant quelque temps, j'ai été mutique. Je ne supportais la présence de personne. Je ne mangeais presque pas et j'ai continué à maigrir.

Quelqu'un est venu me voir à cette époque, ma meilleure amie du foyer. Nous avions le même âge, et elle avait un frère handicapé. Je savais qu'elle et son frère avaient été maltraités par leurs parents. Elle chantait très bien, j'aimais la musique, et c'est comme ça que nous avons sympathisé.

Avec elle, j'arrivais à parler. Nous avons bavardé de choses et d'autres, puis elle m'a déclaré tout de go qu'elle avait quelque chose d'important à me dire.

Elle avait parlé aux gens du foyer qui lui avaient tout dit sur mes origines. J'ai eu l'impression qu'ils lui avaient demandé de le faire. Ils ont dû penser qu'elle était ma seule confidente.

Je lui ai répondu que ça ne m'intéressait pas parce que je savais déjà tout. Mais elle a fait vigoureusement non de la tête en ajoutant que je ne connaissais qu'une toute petite partie de l'histoire, et que j'ignorais la vérité.

"D'abord, sais-tu combien pesait ta mère au moment de sa mort ?" a été sa première question. J'ai répondu que je n'en avais pas la moindre idée. "Trente kilos", m'a-t-elle dit. J'ai failli lui répliquer "et alors", avant de me raviser et de m'exclamer : "Seulement trente kilos ?"

Elle a hoché la tête et m'a raconté que la police avait remarqué l'extrême maigreur de Kawabe Midori. Dans son logement, il n'y avait presque rien à manger à part du lait infantile en poudre. Le réfrigérateur était vide, hormis un seul petit pot de nourriture pour bébés. Les gens qui connaissaient ma mère ont raconté qu'elle n'arrivait pas à trouver du travail et qu'elle avait épuisé ses économies. Elle n'avait pas payé son loyer depuis plusieurs mois et était sur le point d'être expulsée. Il était compréhensible que la seule solution qu'elle ait trouvée soit de se suicider en m'emportant avec elle.

Mais un point demeurait incompréhensible. Comment se faisait-il que le bébé que j'étais ait pu miraculeusement échapper à la mort ?

Mon amie m'a expliqué qu'il n'y avait rien de miraculeux à cela. Mais avant de m'en dire plus, elle voulait que je lise quelque chose, une lettre qu'elle avait sur elle.

D'après elle, cette missive aurait été trouvée dans l'appartement de ma mère. Elle l'avait conservée avec mon cordon ombilical, et le foyer, comprenant que c'était important pour elle, l'avait à son tour gardée. Les gens du foyer en avaient discuté et avaient décidé de me remettre le tout quand ils jugeaient le moment approprié.

La lettre était dans une enveloppe adressée à "Madame Green River".

J'ai eu un moment d'hésitation avant de déplier la feuille de papier à lettres pour la lire. Son auteur avait une belle écriture régulière. J'ai d'abord cru que c'était celle de ma mère. Mais en la lisant, j'ai compris que je m'étais trompée. La lettre était adressée à "Green River", le pseudonyme qu'elle avait choisi.

Pour dire les choses en un mot, cette lettre lui donnait des conseils. Ma mère avait dû demander son avis à cette personne. D'après la lettre, elle était enceinte d'un homme marié et se demandait si elle devait mener sa grossesse à bien.

Découvrir le secret de ma naissance a été un nouveau choc pour moi. J'ai éprouvé de l'apitoiement pour moi-même – j'étais illégitime, le fruit d'une liaison.

Je n'ai pas caché ma colère à mon amie. Pourquoi ma mère n'avait-elle pas choisi d'avorter ? Je n'aurais pas eu à souffrir tout ce que j'avais souffert. Et ma mère n'aurait pas eu à décider de mourir en m'emportant avec elle.

Mon amie m'a dit que je me trompais et m'a demandé de lire plus attentivement.

Son auteur écrivait que l'important était de se demander si l'enfant à naître pourrait ou non trouver le bonheur. Avoir deux parents n'était en aucune façon une garantie de bonheur pour un enfant. Si ma mère n'était pas prête à tout supporter pour garantir mon bonheur, concluait l'auteur de la lettre, il lui aurait conseillé, même si elle était mariée, de ne pas garder l'enfant.

"Ta mère a décidé de te garder parce qu'elle était déterminée à assurer ton bonheur, m'a dit mon amie. La preuve en est qu'elle a conservé cette lettre. Elle n'avait donc aucune raison de vouloir que tu meures avec elle."

D'après elle, la vitre du côté passager était ouverte. Comme il pleuvait ce jour-là, il était quasiment impossible qu'elle ait roulé la vitre ouverte, et logique de penser qu'elle l'avait baissée une fois que la voiture était tombée dans l'eau.

Ce n'était donc pas un suicide, mais un accident. Kawabe Midori s'était probablement évanouie au volant parce qu'elle souffrait de dénutrition. Et elle n'avait sans doute pas menti quand elle avait dit à son amie qu'elle avait besoin d'emprunter sa voiture pour m'emmener à l'hôpital.

Elle avait repris connaissance une fois que la voiture était dans la mer, et malgré la confusion qui avait dû être la sienne, elle avait pensé à abaisser la vitre côté passager.

Quant à elle, elle n'avait même enlevé sa ceinture de sécurité. Sans doute était-elle encore sous le coup de sa perte de connaissance.

Son bébé pour sa part pesait plus de dix kilos. Elle devait le nourrir correctement.

Une fois qu'elle m'a tout raconté, mon amie m'a demandé si je continuais à penser que j'aurais mieux fait de ne pas naître.

Mon trouble était profond. Je n'avais jamais rencontré ma mère. La haine que je ressentais pour elle était abstraite. Mais j'avais du mal à la transformer en gratitude. Et je lui ai répondu que je n'en pensais rien du tout.

J'ai ajouté que c'était sa faute si elle avait eu cet accident, que son problème était qu'elle avait tellement peu d'argent qu'elle ne pouvait pas se nourrir, qu'il n'y avait rien de plus naturel pour un parent que de sauver son enfant, et qu'elle avait été stupide de ne pas s'en tirer aussi.

Mon amie m'a donné une gifle. Elle s'est mise à pleurer et m'a dit qu'elle ne supportait pas que je fasse si peu de cas d'une vie humaine. Elle m'a aussi demandé si j'avais oublié l'incendie trois ans plus tôt. Sa question m'a fait bondir.

Elle faisait référence à un incendie au foyer, la nuit de Noël, trois ans auparavant, qui nous avait tous terrifiés.

Le petit frère de mon amie avait failli mourir. Il n'avait pas fui à temps, et n'avait survécu que grâce à l'aide d'un musicien amateur venu animer notre soirée de Noël, un homme au visage d'une grande gentillesse. Nous avions tous réussi à quitter le bâtiment, mais lui est retourné à l'intérieur, lorsque mon amie lui a dit que son petit frère y était encore. Il l'a sauvé des flammes, mais il est mort à l'hôpital des brûlures qu'il avait subies.

Mon amie a déclaré qu'elle lui serait reconnaissante jusqu'à sa mort d'avoir sauvé son frère, et qu'elle avait l'intention de continuer à exprimer sa gratitude. En pleurant, elle a ajouté qu'elle voulait que moi aussi je saisisse l'importance de chaque vie humaine.

J'ai compris à ce moment-là pourquoi les gens du foyer lui avaient confié cette mission. Ils savaient que personne ne saurait mieux qu'elle m'apprendre comment penser à ma mère. Et ils avaient raison. Son émotion s'est propagée à moi et j'ai éclaté en sanglots. Je pouvais enfin éprouver de la gratitude pour ma mère dont je n'avais conservé aucun souvenir.

Depuis ce jour-là, je n'ai plus jamais pensé que j'aurais mieux fait de ne pas naître. Le chemin que j'ai suivi depuis n'a pas été simple, j'ai eu mon lot de peines, mais je les ai surmontées.

D'où ma préoccupation pour l'auteur de la lettre conservée par ma mère. Elle était signée "Bazar Namiya". Quel genre de personne était-ce ? Que faisait ce bazar ?

J'ai lu récemment sur la Toile qu'il s'agit d'un vieil homme qui avait installé une boîte à soucis près de son magasin. Quelqu'un en a parlé dans son blog. C'est de cette façon que j'ai appris que le bazar Namiya allait rouvrir pour une nuit.

Je vous remercie du fond du cœur pour le conseil que vous avez donné à ma mère. Je voulais vous le faire savoir depuis longtemps. Aujourd'hui, je sais que j'ai bien fait de naître.

La fille de Green River

PS : Je suis aujourd'hui le manager de mon amie. Son talent pour la musique lui a permis de devenir une des artistes les plus connues du Japon. J'éprouve aussi beaucoup de gratitude à son égard.

5

Takayuki replia posément la lettre qui comptait plusieurs feuillets avant de la remettre dans l'enveloppe.

— C'est bien de savoir que ton conseil était le bon, papa.

Son père fit non de la tête.

— Je t'ai dit que ce qui comptait était ce que les gens en ont fait. J'avais peur que mes réponses aient pu causer le malheur de ceux qui m'avaient fait part de leurs problèmes, mais c'était stupide de ma part. Comment des conseils donnés par un vieux bonhomme quelconque comme moi auraient-ils pu influer sur la vie des autres ? Je me faisais du souci pour rien, répondit-il.

Mais son visage exprimait sa satisfaction.

— Toutes ces lettres te sont précieuses. Prends-en bien soin.

Son père eut soudain l'air songeur.

— Écoute, j'ai une faveur à te demander à ce propos.

— Laquelle ?

— Je voudrais que tu les gardes.

— Moi ? Mais pourquoi ?

— Comme tu le sais, je n'ai plus longtemps à vivre. Ce serait très embarrassant que quelqu'un les découvre. Parce qu'elles parlent toutes de choses qui ne sont pas encore arrivées.

— Hum… fit Takayuki.

Son père avait raison, même si cela lui paraissait irréel.

— Et il faut que je les garde combien de temps ?

— Hum… fit à son tour Yūji. Sans doute jusqu'à ma mort.

— D'accord. Dans ce cas-là, je les mettrai dans ton cercueil. Elles aussi se transformeront en cendres.

— Ça sera très bien, dit son père en se donnant une tape sur les genoux. Fais comme ça.

Takayuki hocha la tête et reposa les yeux sur les lettres. Il n'arrivait pas à croire qu'elles venaient du futur.

— Papa, dit-il. Je me demande ce que c'est, la Toile.

— Moi aussi, je me suis posé la question, répondit-il en pointant son index vers lui. Les autres lettres en parlent aussi. Elles disent qu'elles ont lu l'annonce sur la Toile. Et puis elles parlent presque toutes de "portable".

— Comment ça, "portable" ?

— Je n'en sais rien. Peut-être que c'est un genre de journal du futur, fit son père qui le regarda en plissant les yeux. En tout cas, les lettres montrent que tu feras comme je t'ai demandé pour le trente-troisième anniversaire de ma mort.

— Sur la Toile et avec ces portables ?

— Sans doute.

— Hum… C'est un peu inquiétant, je trouve, dit Takayuki.

— Ne t'en fais pas pour ça. Tu comprendras le moment venu. Bon, on y va ?

Au même moment, il y eut un petit bruit qui provenait du magasin. Comme si quelque chose venait de tomber par terre. Le père et le fils se regardèrent.

— On dirait qu'il en est arrivé une autre, dit Yūji.

— Une autre lettre ?

— Oui. Va voir, s'il te plaît.

— D'accord.

Takayuki se dirigea vers le magasin où il restait des marchandises sur les étagères. Il vit un papier plié dans le carton posé sous la fente du rideau métallique. Une lettre sans enveloppe. Il la ramassa et revint dans la pièce à tatamis.

— C'était ça, dit-il.

Son père déplia la feuille et la lut. Une expression inquiète apparut sur son visage.

— Qu'y a-t-il ?

Yūji lui tendit la lettre sans desserrer les lèvres. Son fils la regarda et poussa un cri de surprise. La page était vierge.

— Qu'est-ce que ça veut dire ?

— Je n'en ai pas la moindre idée, répondit son père.

— Quelqu'un veut te faire marcher ?

— Peut-être. Mais… commença son père en fixant la feuille des yeux. Je n'ai pas l'impression que ce soit ça.

— Mais c'est quoi, alors ?

— Ça vient peut-être de quelqu'un qui n'a pas encore eu de réponse. Quelqu'un qui continue à hésiter. Quelqu'un hésite encore.

— Oui, mais quand même, mettre une feuille de papier sur laquelle il n'y a rien d'écrit…

Son père leva la tête pour le regarder.

— Écoute, je suis désolé de te demander ça, mais tu peux m'attendre dehors ?

Takayuki cligna des yeux.

— Tu comptes faire quoi ?

— Lui répondre, bien sûr.

— Répondre à ça ? Il n'y a rien sur cette feuille. Que vas-tu répondre ?

— Je vais y réfléchir maintenant.

— Maintenant ?

— Ça ira vite. Attends-moi dehors.

Takayuki comprit que son père ne céderait pas.

— Ne tarde pas, s'il te plaît, dit-il d'un ton résigné.

— D'accord, grommela son père qui fixait à nouveau la feuille vierge, plongé dans ses réflexions.

Une fois dehors, Takayuki remarqua que le jour n'était pas encore tout à fait levé. Cela lui parut bizarre, parce qu'il avait l'impression d'être resté assez longtemps dans la maison.

Il retourna dans sa voiture, prit un moment pour se détendre. Soudain, il fit très clair dehors. Le temps ne passe peut-être pas de la même façon dans la maison et dehors, pensa-t-il. Il décida de ne rien dire de ces étranges événements à sa sœur et à sa femme. Elles ne l'auraient de toute façon pas cru.

Il bâilla encore une fois et perçut un bruit qui venait de la maison. Son père apparut dans le passage étroit, la canne à la main. Il marchait lentement.

— Tu as pu écrire ?

— Oui.

— Et qu'as-tu fait de la réponse ?

— Je l'ai mise dans la boîte à lait, bien sûr.

— Tu crois que le destinataire la recevra ?

— Oui, j'ai l'impression que ça ira.

Takayuki, perplexe, se dit que son père était décidément un homme à part.

— Et qu'est-ce que tu as écrit en réponse à cette page vierge ? lui demanda-t-il une fois qu'il s'était assis.

— Je ne peux pas te le dire, répondit son père en faisant non de la tête. Mais ça, tu le sais, non ?

Son fils haussa les épaules et mit le moteur en route.

— Attends une seconde ! lança son père au moment où il s'apprêtait à partir.

Takayuki freina. Son père contemplait le magasin, le bazar qu'il avait tenu pendant plusieurs décennies, qui l'avait fait vivre. À présent, il le quittait définitivement. Et dans ce bazar, il n'avait pas fait qu'être commerçant.

— Bon, murmura-t-il. Allons-y.

— Tu es prêt ?

— Oui. Maintenant tout est fini, dit son père en fermant les yeux.

La voiture démarra.

6

Il appuya sur le déclencheur en regrettant que les caractères qui formaient les mots "Bazar Namiya" soient difficiles à lire en raison de la poussière. Puis il changea d'angle et prit encore quelques photos. Il n'avait pas l'habitude de se servir d'un appareil photo et n'avait aucune idée de ce que donneraient celles qu'il venait de prendre, mais cela n'avait guère d'importance. Il n'avait pas l'intention de les montrer à qui que ce soit.

Il regarda le vieux bâtiment de l'autre côté de la rue et se remémora les événements de l'année précédente, et plus particulièrement la nuit qu'il avait passée ici avec son père.

Elle lui semblait irréelle. Il n'était d'ailleurs pas certain de n'avoir pas rêvé toute cette histoire. Était-ce vraiment possible de recevoir des lettres du futur ? Il n'avait jamais reparlé à Yūji de cette fameuse nuit.

Mais il les avait placées dans son cercueil avant la crémation. Lorsque Yoriko, sa sœur, et d'autres personnes lui avaient demandé ce qu'elles étaient, il avait eu du mal à trouver une réponse.

La mort de Yūji était au demeurant étrange. Le médecin avait dit qu'il pouvait disparaître à tout moment, mais il ne se plaignait jamais de douleurs. Sa vie était suspendue à un fil ténu qui refusait de rompre. Le médecin n'avait pas caché son étonnement. Yūji était mort près d'un an après être revenu passer une nuit dans sa maison, se nourrissant à peine et dormant la plupart du temps. Son fils avait l'impression que le temps avait ralenti pour son père.

Une voix qui disait "excusez-moi" le tira de ses réflexions. Il releva la tête et vit qu'elle venait d'une jeune femme de haute taille, en survêtement, qui poussait une bicyclette sur le porte-bagages de laquelle était posé un sac de sport.

— Que puis-je faire pour vous ?

— Euh… commença-t-elle d'un ton hésitant. Vous êtes de la famille de M. Namiya ?

Takayuki sourit.

— Je suis le fils de l'homme qui tenait le bazar.

— Ah bon… lâcha-t-elle, visiblement surprise, en battant des cils.

— Vous connaissez cette boutique ?

— Oui… mais je ne suis jamais venue faire des courses ici, répondit-elle en rentrant la tête dans les épaules.

Comprenant de quoi il retournait, Takayuki hocha la tête.

— Vous êtes venue lui confier vos problèmes ?

— Oui. Et il m'a donné de très bons conseils.

— Vraiment. J'en suis ravi. Et c'était quand ?

— En novembre de l'année dernière.

— En novembre ?

— Et le magasin ne va pas rouvrir ? demanda-t-elle en regardant dans cette direction.

— Eh bien… mon père est mort, alors…

Elle déglutit, surprise, et triste.

— Ah bon… Quand ça ?

— Le mois dernier.

— Ah… Je vous présente mes condoléances.

— Je vous remercie. Euh… vous faites du sport ? dit-il en regardant le sac sur son porte-bagages.

— Oui. De l'escrime…

— De l'escrime ?

Cette réponse surprit Takayuki. Il ne s'attendait pas à ce sport.

— Ce n'est pas une discipline très populaire, dit-elle avec un sourire avant d'enfourcher sa bicyclette. Désolée de vous avoir importuné. Au revoir.

— Au revoir.

Il la regarda s'éloigner en pensant qu'il ne savait presque rien de l'escrime, même s'il en avait vu à la télévision au moment des Jeux olympiques, mais seulement dans le cadre de reportages. Le Japon ayant boycotté les Jeux de Moscou de cette année, il n'en avait pas vu depuis longtemps.

La jeune femme avait dû se tromper en parlant de novembre dernier. Yūji était hospitalisé à cette époque.

Pensant soudain à quelque chose, il traversa la rue et s'engagea dans le passage à côté de la boutique. Puis il s'approcha de la boîte à lait et l'ouvrit.

Elle était vide. La réponse qu'avait laissée son père le matin de leur départ n'était plus là. Était-elle parvenue à son destinataire du futur ?

7

SEPTEMBRE 2012

Assis en face de son ordinateur, Namiya Shungo était perplexe. Valait-il mieux ne rien faire ? Il n'avait aucune envie d'affronter les problèmes qui pourraient lui arriver si cela ne marchait pas. Puisqu'il utilisait son propre ordinateur, chez lui, la police n'aurait aucun mal à le retrouver si elle faisait une enquête. Et les peines contre les cyberdélits n'étaient pas légères.

Son grand-père, Takayuki, ne lui avait pourtant pas demandé quelque chose de bizarre. Il avait gardé toute sa tête jusqu'à la fin, et s'était exprimé d'une manière très claire. Il était mort à la fin de l'année précédente, d'un cancer de l'estomac. Shungo savait que son arrière-grand-père était aussi décédé d'un cancer. La famille était peut-être fragile à cet égard.

Peu de temps avant d'être hospitalisé, il avait demandé à Shungo de venir le voir et lui avait déclaré tout de go qu'il avait un service à lui demander. Et il avait ajouté qu'il ne devait en parler à personne.

Incapable de résister à sa curiosité, son petit-fils lui avait demandé de quoi il s'agissait.

— Tu te débrouilles très bien sur ton ordinateur, n'est-ce pas ?

— Ça, je n'en suis pas sûr, avait répondu Shungo.

Il faisait partie du club de mathématiques de son collège et se servait souvent de son ordinateur.

Son grand-père lui avait tendu une feuille de papier.

— Je voudrais que tu diffuses ça sur Internet l'année prochaine en septembre.

Shungo avait pris la feuille et lu ce qui y était écrit. Il avait trouvé le texte étrange.

— C'est quoi, ce truc ?

Son grand-père avait secoué la tête de côté.

— Ne t'inquiète pas pour ça. Tout ce que je te demande, c'est de faire en sorte que ces informations soient diffusées sur la Toile le plus largement possible. Tu crois que tu peux y arriver ?

— Oui, je pense, mais…

— Si je pouvais, je le ferais moi-même. Parce que j'ai promis de le faire.

— Tu l'as promis ? À qui ?

— À mon père. Autrement dit, à ton arrière-grand-père.

— À ton père…

— Mais je vais de nouveau être hospitalisé. Et je ne sais pas combien de temps il me reste à vivre. C'est pour ça que je me suis dit que j'allais te demander de le faire pour moi.

Shungo avait été pris de court. Ses parents lui avaient dit que son grand-père était très malade.

— D'accord, finit-il par répondre.

Takayuki avait eu l'air très content.

Il avait quitté ce monde peu de temps après cette conversation. Shungo avait assisté à la veillée funéraire et à l'enterrement, avec le sentiment que son grand-père lui demandait de tenir sa promesse.

Il ne l'avait pas oubliée, et septembre était arrivé très vite.

Il regarda à nouveau la lettre que son grand-père lui avait remise. Voici ce qu'elle disait :

La boîte à soucis du bazar Namiya sera à nouveau en service le 13 septembre de minuit à l'aube, et j'ai une faveur à demander aux personnes qui y ont autrefois eu recours. Qu'avez-vous pensé des réponses qui vous ont été fournies ? Vous ont-elles été utiles ou non ? Dites-moi franchement ce que vous en avez pensé. Comme autrefois, merci de glisser vos réponses dans la fente du rideau métallique. Je vous remercie.

Son grand-père lui avait aussi donné une photo qui représentait le bazar Namiya. Shungo ne l'avait jamais vu de ses yeux, mais il savait qu'il existait toujours.

Takayuki lui avait raconté que la famille Namiya tenait un bazar autrefois, sans lui donner plus de détail.

Qu'est-ce que c'était que cette boîte à soucis ? Que signifiait le fait qu'elle soit à nouveau en service ?

Peut-être valait-il mieux ne rien faire. Ce serait ennuyeux que cela crée un problème sans solution. Il leva la main pour refermer son ordinateur portable. Mais au même instant, il vit sur son bureau la montre de son grand-père, que son père lui avait donnée en souvenir de lui. Elle retardait de cinq minutes par jour, mais Shungo savait que Takayuki l'avait reçue de son père pour le féliciter d'avoir réussi l'examen d'entrée à l'université.

Il tourna à nouveau les yeux vers son écran et vit son visage se refléter sur l'écran à cristaux liquides. Par-dessus celui de son grand-père.

Une promesse était une promesse. Il relança son ordinateur.

IV

UNE MINUTE DE SILENCE
AVEC LES BEATLES

1

Après avoir quitté la gare, Waku Kōsuke prit la rue commerçante en sentant la morosité grandir en lui. La ville donnait des signes de dépérissement, et cela ne l'étonnait pas. Elle avait vu sa population croître dans les années soixante-dix, une quarantaine d'années auparavant, lorsque le quartier commerçant de la gare était florissant. Tout avait changé depuis. Il y avait plus de magasins fermés qu'ouverts dans le centre de la plupart des villes de province, et celle-ci n'avait aucune raison d'être une exception à cet égard.

Il marchait lentement, en comparant ce qu'il voyait à ses souvenirs, car contrairement à ce qu'il avait cru, il en avait beaucoup. La poissonnerie – elle s'appelait Uomatsu, non ? – où sa mère se fournissait avait disparu. L'homme au visage hâlé qui la tenait vantait ses produits d'une belle voix puissante. "Bonjour, madame ! Aujourd'hui, les huîtres sont magnifiques, ne vous en privez pas, votre mari sera content !"

Que lui était-il arrivé, à lui et sa famille ? Il lui semblait se souvenir qu'il avait un fils, mais peut-être se trompait-il. Il pouvait s'agir d'un autre magasin.

Il arriva à la fin de la rue commerçante et prit à droite la rue qui lui paraissait la bonne, sans être certain de retrouver l'endroit qu'il cherchait.

La rue était mal éclairée, les lampadaires ne fonctionnaient pas tous. Depuis le séisme de l'année précédente, le Japon était contraint de consommer moins d'électricité. Apparemment, il suffisait que l'on puisse voir ses propres pieds.

Il y avait beaucoup plus de maisons que lorsqu'il était enfant. À l'époque, on vantait la vitesse à laquelle la ville se développait. Il n'avait pas oublié le jour où un camarade de classe lui avait annoncé l'ouverture prochaine d'un cinéma.

Puis l'économie du pays était entrée dans une période de bulle spéculative. La ville était peu à peu devenue une cité-dortoir pour Tokyo, la capitale.

Il arriva à un carrefour en forme de T. Ce n'était pas une surprise, il s'y attendait, et prit à nouveau à droite.

La rue était en pente, ce dont il se souvenait aussi. Il n'était plus très loin. Si l'information qu'il avait lue n'était pas une mauvaise plaisanterie.

Kōsuke marchait en regardant ses pieds. En levant les yeux, il aurait pu voir si le magasin qu'il cherchait était encore là, mais il gardait la tête baissée, car il avait un peu peur de la réponse à son interrogation. Il pensait que c'était peut-être une mauvaise plaisanterie, tout en espérant que ce ne soit pas le cas.

Bientôt il s'arrêta, parce qu'il savait qu'il était presque arrivé. Il inspira, puis expira profondément.

Le bazar Namiya, qui avait joué un rôle déterminant dans sa vie, existait toujours.

Il s'en approcha lentement. Les caractères de l'enseigne étaient presque illisibles. Le volet métallique était rouillé. Mais le bâtiment ne s'était pas effondré. Comme s'il attendait sa venue.

Il consulta sa montre. Le cadran indiquait qu'il n'était pas encore 23 heures. Kōsuke était en avance.

Il regarda les alentours déserts. La maison paraissait abandonnée. Avait-il eu raison de croire à cette information ? Celles qui circulaient sur la Toile étaient souvent fausses. Ne pas y croire aurait été plus simple.

Mais personne n'avait intérêt à en faire circuler de fausses au sujet du bazar Namiya. Très peu de gens s'en souvenaient aujourd'hui.

Kōsuke avait l'intention de voir ce qu'il en était de ses propres yeux. D'ailleurs, il n'avait pas encore écrit sa lettre. Même s'il devait assister à quelque chose d'étrange, ce n'était pas ce qui l'intéressait.

Il repartit et fit le même trajet en sens inverse pour revenir à la rue commerçante de la gare. Presque tous les magasins étaient fermés. Il s'attendait à ce qu'il y ait un de ces restaurants de chaîne ouvert 24 heures sur 24, mais il n'en vit point.

Il trouva en revanche une supérette et y entra. Il prit un bloc de papier à lettres dans les rayons et se dirigea vers la caisse qui était tenue par un jeune homme.

— Est-ce qu'il y aurait par ici un bar ou un restaurant encore ouvert ? lui demanda-t-il après avoir payé.

— Il y en a plusieurs un peu plus loin. Je n'y suis jamais allé, répondit le caissier d'un ton indifférent.

— Ah bon. Merci.

Il sortit, marcha dans la direction indiquée. Les quelques établissements qui s'y trouvaient n'étaient guère animés. Seuls les habitants du coin devaient les fréquenter.

Une enseigne attira son attention. Bar Fab 4, un nom qui lui parut fait pour lui.

Il poussa la porte peinte en noir et jeta un coup d'œil à l'intérieur. Deux tables, et un comptoir. Une femme qui portait une robe noire sans manches, aux cheveux coupés court, occupait un des tabourets. Il n'y avait personne d'autre. Peut-être tenait-elle le bar. Elle lui adressa un regard surpris.

— Un client ?

Il lui donna la quarantaine. Elle avait un visage typiquement japonais.

— Oui. Je n'arrive pas trop tard ?

— Mais non, répondit-elle en se levant, le sourire aux lèvres. Nous fermons à minuit.

— Dans ce cas, je boirai volontiers quelque chose, dit-il en allant s'asseoir sur le tabouret à l'extrémité du comptoir.

— Vous pouvez vous rapprocher, vous savez ! lança-t-elle en lui apportant une serviette chaude. Je ne pense pas que j'aurai plus de monde ce soir.

— Non, je suis bien ici. J'ai quelque chose à faire, répondit-il en la prenant.

— Quelque chose à faire ?

— Oui, enfin, euh…

Il ne savait que répondre. Ce n'était pas simple à expliquer.

Elle n'insista pas.

— Ah bon. Ne vous en faites pas, je ne vais pas vous déranger. Que puis-je vous servir ?

— Une bière. Brune, si vous en avez.

— Je peux vous proposer une Guinness.

— Parfait.

Elle passa derrière le comptoir et se pencha vers le réfrigérateur dont elle sortit une bouteille. Elle l'ouvrit et versa la bière avec habileté, de manière à obtenir deux centimètres de mousse.

Il en but une gorgée et s'essuya la bouche du revers de la main, trouvant agréable son goût amer.

— Buvez-en donc si cela vous dit.

— Je vous remercie.

Elle lui apporta une coupelle de noix et un petit verre qu'elle remplit de bière.

— Merci, dit-elle en le portant à ses lèvres.

— Il n'y a pas de quoi, répondit-il en sortant le stylo et le bloc de papier à lettres du sac en plastique de la supérette.

— Oh ! s'exclama-t-elle. Vous comptez écrire une lettre ?

— Oui, c'est ça.

Elle hocha la tête et s'éloigna de lui, sans doute pour ne pas le déranger.

Il but une autre gorgée de bière et regarda autour de lui.

Le bar avait plutôt bel aspect pour une petite ville de province. Les tables et les chaises étaient d'un design épuré. Les affiches qui ornaient les murs montraient les quatre jeunes hommes du groupe qui avait été le plus célèbre au monde quarante et quelques années auparavant. Un sous-marin jaune apparaissait sur l'une d'entre elles.

"Fab 4", l'abréviation de *Fabulous 4*, c'est-à-dire "les quatre fabuleux", les Beatles.

— Votre bar est dédié aux Beatles ?

Elle haussa légèrement les épaules.

— Oui, enfin, c'est son thème.

Il fit à nouveau le tour des lieux des yeux et remarqua un écran à cristaux liquides. Pour y passer *Quatre garçons dans le vent* ou *Help* ? Il ne pensait pas que ce bar recelait des images rares qu'il ne connaissait pas.

— Pourtant les gens de votre génération connaissent peu les Beatles, non ?

Elle haussa les épaules.

— Mais pas du tout ! Quand je suis entrée au collège, cela ne faisait que deux ans que le groupe avait été dissous. Mes amis et moi les écoutions. Et on y parlait encore beaucoup d'eux.

Il la dévisagea.

— Je sais bien que ça ne se fait pas de poser cette question à une femme, mais…

Elle comprit immédiatement où il voulait en venir et esquissa un sourire.

— Cela ne me dérange pas du tout. Je suis de l'année du Sanglier.

— Euh… fit Kōsuke en clignant des yeux. Vous avez deux ans de moins que moi, alors ?

Il n'aurait jamais deviné qu'elle avait plus de cinquante ans.

— Vraiment ? Vous faites jeune, répondit-elle.

Elle dit cela pour me faire plaisir, pensa-t-il.

— J'ai du mal à le croire, murmura-t-il.

Elle lui tendit une carte de visite sur laquelle il lut : "Haraguchi Eriko".

— Vous n'êtes pas d'ici, n'est-ce pas ? Vous êtes venu pour raisons professionnelles ?

Kōsuke hésita. Il ne savait quoi dire.

— Non, ce n'est pas ça. J'ai habité ici il y a une quarantaine d'années, et c'est la première fois que je reviens.

— Vraiment ? Il se peut qu'on se soit croisés dans ce cas, dit-elle en écarquillant les yeux.

— Oui, ce n'est pas impossible, fit-il en buvant une autre gorgée de bière. Vous ne mettez pas de musique ?

— Ah, désolée. Voulez-vous entendre ce que j'écoute le plus souvent ?

— Volontiers.

Elle retourna derrière le comptoir et il reconnut quelques instants plus tard les premières notes de *Love Me Do*.

Comme son verre était vide, il commanda une autre Guinness.

— Vous vous souvenez de la visite des Beatles au Japon ?

— Euh… fit-elle. Je crois me souvenir d'images à la télévision, mais je peux me tromper. Mon frère m'en a parlé, et c'est peut-être à cause de ce qu'il m'a raconté que j'ai ce sentiment.

Il acquiesça du menton.

— Je vois.

— Et vous, vous vous la rappelez ?

— Un peu. J'étais petit, mais je suis sûr de les avoir vus à la télé. Pas en direct, mais je me souviens qu'on les voyait descendre de l'avion et ensuite rouler sur l'autoroute surélevée de Tokyo dans une Cadillac. Enfin, que c'était une Cadillac, je l'ai appris bien plus tard. Mais je n'ai pas oublié la musique. C'était *Mr. Moonlight*.

Elle fredonna cet air.

— Ce n'est pas une de leurs compositions, n'est-ce pas ?

— Vous avez raison. Mais au Japon, cette chanson a été un de leurs plus grands succès pendant la tournée, et beaucoup de gens croient qu'ils l'ont écrite, déclara-t-il avec passion avant de refermer la bouche.

Il ne s'était pas exprimé avec une telle vigueur depuis longtemps.

— C'était une bonne époque, dit-elle.

— Je suis bien d'accord, répondit-il en vidant son verre pour le remplir immédiatement.

Il pensa à ce qui s'était passé plus de quarante ans auparavant.

2

À peu près tout ce que Kōsuke savait des Beatles au moment de leur tournée au Japon était que ce groupe de quatre musiciens était célèbre. Et il avait été plus que surpris de voir son cousin pleurer en regardant la télévision qui transmettait en direct les images de leur arrivée au Japon. Son cousin était déjà lycéen, et c'était presque un adulte aux yeux de Kōsuke qui venait de fêter ses neuf ans. En le voyant, il s'était dit qu'il existait des gens extraordinaires, capables de faire pleurer un grand.

Lorsque ce cousin avait perdu la vie dans un accident de moto trois ans plus tard, ses parents en larmes avaient regretté de l'avoir autorisé à passer son permis deux roues. Et Kōsuke se souvenait aussi de les avoir entendus dire pendant les obsèques que les goûts musicaux de leur fils l'avaient conduit à avoir de mauvaises fréquentations. Sa tante avait annoncé d'un ton rageur qu'elle allait jeter tous les disques de son fils défunt.

Kōsuke avait demandé s'il pouvait les garder, car il n'avait pas oublié les larmes de son cousin. Il avait envie de mieux connaître la musique qui avait suscité une telle exaltation chez lui. C'était juste avant son entrée au collège, à l'âge où s'éveillent les goûts musicaux.

Les autres membres de la parenté avaient recommandé à ses parents de ne pas accepter, car leur fils pouvait à son tour tomber sous de mauvaises influences. Mais ils avaient ignoré ces conseils.

— On ne devient pas nécessairement un bon à rien parce qu'on écoute de la musique à la mode. Et d'ailleurs Tetsuo n'en était pas un. La plupart des lycéens ont de toute façon envie de faire de la moto, avait répondu son père, Sadayuki, à ses aînés.

Sa mère, Kimiko, avait abondé dans son sens :

— Moi non plus, je ne me fais pas de souci pour lui.

Ses parents aimaient tous les deux les nouveautés. Contrairement à la plupart des gens de leur âge, ils ne pensaient pas qu'un jeune aux cheveux longs était nécessairement un bon à rien.

Son cousin possédait quasiment tous les disques des Beatles parus au Japon. Kōsuke s'était mis à écouter avec passion cette musique si différente de ce qu'il avait entendu jusque-là. Cette première expérience du rythme avait sans aucun doute éveillé quelque chose en lui.

Après la visite des Beatles, de nombreux groupes japonais avaient imité la façon dont ils jouaient de la guitare électrique, mais Kōsuke trouvait qu'aucun d'entre eux ne leur arrivait à la cheville et qu'il ne s'agissait que de pâles copies. Cette mode n'avait d'ailleurs duré qu'un temps.

Comme bon nombre de ses camarades de collège étaient fans des Beatles, il les invitait parfois chez lui.

Ils poussaient tous des cris de surprise quand ils découvraient l'appareil qu'il avait dans sa chambre. Cela n'avait rien de surprenant, car c'était une stéréo dernier cri qui représentait probablement pour eux la pointe du progrès. Ses camarades ne comprenaient pas que quelqu'un de leur âge en ait une dans sa chambre. Dans la plupart des foyers japonais de la classe moyenne, c'était dans le salon, en famille, qu'on écoutait ces appareils qui avaient alors la forme de buffets.

Lorsque Kōsuke expliquait à ses camarades que son père disait qu'il ne fallait pas lésiner en matière de culture, et qu'il était important d'être bien équipé pour écouter de la musique, ses camarades en restaient bouche bée.

Quand il leur faisait entendre ses disques sur cet appareil de haute qualité, ils étaient aussi stupéfaits de voir qu'il avait tous ceux des Beatles. Ils lui demandaient tous ce que faisait son père.

— Il est dans le négoce, mais je ne sais pas trop de quoi. Sa société achète à bas prix et revend cher, expliquait-il.

— Tu veux dire qu'il est PDG ?

— Oui, en gros, répondait-il en s'efforçant de dissimuler sa fierté.

Il pensait qu'il avait de la chance.

La maison où il habitait avec ses parents était sur une colline. Elle avait un grand jardin avec une pelouse, où, par beau temps, sa famille faisait des barbecues auxquels les employés de son père étaient souvent invités.

Il leur répétait à l'envi que le Japon n'avait qu'un statut de simple employé parmi les autres pays du monde jusqu'à il y a peu, mais que les temps changeaient et qu'il fallait le transformer en un leader mondial. Le pays devait s'intéresser au reste du monde.

Kōsuke écoutait la voix de baryton de son père et se sentait fier de lui. Il croyait tout ce qu'il disait. Personne au monde n'est plus fiable que lui, pensait-il.

Que sa famille était riche, il n'en doutait pas une seconde. Ses parents lui avaient toujours acheté tout ce qu'il voulait – modèles réduits, jeux, disques. Ils lui offraient même des objets coûteux qu'il ne désirait pas, par exemple des beaux vêtements ou des montres.

Ses parents ne se refusaient rien. Son père portait une magnifique montre en or, fumait des cigares coûteux et changeait souvent de voiture. Sa mère, Kimiko, n'était pas en reste. Elle faisait venir chez elle des vendeurs d'un grand magasin et leur commandait tous les articles de leur catalogue.

— Quelqu'un qui s'habille bon marché devient lui-même bon marché, affirmait-elle.

Elle ajoutait qu'elle ne voulait pas dire qu'elle pensait qu'une telle personne avait l'air de manquer de valeur, mais qu'elle en manquait véritablement. Selon elle, c'était inévitable.

— Voilà pourquoi je ne mets que des choses chères, concluait-elle.

Elle fréquentait aussi avec assiduité l'esthéticienne et le coiffeur, et paraissait dix ans de moins que son âge. Ses camarades de classe étaient toujours surpris de son apparence les jours où les parents avaient le droit de venir voir leurs enfants en classe. Et ils ne cachaient pas à Kōsuke qu'ils auraient aimé que la leur lui ressemble.

Il était convaincu que sa famille était née sous une bonne étoile.

Mais à partir d'un certain moment, au début de l'année 1970, il avait commencé à percevoir un changement, comme si des nuages étaient apparus dans le ciel bleu qui s'étendait d'ordinaire au-dessus de lui et de ses parents.

Le plus grand événement, cette année-là, était l'Exposition universelle d'Osaka. Tout le monde en parlait.

Kōsuke était entré en quatrième en avril et il avait espéré y aller pendant les vacances de printemps, pour être le premier de sa classe à l'avoir fait et pouvoir s'en vanter ensuite. Son père le lui avait promis.

Il avait suivi à la télévision l'inauguration en fanfare le 14 mars, un splendide spectacle qui lui avait cependant paru manquer de profondeur. Le but de l'Exposition était d'abord de montrer au reste du monde que le Japon avait réussi à faire progresser son économie à grande vitesse. Mon père avait raison, s'était dit le jeune garçon, le Japon est devenu un leader.

Mais les jours passaient, et son père tardait à fixer la date du voyage. Un soir, Kōsuke avait osé aborder le sujet.

— L'Exposition ? Pour l'instant, j'ai trop de travail, on ne peut pas y aller, avait répondu son père, l'air contrarié.

— Si on n'y va pas maintenant, on ira pour Golden Week*, alors ?

Son père avait gardé le silence et s'était absorbé avec une mauvaise humeur visible dans la lecture de son quotidien économique.

— On peut faire sans, dit sa mère. Les pays qui participent à l'Exposition sont là pour se vanter, et à part ça, c'est surtout un genre de parc d'attractions. Je suis étonnée qu'un collégien comme toi ait envie d'y aller.

Interloqué, Kōsuke se tut. La véritable raison de son insistance était son désir d'épater les copains à qui il avait déjà annoncé ce voyage.

— Le plus important pour toi cette année, c'est de bien travailler. L'année prochaine, tu seras en troisième, et il faut que tu commences à préparer les concours d'entrée au lycée. Une année, ça passe vite. À mon avis, tu n'as pas de temps à perdre à rêver de l'Exposition, reprit sa mère.

Kōsuke n'avait bien sûr aucun argument à lui opposer.

Cet incident n'avait pas été le seul indice du changement en train de se produire. Il en avait remarqué d'autres.

Il y avait eu l'affaire du survêtement. Kōsuke était en pleine croissance, et ses vêtements devenaient vite trop petits. Sa mère n'avait jusque-là jamais rechigné à

* Suite de quatre jours fériés entre le 29 avril et le 5 mai, pendant laquelle la plupart des Japonais sont en vacances.

lui en offrir de nouveaux. Mais quand il lui avait parlé de son survêtement qui ne lui allait plus, elle lui avait répondu qu'il devait se tromper, puisqu'elle le lui avait acheté quelques mois plus tôt.

— Tu vas devoir faire preuve de patience parce que tu grandis tellement que ça n'a pas de sens d'en acheter un pour le moment, avait-elle ajouté.

Puis les barbecues s'étaient interrompus. Son père partait jouer au golf le dimanche, même si des employés venaient les voir. Les disputes entre ses parents s'étaient multipliées. Kōsuke ignorait le sujet de leurs querelles, mais il devinait qu'il était souvent question d'argent.

— Tu es trop dépensière, soupirait son père, tandis que sa mère lui reprochait d'être un incapable.

La Ford Thunderbird dont son père était si fier disparut bientôt du garage. Il prit l'habitude d'aller au travail en train. Sa mère cessa de fréquenter les grands magasins. Leur mauvaise humeur était constante.

À la même époque, Kōsuke apprit une nouvelle stupéfiante : la séparation des Beatles, annoncée par un journal britannique.

Il en discuta avec ses camarades. Les journaux et la télévision étaient leurs seules sources d'information, car ni Internet ni les réseaux sociaux n'existaient à l'époque. L'un d'eux avait lu qu'un journal britannique l'avait annoncée, un autre en avait entendu parler à la radio, et le fait semblait avéré.

Il avait du mal à y croire et ne comprenait pas ce qui avait pu se passer.

Les raisons de cette séparation étaient encore plus confuses. Elle serait due à une mésentente entre la femme de Paul McCartney et Yoko Ono, ou bien à la lassitude de George Harrison. Il était difficile de démêler le vrai du faux.

Un de ses amis lui avait demandé s'il savait qu'au moment de leur venue au Japon, les Beatles n'avaient déjà plus envie de jouer ensemble. Cette tournée n'était destinée qu'à satisfaire leur maison de disques qui voulait gagner de l'argent. Le groupe avait ensuite cessé de se produire en public.

Kōsuke était au fait de cette rumeur, mais il n'y croyait pas ou plus exactement refusait d'y croire.

— Pourtant, j'ai entendu dire qu'ils avaient l'air contents de jouer, et que les concerts avaient été géniaux.

— Pas du tout. Au départ, ils n'avaient aucune intention de jouer sérieusement. Et ils ont fait le minimum, pensant que le public crierait tellement qu'ils pourraient s'en tirer ainsi, parce qu'on n'entendrait rien. Mais le public japonais est plus calme que celui des autres pays, et ils ont dû changer de tactique en cours de route.

— Je ne te crois pas, avait répondu Kōsuke.

— Pourtant c'est la vérité. Moi non plus, je ne voulais pas y croire. Les Beatles sont humains, voilà tout. Et à leurs yeux, le Japon, c'est un petit pays de ploucs. Ils pensaient sans doute qu'ici ils pouvaient faire n'importe quoi.

Kōsuke ne s'était pas laissé convaincre. Il n'avait pas oublié ce qu'il avait vu alors à la télévision, ni les larmes de son cousin. Ce serait trop triste si son camarade disait vrai.

Quand il rentrait chez lui, il s'enfermait dans sa chambre pour écouter les Beatles. Il ne se résignait pas à l'idée qu'il n'aurait plus jamais l'occasion d'entendre un nouveau titre.

Les jours avaient passé, et les relations entre ses parents ne s'étaient pas améliorées. L'arrivée des vacances d'été ne lui avait procuré aucune joie. Le film *Let It Be* sortirait bientôt au Japon, mais le cinéma de la ville n'avait pas annoncé qu'il le jouerait. Selon une rumeur, le film permettait de comprendre pourquoi les Beatles s'étaient séparés, une question qui intriguait Kōsuke au point de lui faire perdre le sommeil.

À la même époque se produisit un événement qui changea le cours de sa vie.

Un soir qu'il écoutait les Beatles dans sa chambre, la porte s'ouvrit et sa mère entra. Il s'apprêtait à lui faire un reproche, mais il se tut en voyant l'expression de son visage.

— Descends, nous avons quelque chose d'important à te dire.

Il fit oui de la tête et éteignit la stéréo. Il ignorait de quoi il allait être question, mais n'était pas étonné. Ça ne va pas être une bonne nouvelle, pensa-t-il.

Son père était en train de se verser un verre du cognac de luxe qu'il avait rapporté d'un de ses voyages à l'étranger.

L'annonce qu'il fit en parlant lentement choqua son fils.

La famille déménagerait à la fin du mois, et Kōsuke devait commencer à s'y préparer sans en parler à personne. Il n'y comprenait rien et demanda à son père pourquoi il leur fallait déménager si vite. Sa réponse le surprit.

— Je fais du commerce. Le commerce, c'est comme la guerre. L'important c'est de priver au maximum l'adversaire de ce qu'il veut. Ça, tu peux le comprendre, non ?

Kōsuke hocha la tête. Il avait souvent entendu son père le dire.

— Dans une guerre, il faut parfois se replier. C'est normal. Pour éviter de mourir et donc de tout perdre. Ça aussi, tu peux le comprendre, hein ?

Son fils n'acquiesça pas. Cela s'appliquait à une vraie guerre. Mais pouvait-on mourir à cause du commerce ?

Son père continua sans se préoccuper de sa réaction.

— Nous partirons d'ici à la fin du mois. Mais tu n'as pas de souci à te faire. La seule chose que je te demande, c'est de nous suivre sans rien dire. Tu vas devoir changer d'école, mais ce n'est pas un problème. Tu feras le deuxième trimestre dans un nouveau collège.

Kōsuke avait du mal à croire ce qu'il venait d'entendre. Il allait devoir changer d'école ?

— Ce n'est pas grave, ajouta son père d'un ton léger. Certains enfants le font plusieurs fois à cause du travail de leur père. Ça n'a rien d'exceptionnel.

Pour la première fois de sa vie, Kōsuke ressentit de l'angoisse en écoutant son père. Vis-à-vis de son avenir, de la vie.

Le lendemain, il posa une question à sa mère pendant qu'elle s'affairait dans la cuisine.

— On va s'évaporer sans laisser de trace, c'est ça ?

Sa mère posa la poêle dans laquelle elle faisait sauter des légumes.

— Tu en as parlé à quelqu'un ?

— Non. Mais j'ai réfléchi à ce qu'avait dit papa, et je me suis dit que c'était ça. Que ça ne pouvait être que ça.

Elle soupira et recommença à remuer les légumes.

— Tu ne dois en parler à personne.

Légèrement déçu qu'elle ne le nie pas, il n'y comprenait rien.

— Pourquoi on doit faire ça ? On n'a plus d'argent du tout ?

Elle continua à cuisiner sans lui répondre.

— Ça veut dire quoi pour moi ? Que je ne pourrai pas aller au lycée ?

Elle secoua légèrement la tête.

— On réfléchira à tout ça une fois qu'on sera là-bas.

— Là-bas, c'est où ? On va habiter où ?

— Tu m'embêtes avec tes questions ! Si tu n'es pas content, dis-le à ton père. C'est lui qui a décidé ça, pas moi, déclara-t-elle sans le regarder.

Partagé entre la colère et le désespoir, Kōsuke poussa un soupir.

Il retourna dans sa chambre et passa les jours suivants à écouter les Beatles, le casque sur les oreilles, en poussant le volume au maximum. Cela l'empêchait de broyer du noir.

Mais il ne put le faire longtemps. Son père annonça qu'il allait vendre la stéréo.

Kōsuke protesta, bien entendu. Mais son père n'en fit aucun cas.

— On va déménager, on ne peut pas l'emporter. Une fois qu'on sera installés, on t'en achètera une nouvelle. Je te demande juste un peu de patience, expliqua-t-il d'un ton glacial.

Kōsuke se mit en colère.

— Ce n'est pas un déménagement ordinaire ! C'est une fuite.

Son père lui lança un regard furieux.

— Si tu en parles à quiconque, tu auras des ennuis ! fit-il sur le ton d'un yakuza.

— Pourquoi on doit fuir ? C'est idiot.

— Je ne t'ai pas demandé ton avis. Tais-toi.

— Mais…

— Ils sont prêts à nous tuer, cracha son père en écarquillant les yeux. S'ils se rendent compte qu'on s'apprête à filer, ils nous tueront. C'est ce que tu veux ? On n'aura qu'une seule chance. Il faut que ça marche. Si on la laisse passer, on n'aura plus qu'à se pendre tous les trois. Voilà, maintenant, tu sais où on en est. Aide-nous, s'il te plaît.

Les yeux de son père étaient rouges. Kōsuke était trop choqué pour parler. Il avait l'impression que tout s'effondrait en lui.

Quelques jours plus tard, des hommes qu'il n'avait jamais vus vinrent prendre sa stéréo. L'un d'entre eux donna de l'argent à sa mère. Son père n'était pas là.

L'absence de la stéréo dans sa chambre plongea Kōsuke dans le désespoir. La vie n'avait plus de sens à ses yeux.

Il n'avait plus aucune raison de rester chez lui maintenant qu'il ne pouvait plus écouter les Beatles. À compter de ce jour-là, il passa le plus clair de son temps dehors, sans pour autant rencontrer ses amis. Il avait peur de tout leur raconter s'il les voyait. Il voulait aussi leur cacher qu'il n'avait plus de stéréo.

Mais comme il n'avait presque pas d'argent, il ne pouvait pas non plus passer beaucoup de temps dans la salle de jeux. La bibliothèque devint sa destination de prédilection. C'était la plus grande de la ville, et de nombreux collégiens y étudiaient pour préparer les examens d'entrée au lycée en profitant de la climatisation. Quand il les voyait, Kōsuke se demandait s'il lui serait donné d'aller au lycée.

Ses parents, et plus particulièrement son père, lui inspiraient du désespoir. Auparavant, il en était fier. Il croyait que son père avait toujours raison, et que s'il lui obéissait, il réussirait dans la vie comme lui.

La réalité était autre. Grâce à ce qu'il avait pu entendre des conversations entre ses parents, il s'était fait une idée de la situation de son père. Non seulement il n'avait pas réussi, comme son fils le croyait, mais il manquait aussi de courage. Il voulait prendre la fuite pour ne pas avoir à assumer les dettes considérables qu'il avait accumulées. Son entreprise n'avait plus aucune perspective de se redresser. Dans moins d'un mois, cela serait découvert.

Il n'avait pas l'intention de le dire à ses employés et voulait seulement sauver sa peau et celle de sa famille.

Que pouvait faire Kōsuke ? N'avait-il d'autre choix que d'obéir à ses parents ? Il n'en avait aucune envie, mais ne voyait pas d'autre option.

La recherche d'une solution occupait entièrement son esprit, et il n'arrivait pas à se concentrer sur les livres concernant les Beatles posés devant lui. Aucun d'entre eux ne pouvait apporter une réponse à ses interrogations.

3

Les jours passaient, la date du départ approchait, Kōsuke était impuissant. Ses parents lui avaient enjoint de s'y préparer, mais il n'arrivait pas à le faire.

Un jour, en sortant de la bibliothèque, la rue qu'il avait l'habitude d'emprunter était fermée à la circulation. Il fit un détour qui le mena près d'un magasin devant lequel des enfants étaient attroupés. Ils regardaient un mur en riant.

Kōsuke s'en approcha, curieux de voir ce qui les amusait. Des feuilles de papier, ou plutôt des lettres, y étaient punaisées.

Question : Gamera* vole en tournant sur elle-même. Comment fait-elle pour ne pas avoir la tête qui tourne ?
Un ami de Gamera
Réponse : Je crois que Gamera a fait de la danse classique. Et toutes les danseuses savent tourner sur elles-mêmes sans avoir la tête qui tourne.
Bazar Namiya

Question : Oh Sadaharu est capable de frapper des home runs *debout sur une seule jambe. Moi, je n'y arrive pas. Que faire ?*

* Gamera est un monstre préhistorique réveillé par une explosion atomique, héros d'un film japonais de 1965.

N° 8, droitier

Réponse : Pourquoi ne pas commencer par apprendre à frapper des home runs sur les deux jambes et essayer de passer ensuite à une ? Si ça ne marche pas, il faut peut-être essayer avec trois jambes. L'important, c'est de commencer doucement.

Bazar Namiya

Ah, c'est ce fameux bazar, comprit Kōsuke. Ses amis lui en avaient parlé.

Le bazar répondait à toutes les demandes de conseil. La plupart d'entre elles n'étaient pas sérieuses et cherchaient à embarrasser le vieil homme qui y répondait. Les enfants voulaient voir les réponses qu'il trouverait.

Kōsuke s'éloigna en pensant que c'était un jeu idiot. Il rentra chez lui. La maison était vide. Son père était au travail, et sa mère sortie.

Il monta dans sa chambre et prit une feuille de papier. Il n'était pas bon en rédaction. Mais en une demi-heure environ, il arriva à ceci :

Mes parents ont l'intention de s'évaporer sans laisser de trace, avec moi.

Ils ont trop de dettes pour pouvoir les rembourser, et leur société est sur le point de faire faillite. Ils veulent quitter la ville à la fin du mois.

Ils m'ont dit que je devrais changer de collège.

Je voudrais faire quelque chose pour que cela n'arrive pas. J'ai entendu dire que les agents de recouvrement retrouvent leurs débiteurs partout. J'ai peur de la vie qui nous attend. Nous devrons fuir sans arrêt.

Que puis-je faire ?

Paul Lennon

Il lut et relut sa lettre plusieurs fois avant de la plier en quatre pour la mettre dans la poche de son jean, puis il quitta la maison.

Il prit le même chemin que plus tôt et arriva près du bazar Namiya qu'il observa de loin. Il n'y avait plus personne à l'intérieur. Le vieux propriétaire lisait son journal, assis à une table dans l'arrière-boutique.

Kōsuke inspira profondément et s'approcha du magasin. Il avait compris tout à l'heure où il fallait mettre les demandes de conseils. L'endroit était difficilement visible depuis la chaise où le vieil homme était assis. Ce devait être exprès.

Il entra après avoir vérifié que le vieux monsieur n'avait pas bougé, s'approcha du mur où étaient affichées les questions et les réponses, et sortit sa missive. Son cœur battait à grands coups. La boîte était tout près de lui. Pouvait-il vraiment y mettre sa lettre ?

Au même instant, il entendit des voix d'enfants. Il devait y en avoir plusieurs. S'ils venaient dans le magasin, il ne pourrait plus déposer discrètement sa lettre.

Il la lâcha et elle tomba en faisant un bruit qui le prit au dépourvu.

Les enfants qu'il avait entendus arrivèrent.

— Alors, vous les avez trouvées, ces trousses avec l'image de Kitarō le repoussant ? demanda l'un d'entre eux, un garçon d'une dizaine d'années.

— Oui, mais j'ai dû faire le tour des grossistes. Ce sont celles-là, non ?

— Super ! s'exclama l'enfant. Oui, ce sont bien celles-là. Elles sont comme dans le magazine ! Monsieur, vous pouvez m'en garder une ? Je vais aller chercher l'argent chez moi.

— Bon, d'accord. Fais attention en traversant la rue, hein !

Kōsuke sortit. Le garçon avait dû commander une trousse ornée de l'image de ce personnage connu de Mizuki Shigeru.

Il se retourna une seule fois avant de repartir. Le vieil homme le regardait. Leurs yeux se croisèrent, il détourna le regard et pressa le pas.

Il commença immédiatement à regretter ce qu'il venait de faire. Il n'aurait pas dû déposer son message. Le commerçant l'avait vu. Comme le papier avait fait du bruit en tombant, il comprendrait en ouvrant la boîte que c'était Kōsuke qui lui avait écrit.

En même temps, il se disait aussi que cela n'avait aucune importance. La lettre signée Paul Lennon serait sans doute punaisée au mur comme les autres. Mais quelle réponse allait-il obtenir ? L'important était que les gens d'ici voient son message.

Un habitant de cette ville s'apprêtait à prendre la poudre d'escampette… Cela ne pourrait que faire naître une rumeur. Les gens qui avaient prêté de l'argent à son père en auraient-ils vent ? Si c'était le cas, ils se diraient qu'il pouvait s'agir de Waku Sadayuki. Et à tous les coups, ils tenteraient quelque chose.

Le mieux serait bien sûr que ses parents entendent parler de cette rumeur et décident de renoncer à leur plan.

C'était son pari, tout ce qu'un élève de quatrième avait pu imaginer.

Le lendemain, il sortit de chez lui dans l'après-midi pour aller au bazar. Par chance, le vieil homme n'y était pas. Peut-être était-il aux toilettes. Kōsuke leva les yeux vers le mur et remarqua une nouvelle lettre. Mais ce n'était pas la sienne. Voici ce qu'il y lut :

À l'attention de Paul Lennon

J'ai bien reçu votre demande de conseils. Vous trouverez ma réponse dans la boîte à lait à l'arrière de la maison.

NB à l'attention des autres :

La lettre qui se trouve dans la boîte à lait est destinée à M. Paul Lennon. Je remercie d'avance toutes les autres personnes de ne pas y toucher. Toute personne qui la lirait ou la prendrait commettrait un crime. Je compte sur vous tous pour ne pas le faire.

Bazar Namiya

Kōsuke était décontenancé. Il ne s'attendait pas du tout à ce développement. Sa lettre n'était pas affichée. Son stratagème avait échoué.

Mais la réponse l'intriguait. Quels conseils le vieil homme avait-il à lui donner ?

Il sortit, s'assura qu'il n'y avait personne autour de lui, et avança dans le passage étroit entre l'entrepôt voisin et le magasin. Il y avait une porte à l'arrière du bâtiment, et juste à côté, une boîte à lait en bois.

Il ouvrit son couvercle presque en tremblant. Elle ne contenait pas de bouteille de lait, mais une enveloppe adressée à Paul Lennon.

Il s'en empara et repartit. Quand il arriva sur la rue, il vit quelqu'un et fit un pas en arrière dans le passage dont il ne sortit qu'après s'être assuré que la voie était libre. Il se mit à courir.

Il ne s'arrêta qu'une fois arrivé à la bibliothèque. Mais il n'y entra pas, préférant s'asseoir sur un banc du petit parc qui se trouvait en face. Il sortit l'enveloppe et la regarda. Elle était fermée avec soin, probablement pour éviter que quelqu'un d'autre puisse lire la lettre qu'elle contenait. Il ouvrit l'enveloppe du bout des doigts.

La lettre comprenait plusieurs feuillets, ainsi que la feuille de papier sur laquelle il avait écrit son message. Le vieil homme se servait d'un stylo-plume à l'encre noire.

À l'attention de Paul Lennon

J'ai lu votre lettre. Je dois dire qu'elle m'a surpris. Les enfants ont pris l'habitude de m'en adresser, parce que la ressemblance entre mon nom de famille et le mot nayami, *"soucis", les amuse, mais jusqu'à votre lettre, le bazar n'a reçu que des questions relevant de la plaisanterie. La vôtre, Paul Lennon, traite d'un vrai problème, très grave de surcroît. Ma première réaction a été de me dire que vous vous étiez peut-être mépris, que vous aviez cru à la rumeur selon laquelle le bazar Namiya a une réponse à tous les problèmes, et que cela vous avait conduit à lui adresser votre missive. Je me suis dit que si c'était le cas, j'avais le devoir de vous rendre votre lettre. C'est la raison pour laquelle elle se trouve dans la même enveloppe que ma réponse.*

Mais ne vous apporter aucune réponse me paraissait quelque peu irresponsable. Même si vous vous êtes trompé sur ce que je peux faire, je me sens le devoir de vous répondre parce qu'il se peut que vous m'ayez adressé cette lettre en attendant cela de moi.

J'ai commencé à réfléchir à ce que vous pouviez faire. Avec mes faibles moyens, mais en faisant les plus grands efforts.

Le mieux serait bien sûr que vous parveniez à ce que vos parents renoncent à leur projet de fuite. Je connais plusieurs personnes qui se sont lancées dans l'aventure. Je ne sais pas exactement ce qui leur est arrivé après leur départ, et je ne crois pas qu'elles aient trouvé le bonheur. Elles ont peut-être obtenu un répit temporaire, mais comme vous le disiez, les agents de recouvrement ne renoncent pas facilement, et ceux qui les fuient ne peuvent jamais s'arrêter.

Il ne vous est sans doute pas possible de persuader vos parents de changer d'avis, parce qu'ils ont certainement pris leur décision en connaissance de cause. Vous souffrez précisément parce qu'il est très peu probable qu'ils changent d'avis.

Maintenant, j'ai une question à vous poser. Que pensez-vous de vos parents ? Vous les aimez ? Vous ne les aimez pas ? Vous leur faites confiance ? Ou bien ne leur faites-vous plus confiance ?

Vous vous posez des questions non pas sur ce que devrait faire votre famille, mais sur ce que vous devez faire, n'est-ce pas ? Voilà pourquoi j'aimerais en savoir plus sur votre lien à vos parents.

Comme je vous l'ai dit plus haut, c'est la première fois que je réponds à une demande de conseils sérieuse. D'où la maladresse de ma réponse. Si vous n'en êtes pas content, je le comprendrai. Mais si vous avez envie que je vous donne d'autres conseils, pourriez-vous répondre le plus honnêtement possible aux questions que je vous pose ? Vos réponses me permettraient de mieux vous répondre.

Si vous décidez de le faire, ne mettez pas votre lettre dans la boîte à questions. Je tire le rideau de fer à 8 heures tous les soirs, et il vous suffira de glisser votre lettre par la fente à courrier. Vous trouverez ma réponse dans la boîte à lait tôt le lendemain matin. Venez la prendre à l'heure qui vous arrange, avant ou après l'ouverture du magasin, à 8 heures le matin.

Je vous prie d'accepter mes excuses pour cette réponse inaboutie qui reflète cependant le fruit de ma réflexion.

Bazar Namiya

Kōsuke réfléchit à ce qu'il venait de lire. Puis il relut la lettre afin d'être sûr de l'avoir bien comprise.

Un point au moins était clair : la raison pour laquelle le vieux monsieur ne l'avait pas affichée. Jusqu'à présent, le bazar n'avait reçu que des lettres qui relevaient à moitié de la plaisanterie, et elles avaient été affichées pour que tout le monde puisse en profiter. Celle qu'il avait écrite étant sérieuse, elle n'avait pu être exposée de la même façon.

Le vieil homme ne s'était pas non plus braqué en lui rappelant que son but n'était pas de s'occuper de vrais problèmes, et il avait essayé de répondre sincèrement à sa lettre. Kōsuke en était content. Savoir que quelqu'un était au courant de sa situation difficile le soulageait un peu. Il avait eu raison de déposer cette lettre.

Le vieux monsieur ne lui avait cependant pas apporté de réponse précise. Il avait besoin pour cela de celles de Kōsuke aux questions qu'il lui posait.

Le jeune garçon passa la soirée assis à son bureau devant une feuille de papier afin de le faire.

Il était profondément perplexe. Qu'en pensait-il ? Il ne le savait pas lui-même.

Depuis qu'il était entré au collège, ses parents lui paraissaient souvent pénibles. Il ne les détestait pas pour autant. Ils l'irritaient quand ils se mêlaient de ce qui ne les regardait pas ou le traitaient comme un enfant.

Mais leur projet de s'évaporer sans laisser de trace le désespérait. Quant à la question de savoir s'il aimait ou non ses parents, la seule chose qu'il pouvait répondre pour le moment était qu'il ne les aimait pas. Il ne leur faisait pas non plus vraiment confiance et n'était pas certain de la réussite de leur plan.

Il avait beau réfléchir, aucune autre réponse ne lui apparaissait. Il se mit donc à l'écrire. Une fois sa lettre terminée, il la mit dans sa poche et dit à sa mère qu'il allait voir un ami. Sans doute préoccupée par leur départ proche, elle se satisfit de cette explication. Son père n'était pas encore rentré.

Il arriva au bazar après 20 heures et vit que le rideau de fer était tiré. Il glissa son message dans la fente à courrier et repartit immédiatement.

Le lendemain matin, il se réveilla un peu après 7 heures, après avoir mal dormi.

Ses parents n'étaient pas encore levés quand il sortit de la maison à pas de loup.

Le bazar n'était pas ouvert. Kōsuke s'engagea dans le passage qui menait à l'arrière du bâtiment après s'être assuré que personne ne pouvait le voir.

Il ouvrit doucement le couvercle de la boîte à lait et vit une enveloppe, comme la veille. Il la prit après s'être assuré qu'elle était adressée à Paul Lennon.

Trop impatient pour attendre l'ouverture de la bibliothèque, il la lut à l'ombre d'un camion garé au bord de la rue.

À l'attention de Paul Lennon
Je comprends vos sentiments.

Que vous n'arriviez plus à faire confiance à vos parents dans les circonstances actuelles n'a rien de déraisonnable. Et que vous ne ressentiez pas d'affection pour eux est probablement naturel. Je ne peux néanmoins pas vous recommander de vous détacher de vos parents et de suivre la voie qui vous semble la plus juste.

Pour moi, une famille doit rester unie, hormis les situations où l'un de ses membres en part pour prendre son envol. À mon avis, on ne doit pas quitter sa famille parce qu'on ne l'aime plus, ou parce que l'on a épuisé l'affection qu'on avait pour elle.

Vous écrivez que pour le moment vous n'aimez pas vos parents. Et ce "pour le moment" est important à mes yeux.

Autrement dit, avant, vous les aimiez, et vous pensez sans doute que vous pourriez à nouveau éprouver de l'affection pour eux si les choses évoluaient.

Si c'est le cas, une seule voie s'offre à vous.

Disparaître sans tambour ni trompette n'est pas bien. Dans la mesure du possible, mieux vaudrait y renoncer. Mais si cela n'est pas possible, je pense que vous devez suivre vos parents.

Ils ont certainement réfléchi à leur décision. Ils savent probablement que cette fuite ne résoudra rien. Ne croyez-vous pas qu'ils comptent se cacher dans un premier temps afin de résoudre petit à petit les problèmes auxquels ils sont confrontés ?

Il leur faudra peut-être du temps pour le faire. Ce sera peut-être une période pénible. Mais cela renforce la nécessité pour votre famille d'être ensemble. Votre père ne vous dit peut-être rien ou presque, mais il est probablement prêt à affronter cette situation, à protéger les siens. Votre rôle, à votre mère et à vous, est de le soutenir.

Le pire malheur serait que votre famille se défasse dans les circonstances actuelles. Si cela arrivait, la fuite n'aurait servi à rien. Je ne pense pas qu'elle soit le bon choix, mais si votre famille reste unie, à bord de la même embarcation, pour ainsi dire, elle conserve la possibilité de revenir dans le droit chemin.

J'ignore votre âge, mais la manière vous écrivez me fait penser que vous devez être collégien ou lycéen. Un jour ou l'autre, vous devrez à votre tour soutenir vos parents. J'espère que vous aurez dans l'intervalle beaucoup appris.

Croyez-moi : même si ce que vous vivez aujourd'hui vous semble insupportable, l'avenir vous réserve de bonnes surprises.

Bazar Namiya

4

Moins d'une semaine avant la reprise des cours, son ami qui aimait les Beatles, celui qui lui avait révélé des choses sur leur tournée au Japon, l'avait appelé pour lui demander s'il pouvait venir le voir. Kōsuke avait compris qu'il avait envie d'écouter les Beatles. En effet, bien qu'il en soit fan, il ne possédait aucun de leurs disques et n'avait pas non plus de tourne-disques. Il ne pouvait les écouter que chez Kōsuke.

— Je suis désolé, mais ça ne va pas être possible. On fait des travaux, et je ne peux pas me servir de ma stéréo.

Il n'eut aucun mal à débiter ce mensonge qu'il avait préparé quand elle avait disparu de sa chambre.

— Ah bon… Quel dommage ! J'ai tellement envie de les entendre. Sur un bon appareil.

— Tu as une raison particulière ?

— Oui, répondit son ami avant d'ajouter d'un ton excité : Je suis allé voir le film. Il est sorti aujourd'hui, tu sais !

Kōsuke comprit immédiatement qu'il parlait de *Let It Be*.

— Et c'était comment ?

— Hum… Ça m'a beaucoup appris.

— Appris ? Appris quoi ?

— Eh bien, plein de choses. Par exemple pourquoi ils se sont séparés.

— Le film en parle ?

— Non, pas exactement. Au moment où il a été tourné, il n'était pas encore question de séparation. Mais on le sent quand même. On comprend pourquoi c'est arrivé. Je ne peux pas vraiment t'expliquer, mais si tu voyais le film, tu penserais pareil.

— Hum…

Ils se dirent au revoir sans être allés au bout de leur conversation. De retour dans sa chambre, Kōsuke regarda ses disques les uns après les autres. Il en avait plus d'une cinquantaine, car il avait complété la collection de son cousin.

Il souhaitait ardemment les garder et espérait réussir à les emporter dans leur prochain logement. Ses parents lui avaient demandé de limiter ses bagages au minimum, mais il n'avait pas l'intention de céder sur ce point.

Il avait décidé de penser le moins possible à leur fuite. De toute façon, ses parents n'allaient pas changer d'avis. Ils ne lui permettraient pas non plus de ne pas les accompagner. Comme le lui recommandait le vieux monsieur du bazar Namiya, il ne pouvait que croire qu'ils avaient mûrement réfléchi à leur projet et envisageaient un retour à la normale.

Il était intrigué par ce que son ami lui avait dit de *Let It Be*.

Ce soir-là, son père aborda pour la première fois les détails pratiques de leur départ. Ils s'en iraient tard dans la nuit du 31 août, autour de minuit.

— Le 31, c'est un lundi, et j'irai au travail. J'ai annoncé aux employés que je prendrai une semaine de congé à partir du 1er septembre, et personne ne s'inquiétera de ne pas me voir le mardi. Mais la semaine d'après, les employés recevront des demandes sur les paiements à venir. Notre fuite sera découverte à ce moment-là. Nous devrons nous cacher pendant quelque temps. J'aurai assez de liquide sur moi pour nous permettre de vivre pendant un an ou deux. Et comme ça, je réfléchirai à la suite, expliqua-t-il d'un ton assuré.

— Mais comment je ferai pour l'école ? J'irai dans une autre, c'est ça ?

Le visage de son père s'assombrit.

— J'y ai pensé, bien sûr. Ça prendra un peu de temps. Dans l'intervalle, il faudra que tu étudies tout seul.

— Tout seul ? Tu veux dire que je n'irai plus au collège ?

— Non, ce n'est pas ce que je dis, juste que ça prendra un peu de temps. Mais ça ira. Le collège fait partie de la scolarité obligatoire, et on trouvera quelque part où t'inscrire. Ne perds pas de temps à te faire du souci pour ça. Nous informerons ton collège que nous partons une semaine à l'étranger, en lien avec mon travail, et que tu reviendras ensuite, expliqua son père d'un ton sans réplique.

Kōsuke aurait aimé lui demander comment il envisageait les choses pour le lycée, mais s'abstint de le faire, devinant la réponse de son père : il y avait pensé et son fils n'avait pas non plus à s'angoisser à ce sujet.

L'inquiétude s'empara à nouveau de lui. Devait-il vraiment suivre ses parents ? Il était conscient de ne pas avoir d'autre choix, mais n'arrivait pas à croire que c'était une bonne idée.

Le temps passa vite jusqu'au 30 août. Il était en train de préparer ses affaires dans sa chambre lorsque quelqu'un frappa à sa porte. Il leva les yeux et vit son père.

— Je peux entrer ?

— Oui, si tu veux.

Son père vint s'asseoir en tailleur à côté de lui.

— Tes affaires sont prêtes ?

— À peu près. J'emporterai tous mes livres de classe.

— Oui, tu en auras besoin.

— Et puis, je veux absolument emporter ça aussi, dit-il en montrant le carton qui contenait les disques des Beatles.

Son père l'ouvrit et fronça légèrement les sourcils.

— Il y en a tant que ça ?

— J'ai limité le reste au maximum, mais ça, j'y tiens absolument, dit Kōsuke d'un ton résolu.

Son père hocha vaguement la tête et regarda son fils dans les yeux.

— Tu penses quoi de moi ?

— Comment ça ? fit le garçon, pris de court.

— Tu m'en veux, non ? Tu penses que je suis un père pitoyable, non ?

— Pitoyable, je ne sais pas… bredouilla Kōsuke. Je ne sais pas ce que je pense, mais je suis inquiet.

— Oui. Ça ne m'étonne pas.

— Tu es sûr que ça va aller, papa ? On pourra retrouver une vie normale ?

— Oui, répondit celui-ci, en hochant posément la tête. Je ne peux pas te dire combien de temps ça prendra, mais on y arrivera. Je te le promets.

— Vraiment ?

— Vraiment. Ma famille est ce qui compte le plus pour moi. Je suis prêt à tout pour vous protéger. À donner ma vie, s'il le faut, déclara-t-il en regardant son fils droit dans les yeux. C'est pour ça qu'il faut qu'on prenne la fuite de cette façon.

Son père paraissait sincère. Il ne lui avait jamais parlé avec une telle franchise.

— D'accord, fit Kōsuke.

221

— Bon, fit son père en se relevant. Demain, tu comptes faire quoi pendant la journée ? C'est ton dernier jour de vacances, non ? Tu dois avoir un ami que tu veux voir, non ?

Kōsuke fit non de la tête.

— Pas vraiment, répondit-il, sans ajouter qu'il ne voyait pas l'intérêt de le faire puisqu'il ne reverrait plus ses amis.

Après une pause il ajouta :

— Est-ce que je peux aller à Tokyo ?

— À Tokyo ? Pour quoi faire ?

— Aller au cinéma. Il y a un film que je voudrais voir. Il passe au cinéma Subaru-za, à Yūrakuchō.

— C'est indispensable que tu fasses ça demain ?

— Je ne sais pas si je pourrai le voir là où on ira.

Son père acquiesça en se mordant les lèvres.

— Je comprends.

— Tu es d'accord, alors ?

— Oui. Mais à condition que tu reviennes en fin d'après-midi.

— Je sais.

— Bon, dors bien, dit son père avant de quitter la pièce.

Kōsuke sortit un disque du carton. Il s'agissait de l'album *Let It Be*, qu'il avait acheté quelques mois plus tôt. La couverture montrait les quatre Beatles.

Il résolut de s'endormir en ne pensant qu'au film.

5

Le lendemain, il quitta la maison après le petit-déjeuner. Sa mère avait eu du mal à comprendre pourquoi il voulait aller au cinéma, mais son père s'était chargé de la convaincre.

Il connaissait Tokyo pour y être souvent allé avec ses amis, mais c'était la première fois qu'il y partait seul. Il descendit à la gare de Tokyo et prit la ligne Yamanote jusqu'à Yūrakuchō. Le cinéma était tout proche.

Il y avait du monde au guichet en ce dernier jour des vacances d'été. Il acheta son billet. La séance commencerait dans une demi-heure et il décida d'en profiter pour découvrir ce quartier qu'il ne connaissait pas.

Au bout de quelques minutes, il était sidéré. Les immeubles de Yūrakuchō lui paraissaient gigantesques, la foule, incommensurable. Ginza était différent, mais il y régnait une animation extraordinaire. Les gens qu'il voyait étaient tous habillés avec élégance et ils semblaient heureux.

Il remarqua bientôt l'omniprésence du logo de l'Exposition universelle d'Osaka. Et il eut l'impression de mieux comprendre l'excitation qu'il percevait dans l'air. Le Japon tout entier se réjouissait de cet événement.

Il avait l'impression d'être un petit poisson sur le point de se faire écraser par tous ceux qui se trouvaient dans l'océan de la capitale, des gens qui menaient ici une vie splendide. Il n'y avait pas sa place, car son univers à lui était une petite rivière sombre. De plus, à partir du lendemain, il devrait se cacher dans la vase du fond.

Il baissa la tête et se dirigea vers le cinéma. Il montra son billet, entra dans la salle déjà presque pleine et choisit un siège, avec l'impression que beaucoup de spectateurs étaient venus seuls comme lui.

Le film commença. Les mots *The Beatles* apparurent en majuscules sur l'écran. Kōsuke était ému à l'idée qu'il allait les voir jouer.

Mais son excitation disparut durant le film. C'était un documentaire associant des images de concerts et de répétitions, qui n'avaient probablement pas été tournées pour en faire un film. Les musiciens paraissaient n'avoir accepté qu'à contrecœur d'être filmés.

Entre deux scènes de répétition, on les voyait se parler, mais ce qu'ils disaient n'était pas achevé, et il était difficile de comprendre de quoi il retournait même en lisant tous les sous-titres.

Le spectateur ne pouvait qu'arriver à la conclusion que la mésentente régnait au sein du groupe.

Non qu'ils se disputent ou refusent de jouer ensemble. À première vue, tout semblait aller bien, mais il était évident que ce qu'ils faisaient ensemble n'allait nulle part.

Les dernières scènes les montraient sur le toit du bâtiment d'Apple, leur compagnie de disque. On y transportait des instruments de musique. C'était en hiver, tout le monde avait l'air frigorifié. John Lennon portait une veste en fourrure. Le groupe commençait à jouer *Get Back*.

Très vite, on comprenait qu'ils n'avaient pas obtenu l'autorisation de jouer en plein air. Des cris montaient dans l'air, des policiers arrivaient.

Les Beatles enchaînaient avec *Don't Let Me Down* et *I've Got a Feeling*. Mais les musiciens jouaient sans passion. Ce serait la dernière fois qu'ils joueraient en public ensemble, mais cela ne paraissait pas les émouvoir.

Puis les mots *"The End"* s'affichèrent sur l'écran.

Kōsuke ne se releva pas du tout de suite. Il ne s'en sentait pas la force. Son estomac était aussi lourd que s'il avait avalé du plomb.

Sa déception était profonde. Il s'était attendu à autre chose. Les membres du groupe ne s'étaient pas disputés, n'avaient discuté de rien, étaient restés sur leur réserve. Ils n'avaient exprimé leur mécontentement que par des allusions désagréables, ou des rires ironiques.

La rumeur affirmait que celui qui verrait ce film comprendrait pourquoi le groupe s'était séparé. Mais ce n'était pas vrai, parce que les Beatles tels qu'on les voyait n'étaient déjà plus un groupe. Kōsuke aurait voulu savoir pour quelle raison.

Peut-être est-ce ainsi que les séparations se produisent, en vint-il à penser dans le train du retour.

Les liens qui unissent les gens les uns aux autres se rompent sans raison concrète. Non, même si l'on devait voir quelque chose, ce ne serait que la manifestation de cette rupture, un genre de justification a posteriori. Parce que si la rupture n'était pas déjà consommée, l'une des deux parties aurait déjà essayé de les réparer. Voilà pourquoi les autres membres des Beatles n'avaient rien tenté de faire, comme s'ils étaient les spectateurs d'un naufrage.

Kōsuke avait l'impression d'avoir été trahi, d'avoir perdu quelque chose qui comptait pour lui. Et il prit une décision.

Arrivé dans la gare de sa ville, il entra dans une cabine téléphonique et appela son ami, celui qui avait vu le film la semaine précédente. Il était chez lui. Kōsuke lui demanda s'il ne voulait pas acheter des disques.

— Lesquels ?

— Mes disques des Beatles. Ceux que tu m'as dit que tu aimerais avoir un jour.

— Mais desquels parles-tu ?

— De tous ceux que j'ai. Tu ne veux pas me les racheter tous ?

— Quoi ? Tous ?

— Pour dix mille yens*. C'est-à-dire beaucoup moins cher que ce que tu paierais si tu les achetais toi-même.

— Je comprends bien, mais ça me semble rapide. Pour commencer, je n'ai même pas de stéréo.

— D'accord, j'ai compris. Bon, je vais appeler quelqu'un d'autre, fit Kōsuke, prêt à raccrocher.

— Attends ! Écoute, laisse-moi le temps de réfléchir jusqu'à demain.

— Non, ce n'est pas possible, dit Kōsuke en faisant non de la tête.

— Mais pourquoi ?

— Ce n'est pas possible, c'est tout. Si tu ne peux pas les acheter tout de suite, je raccroche.

— Attends, je te dis ! Je te demande juste cinq minutes.

Kōsuke soupira.

— OK, je veux bien. Je te rappelle dans cinq minutes.

Il raccrocha et sortit de la cabine. Le soleil baissait dans le ciel.

Il ne comprenait pas bien lui-même pourquoi il tenait à se débarrasser de ses disques. Il avait le sentiment qu'il ne voulait plus écouter les Beatles. C'était comme si une époque venait de se terminer pour lui.

---

* C'est-à-dire l'équivalent d'environ deux cent vingt euros actuels.

Cinq minutes plus tard, il rappela son ami depuis la même cabine.

— Je te les achète, fit celui-ci d'une voix excitée. J'en ai parlé à mes parents. Ils veulent bien m'avancer l'argent. Mais ils m'ont dit qu'il faudra que je me paie ma stéréo. Tu veux que je vienne les prendre tout de suite, c'est ça ?

— Oui, je t'attends.

L'affaire était conclue. Il allait se séparer de tous ses disques. L'idée le fit frissonner. Mais il se ressaisit. Ce n'était pas grave.

Il rentra chez lui et sortit les disques du carton pour les répartir dans deux grands sacs en papier, plus faciles à transporter. Il regarda chaque couverture. Elles lui rappelaient toutes des souvenirs. Celle de *Sgt. Pepper's Lonely Hearts Club Band* le fit s'arrêter.

On disait que cet album était le fruit de toutes sortes d'expériences musicales. La pochette montrait les Beatles au milieu de diverses célébrités d'hier et d'aujourd'hui, de l'Occident et de l'Orient.

On voyait tout à droite Marilyn Monroe, mais une partie de la couverture à côté d'elle disparaissait sous du marqueur noir. Il cachait une marque laissée par la photo du premier propriétaire de ce disque, son cousin qui était mort. Lui qui aimait tant les Beatles avait peut-être voulu les rejoindre sur la couverture. Lorsque Kōsuke avait décollé sa photo, le papier s'était déchiré, ce qu'il avait ensuite tenté de dissimuler au marker noir.

Il présenta intérieurement ses excuses à son cousin avant de descendre les deux sacs dans l'entrée.

Sa mère lui demanda ce qu'il faisait. Ne voyant aucune raison de lui mentir, Kōsuke lui dit la vérité. Elle hocha la tête sans faire de commentaire. Cette histoire semblait ne pas l'intéresser.

Son ami arriva quelques minutes plus tard et lui remit une enveloppe contenant dix mille yens, en échange de laquelle Kōsuke lui confia les deux sacs. L'autre regarda ce qu'il contenait et poussa un cri excité.

— Tu es sûr de vouloir les vendre ? Tu t'es donné tant de mal pour les rassembler.

Kōsuke fit non de la tête en se grattant le crâne.

— Tout d'un coup, je m'en suis lassé. Les Beatles, ça ne veut plus rien dire pour moi. En fait, je suis allé voir le film.

— *Let It Be* ?

— Oui.

— Je comprends, fit son ami, à moitié convaincu.

Comme il tenait les deux sacs, Kōsuke lui ouvrit la porte.

— Merci, murmura l'autre. Bon, à demain !

À demain ? La réponse de Kōsuke tarda. Il avait oublié que les cours allaient reprendre. Son ami lui lança un regard soupçonneux.

— Oui, à demain, au collège.

Lorsque la porte se referma, il poussa un soupir. Son malaise était si intense qu'il aurait voulu s'accroupir.

6

Son père revint de son travail plus tard que d'habitude, un peu après 20 heures.

— J'ai terminé ce que j'ai mis en place au bureau pour que notre disparition fasse le moins de bruit possible, expliqua-t-il en défaisant sa cravate.

Sa chemise trempée de sueur lui collait à la peau.

Ils dînèrent ensuite tous les trois. Leur dernier repas chez eux se réduisit au reste du riz au curry de la veille. Le réfrigérateur était déjà vide.

En mangeant, ses parents discutèrent des bagages. Ils n'emporteraient que le strict nécessaire, objets précieux, quelques vêtements, articles indispensables du quotidien, et les affaires d'école de Kōsuke, en laissant le reste sur place – ils en avaient déjà souvent parlé, et se contentèrent de vérifier une dernière fois que tout était en ordre.

Sa mère parla des disques à son père.

— Tu les as vendus ? Tous ? Mais pourquoi ? demanda-t-il, stupéfait.

— Comme ça, répondit son fils. De toute façon, je n'ai plus de stéréo, alors…

— Je comprends. En fait, c'est mieux comme ça. Ils prenaient beaucoup de place. Et tu en as tiré combien ?

Kōsuke ne répondit pas tout de suite.

— Dix mille yens, finit par dire sa mère.

— Quoi ? Seulement dix mille yens ? fit son père sur un tout autre ton. Tu as perdu la tête ? Il y en avait plein, non ? Tous les disques des Beatles, ça vaut cher, et certainement plus que vingt ou trente mille yens. Et toi, tu les as vendus pour juste dix mille yens… À quoi pensais-tu ?

— Je ne l'ai pas fait pour gagner de l'argent, répondit son fils, la tête baissée. Et la plupart me venaient de Tetsuo.

— Comment oses-tu me dire une chose pareille ? Quand on peut obtenir de l'argent de quelqu'un, chaque yen compte, c'est important pour nous maintenant. Les choses ne vont plus être comme avant, et tu le sais bien, non ?

Kōsuke releva la tête, avec l'envie de dire à son père que tout était sa faute. Mais celui-ci le regarda et dut lire quelque chose sur son visage.

— Tu m'as compris, hein ? demanda-t-il d'un ton plus calme.

Son fils ne réagit pas et posa sa cuillère. Il se leva en disant qu'il avait fini de manger et sortait de table.

— Je n'ai pas entendu ta réponse, insista son père.

— Tu me casses les oreilles. Bien sûr que j'ai compris.

— Tu crois que c'est comme ça qu'on parle à ses parents ?

— Écoute, ça suffit, non ? intervint sa femme.

— Certainement pas. Et tu as fait quoi de cet argent ? De ces dix mille yens ?

Kōsuke regarda son père de haut et vit que les veines de ses tempes étaient gonflées.

— Les disques, tu les avais achetés avec quel argent ? Avec ton argent de poche, non ? Et cet argent de poche, qui te l'avait donné ?

— S'il te plaît, chéri, arrête. Tu veux prendre l'argent de ton fils ?

— Je lui demande simplement s'il sait d'où vient cet argent.

— Maintenant, ça suffit. Kōsuke, va dans ta chambre et prépare-toi à partir.

Il obéit à sa mère, monta à l'étage, et s'allongea sur son lit d'où il vit le poster des Beatles accroché au mur. Il se releva à moitié pour le détacher et le déchirer en mille morceaux.

Deux heures plus tard, sa mère vint frapper à sa porte.

— Tu es prêt ?

— À peu près, répondit-il en montrant le carton et le sac de sport posés sur son bureau qui contenaient toutes ses possessions. On y va ?

— Oui, dans pas longtemps, répondit sa mère en entrant dans la pièce. Je te demande pardon de te faire vivre ça.

Ne sachant que répondre, Kōsuke se tut.

— Mais je suis sûre que tout ira bien. Il va juste falloir que tu fasses preuve d'un peu de patience.

— D'accord, souffla-t-il.

— Ton père et moi, nous pensons d'abord à toi. Nous voulons avant tout ton bonheur. Même si nous devons donner notre vie pour ça.

Kōsuke baissa la tête en se disant qu'elle mentait. Comment des parents pouvaient-ils penser que partir ainsi de chez eux ferait le bonheur de leur fils ?

— Bon, descends tes affaires dans une demi-heure, s'il te plaît, conclut-elle avant de quitter la pièce.

Je suis comme Ringo Starr, se dit Kōsuke, qui avait eu l'impression que le batteur du groupe tentait de réparer les liens entre les autres musiciens dans le film *Let It Be*. Mais ses efforts avaient finalement été vains.

Lui et sa famille se mirent en route à minuit, dans l'obscurité de la nuit. Son père s'était procuré, il ne savait comment, une fourgonnette blanche. Ils se casèrent tous les trois sur le seul siège qu'il avait. L'arrière était rempli de cartons et de valises.

Ils ne parlèrent quasiment pas sur la route. Avant de monter en voiture, Kōsuke avait demandé leur destination à son père qui s'était contenté de répondre qu'il le saurait quand ils y arriveraient. Bientôt la voiture s'engagea sur l'autoroute. Kōsuke ignorait où ils se trouvaient. Les quelques panneaux qu'il voyait de temps à autre mentionnaient des noms qui lui étaient inconnus.

Ils s'arrêtèrent au bout de deux heures, parce que sa mère avait besoin d'aller aux toilettes. La voiture prit une voie conduisant à une aire de service, et il lut le nom de Fujikawa sur un panneau.

Comme il était très tard, le parking était presque vide, mais son père se gara quand même à l'écart. Il tenait visiblement à ne pas se faire remarquer.

Kōsuke entra avec son père dans les toilettes des hommes. Ils se retrouvèrent ensuite devant la rangée de lavabos.

— Tu n'auras pas d'argent de poche avant longtemps, lui dit-il.

Cette déclaration lui parut louche, et il scruta le visage de son père dans le miroir.

— C'est normal, non ? Tu as dix mille yens, non ? Ça devrait te suffire pendant un bout de temps.

L'insistance de son père l'irrita. Que d'histoires pour dix mille yens !

Il le regarda quitter les toilettes sans s'être lavé les mains et sentit quelque chose se briser en lui avec le bruit d'un fil qui craque. Ce doit être mes liens avec mon père et ma mère, pensa-t-il. Cela lui paraissait une évidence.

Quand il sortit à son tour, il partit dans la direction opposée à celle de l'endroit où la fourgonnette était garée. Il n'avait qu'une seule idée en tête, s'éloigner d'eux.

Il se mit à courir. Quand il reprit son souffle, il se trouvait dans un autre parking, où étaient stationnés des camions.

Bientôt un homme arriva. Il monta dans la cabine de l'un d'entre eux et s'apprêta à repartir. Kōsuke courut vers l'arrière du camion et vit qu'il était rempli de caisses en bois. Elles ne sentaient pas mauvais, et il y avait entre elles un espace où il pouvait se cacher.

Le moteur du camion démarra tout à coup. Il se hissa sur la plateforme et se glissa entre les caisses. Le camion avança. Le cœur de Kōsuke battait à grands coups, il avait le souffle court.

Il enserra ses genoux de ses bras, baissa la tête et ferma les yeux. Il avait sommeil. Il décida de dormir et de réfléchir à la suite à son réveil. Mais l'idée qu'il venait de faire quelque chose de terrible et d'inquiétant pour son avenir l'excitait tellement qu'il n'arriva pas à s'assoupir.

Il ne savait pas dans quelle direction le camion roulait, à cause de la nuit, mais même en plein jour, il n'aurait pu le deviner d'après le seul paysage.

Il dut réussir à s'endormir car le camion était arrêté lorsqu'il rouvrit les yeux. Kōsuke eut l'impression que ce n'était pas un feu rouge, mais qu'il était arrivé à destination.

Il sortit de sa cachette et observa les alentours. Il se trouvait sur un grand parking rempli de camions.

Il descendit de la plateforme après s'être assuré que personne ne pouvait le voir et courut courbé en deux vers la sortie du parking. Par chance, il n'y avait pas de gardien. Une fois dehors, il lut une pancarte. Le parking appartenait à une société de transport de l'arrondissement d'Edogawa, à Tokyo.

Le jour n'était pas encore levé. Kōsuke marcha. Il ne savait pas où il allait mais se disait qu'il finirait par arriver quelque part.

L'aube se leva. Il distingua çà et là des arrêts de bus le long de la rue. Sur l'un d'entre eux, il lut : "Gare de Tokyo". Très bien, pensa-t-il, si je continue tout droit, j'arriverai à la gare de Tokyo, et là je pourrai prendre le train. Il décida de réfléchir à sa destination en marchant.

Il continua à avancer et se reposa en chemin dans un petit square. Il n'arrivait pas à chasser ses parents de son esprit, bien qu'il ne veuille pas y penser. Qu'avaient-ils fait lorsqu'ils s'étaient rendu compte que leur fils ne revenait pas ? Ils n'avaient aucun moyen de le trouver. Mais ils ne pouvaient pas non plus signaler sa disparition à la police, ni retourner chez eux dans l'espoir qu'il revienne.

Ils avaient probablement continué leur route en se disant qu'ils se mettraient à sa recherche une fois parvenus à leur destination. Mais leur rayon d'action serait limité : ils ne pourraient pas appeler leurs familles ou leurs amis, parce que leurs créanciers les surveilleraient sans doute.

Kōsuke était tout aussi incapable de chercher ses parents, qui avaient probablement l'intention de vivre sous une fausse identité.

Autrement dit, je ne les reverrai plus jamais, se dit-il, une idée qui le fit fugitivement frissonner. Mais il ne regrettait rien. Plus rien ne pouvait combler le fossé qui s'était creusé entre eux et lui. Rester avec eux n'avait plus de sens. Les Beatles le lui avaient appris.

Plus l'heure avançait, plus les voitures étaient nombreuses. Il n'était plus seul à marcher sur le trottoir. Parmi les gens qu'il croisait se trouvaient des collégiens. Kōsuke se souvint que le deuxième trimestre démarrait aujourd'hui.

Il continua à suivre les arrêts de bus indiquant la gare de Tokyo. Il faisait chaud pour un 1er septembre et son tee-shirt était couvert de poussière.

Il mit un peu de temps à comprendre que le splendide bâtiment en briques rouges qui lui paraissait sorti de l'Europe médiévale était celui de la gare de Tokyo, où il arriva un peu après 10 heures.

Une fois à l'intérieur, il fut impressionné par ses dimensions. Il regarda autour de lui en ouvrant de grands yeux et vit bientôt un panneau indiquant les quais du Shinkansen.

Depuis longtemps, il rêvait d'y monter. Il avait cru qu'il le prendrait cette année pour se rendre à l'Exposition universelle d'Osaka. Les affiches de la gare indiquaient qu'avec le Shinkansen, l'accès à l'Exposition était direct en métro depuis la gare de Shin-Osaka.

Tout d'un coup, il se dit qu'il n'avait qu'à y aller. Son portefeuille contenait quatorze mille yens, l'argent des disques, plus ce qui lui restait de ses étrennes.

Il ne savait pas encore ce qu'il ferait après avoir vu l'Exposition mais il avait la conviction que tout irait bien ensuite. De tout le Japon, non, du monde entier, des gens venaient y passer un bon moment. Il y trouverait certainement quelque chose pour son avenir.

Il se dirigea vers le tableau affichant le prix des billets et fut soulagé de voir que celui pour Shin-Osaka ne coûtait pas autant qu'il le pensait. Il avait le choix entre le Hikari, plus rapide, et le Kodama qui s'arrêtait plus fréquemment. Il hésita un instant, puis opta pour le second, un peu moins cher. Il devait veiller à ne pas trop dépenser.

Il alla ensuite à un guichet et demanda un billet pour Shin-Osaka. Le vendeur le regarda et lui demanda s'il voulait bénéficier de la réduction scolaire, pour laquelle il devait présenter sa carte de collégien.

— Je ne l'ai pas sur moi, dit Kōsuke.

— Dans ce cas, vous n'aurez pas de réduction.

— Très bien.

Le guichetier voulut ensuite savoir s'il avait besoin d'une réservation, et à quelle heure il souhaitait partir. Kōsuke lui répondit du mieux qu'il put.

— Attendez un instant, fit l'homme.

Kōsuke se dit qu'il s'achèterait une boîte-repas une fois qu'il aurait son billet. Au même moment, une main se posa sur son épaule.

— Je peux te poser une question ? fit une voix masculine.

Il se retourna et vit un homme en costume debout derrière lui.

— À quel sujet ?

— J'ai des choses à te demander. Tu veux bien venir avec moi ? continua l'homme en accentuant sa pression.

— Mais je n'ai pas mon billet…

— Je n'en ai pas pour longtemps. Il suffira que tu répondes à mes questions. Allez, dépêchons-nous.

Kōsuke n'eut d'autre choix que suivre l'homme qui le tenait fermement.

Il l'emmena dans une pièce qui ressemblait à un bureau. Contrairement à ce que l'homme lui avait assuré, cela prit beaucoup de temps, car Kōsuke refusa de répondre à toutes les questions qu'il lui posa. À commencer par les premières, concernant son nom et son adresse.

7

L'employé des chemins de fer avait appelé à la rescousse un policier de la brigade des mineurs. Nombreux étaient les mineurs qui fuguaient en ce jour de rentrée des classes, et des policiers en civil surveillaient la gare. Kōsuke, avec ses vêtements froissés et son air inquiet, avait attiré le regard de l'un d'entre eux. Il l'avait filé jusqu'au guichet et avait fait signe des yeux au guichetier qui n'avait pas quitté son siège par hasard.

Le policier le lui raconta, sans doute avec l'espoir que Kōsuke sortirait de son mutisme. Il ne s'était probablement pas attendu à ce qu'il s'obstine à ce point. Les autres fugueurs ne faisaient sans doute pas autant de difficultés à donner leur nom et leur adresse, et la police n'avait plus qu'à prévenir les parents qui venaient chercher leur progéniture.

Kōsuke avait une raison pour ne pas céder, malgré sa faim et sa soif. Il n'avait pas touché aux boulettes de riz et au thé qui lui avaient été servis, car il s'imaginait qu'il devrait parler s'il le faisait. Le policier le devina.

— Mange donc ! On fait une pause, un cessez-le-feu, dit-il avant de quitter la pièce.

Le jeune garçon se jeta sur les boulettes. Il n'avait rien mangé depuis le riz au curry de la veille. Les boulettes de riz farcies de prunes salées lui parurent un délice extraordinaire.

Le policier ne tarda pas à revenir.

— Bon, tu es prêt à parler maintenant ?

Kōsuke baissa la tête.

— Toujours pas ? dit l'homme avant de soupirer.

Un second policier arriva, et les deux hommes échangèrent quelques mots à voix basse. Il comprit qu'ils avaient vérifié toutes les fiches de fugueurs en leur possession.

Kōsuke craignait que son collège ne signale son absence, et que la police ne le contacte si elle décidait d'appeler tous les collèges. Son père avait dit qu'il informerait le sien qu'il serait absent la première semaine, mais il n'était pas impossible que son collège ait trouvé cela bizarre.

La nuit tomba. Kōsuke mangea son deuxième repas sur place, un bol de riz accompagné de tempura, aussi délicieux que le premier.

Le policier était fatigué. Il l'implora de donner son nom et son adresse. Kōsuke eut pitié de lui.

— Fujikawa… chuchota-t-il.

Le policier releva la tête.

— Qu'est-ce que tu as dit ?

— Fujikawa… Hiroshi.

— Quoi ?

Le policier prit un stylo et une feuille de papier.

— Et tu écris ça avec quels caractères ? Tiens, écris-le toi-même.

Kōsuke s'exécuta, en utilisant les caractères les plus courants pour "Fujikawa", et un de ceux utilisés pour écrire "exposition universelle", qui pouvait aussi se lire "Hiroshi".

L'idée d'utiliser un faux nom lui était venue soudainement. Il avait choisi Fujikawa parce que c'était le nom de l'aire d'autoroute d'où il s'était enfui, et Hiroshi, en pensant à l'Exposition universelle.

— Et ton adresse ?

En guise de réponse, il secoua la tête de côté.

Il passa la nuit dans le petit bureau où un lit de camp avait été dressé. Enveloppé dans une couverture, il dormit jusqu'au lendemain matin.

Le policier revint peu de temps après son réveil.

— Il faut qu'on parle de la suite, annonça-t-il. Soit tu nous dis la vérité sur toi, soit tu seras placé dans un foyer. On ne peut pas continuer comme ça.

Kōsuke ne répondit pas. Le policier se gratta le visage avec une expression irritée.

— Qu'est-ce qui t'est arrivé ? Que font tes parents ? Ils ne se sont pas rendu compte de ta disparition ?

Kōsuke continua à garder le silence.

— Il n'y a rien à faire avec toi, dit l'adulte d'un ton découragé. J'imagine que tu dois avoir tes raisons. Fujikawa Hiroshi, ce n'est pas ton vrai nom, n'est-ce pas ?

En guise de réponse, il leva les yeux vers l'homme avant de les baisser à nouveau. Le policier soupira comme s'il comprenait qu'il avait vu juste.

Peu de temps après, Kōsuke fut conduit dans un foyer d'accueil d'urgence. Il s'attendait à un bâtiment qui ressemble à une école et fut surpris de voir qu'il s'agissait d'une vieille demeure de style occidental. Il apprit par la suite qu'autrefois, la villa appartenait à quelqu'un. Elle avait fière allure de l'extérieur, mais son intérieur avait mal vieilli. Les murs étaient couverts de fissures, et le plancher défoncé par endroits.

Il y passa deux mois pendant lesquels il eut de nombreux entretiens avec différents adultes, dont un médecin et un psychologue. Leur objectif était le même : découvrir la véritable identité de Fujikawa Hiroshi. Aucun d'entre eux n'y avait réussi. Ce qui les intriguait le plus était que personne n'avait dans tout le Japon signalé de disparition lui correspondant. Ils finissaient tous par s'interroger sur ce que faisaient ses parents.

Il avait ensuite été transféré dans un foyer, du nom de Marukōen, à l'extérieur de Tokyo, et seulement à une demi-heure en voiture de la ville où il vivait autrefois. Cela l'avait inquiété, il s'était demandé si les adultes avaient découvert sa véritable identité, mais pour autant qu'il pût en juger de leur attitude, ce n'était pas le cas. Le foyer avait été choisi simplement parce qu'il avait de la place.

L'établissement se trouvait à mi-pente, sur une colline. Entouré de verdure, haut de trois étages, il abritait des mineurs de zéro à dix-huit ans.

— Cela ne nous dérange pas que tu ne veuilles pas nous donner ta véritable identité. Mais nous avons besoin de connaître ton âge pour que nous puissions t'inscrire à l'école, lui dit une éducatrice dans la quarantaine.

Kōsuke réfléchit avant de répondre. Sa véritable date de naissance était le 26 février 1957, mais il craignait que s'il la donne, on pût faire un rapprochement avec sa véritable identité. D'un autre côté, s'il se vieillissait, il devrait étudier dans la classe supérieure. Au bout de quelques instants de réflexion, il annonça qu'il était né le 29 juin 1957.

Le 29 juin, la date de l'arrivée des Beatles au Japon.

8

Il venait de finir sa deuxième Guinness. Eriko lui demanda s'il en voulait encore une ou s'il souhaitait autre chose.

— Hum… fit-il en regardant les bouteilles alignées sur l'étagère. Eh bien, un Bunnahabhain avec un peu de glace.

Eriko prit un verre. La chanson *I Feel Fine* commença. Il essaya de marquer la mesure du bout des doigts sur le comptoir mais y renonça vite.

Il fit le tour du bar des yeux en s'étonnant à nouveau qu'il y ait un tel endroit dans cette petite ville. Il était fan des Beatles, mais doutait qu'ils soient nombreux ici. Il regarda Eriko qui taillait des glaçons avec un pic à glace, en se souvenant de l'époque où il faisait de la sculpture sur bois.

La vie au foyer n'était pas déplaisante. Il était nourri et pouvait aussi aller à l'école. Pendant la première année là-bas, tout s'était bien passé au collège, d'autant plus qu'il avait refait une quatrième*. Il se faisait appeler Fujikawa

---

* L'année scolaire commence le 1ᵉʳ avril au Japon, et la classe d'âge est comptée à partir de cette date jusqu'au 31 mars. En donnant le 29 juin pour date de naissance, Kōsuke s'est rajeuni d'un an sur le plan scolaire.

Hiroshi. Au début, il avait parfois mis un peu de temps à réagir quand ses camarades appelaient Hiroshi, mais il s'y était vite habitué.

Il n'avait pas d'amis, cependant. Peut-être serait-il plus exact de dire qu'il ne voulait pas s'en faire. Devinant qu'il aurait envie de dire son vrai nom à un ami proche, il avait décidé de rester seul. La distance qu'il maintenait avec les autres faisait que peu d'enfants cherchaient à s'approcher de lui. Les autres le trouvaient bizarre, il le percevait, mais à l'école comme dans le foyer, il se satisfaisait de sa solitude, d'autant plus qu'elle n'était pas accompagnée de harcèlement au collège.

Il n'avait pas d'amis, mais depuis qu'il avait découvert au foyer une activité qui lui plaisait beaucoup, la sculpture sur bois, il n'en souffrait pas particulièrement. Il ramassait des morceaux de bois et les taillait à l'aide d'une gouge. Au début, cela n'avait été qu'une façon de passer le temps, mais il y avait pris goût et c'était devenu une passion. Il savait tout faire, des animaux, des robots, des poupées, des voitures. Il commençait à tailler sans savoir ce qu'il allait obtenir et décidait ensuite.

Il donnait ses créations aux enfants plus jeunes que lui, qui étaient étonnés de ces cadeaux du peu sociable "Fujikawa Hiroshi" mais souriaient en les recevant. Ils n'avaient pas l'habitude de se faire offrir quelque chose. Bientôt, ils s'étaient mis à lui faire des demandes spécifiques. L'un voulait un Moumine, l'autre un Kamen Rider, et il exauçait leurs souhaits parce qu'il aimait les voir sourire.

Tous les éducateurs connaissaient son hobby. Un jour, le directeur l'avait convoqué et lui avait fait une proposition étonnante. Pourquoi ne deviendrait-il pas tourneur sur bois ? Un de ses amis qui exerçait ce métier cherchait un apprenti qui pourrait lui succéder. Si "Fujikawa

Hiroshi" devenait son élève, il serait nourri et logé, et pourrait sans doute suivre les cours du soir d'un lycée.

C'était peu de temps avant la fin de sa scolarité au collège, et Kōsuke comprit que le personnel du foyer se préoccupait de son avenir.

La procédure de création de son nouvel état civil s'était conclue peu de temps avant, lorsque le tribunal des affaires familiales avait donné son accord. Cette démarche était généralement menée pour des enfants abandonnés à la naissance, et il était exceptionnel qu'un mineur de son âge en bénéficie. Des cas comme le sien – un mineur refusant de révéler son identité, et la police échouant à l'établir – étaient hautement inhabituels.

Kōsuke avait rencontré le juge à plusieurs reprises. Celui-ci avait essayé de le faire parler, sans plus de succès que les autres interlocuteurs.

Un choc psychologique pouvait avoir causé chez lui une amnésie partielle, qui l'empêchait de révéler sa véritable identité alors qu'il aurait aimé le faire – telle était l'hypothèse échafaudée par les adultes. Elle avait le mérite d'être facile à comprendre.

Immédiatement après sa sortie du collège, Kōsuke était officiellement devenu Fujikawa Hiroshi. Quelques jours plus tard, il était entré en apprentissage chez un tourneur sur bois du département de Saitama.

9

L'apprentissage n'avait pas été facile. Le maître tourneur était un artisan traditionnel, obstiné et exigeant. La première année, les seules tâches qu'il avait confiées à Kōsuke étaient l'entretien et la gestion des matières premières, ainsi que le ménage de l'atelier. Il ne l'avait laissé travailler le bois qu'à partir de la deuxième année de lycée. Chaque jour, l'apprenti devait fabriquer des dizaines de fois une forme donnée, jusqu'à ce qu'il réussisse à produire des objets parfaitement identiques, un travail qui ne présentait aucun intérêt.

Mais son patron était un homme bon, qui se souciait sincèrement de son avenir et ne donnait pas le sentiment de rechercher uniquement un successeur. Sa femme aussi était gentille.

Une fois le lycée terminé, Kōsuke commença à aider son patron, d'abord pour des tâches simples, qui devinrent de plus en plus complexes au fur et à mesure qu'il progressait et que le patron lui faisait plus confiance.

Son quotidien le satisfaisait pleinement. Il n'avait pas oublié le jour où sa famille avait décidé de disparaître, mais il y pensait de moins en moins et se disait qu'il avait pris la bonne décision.

Oui, il avait eu raison de ne pas suivre ses parents et de les quitter cette nuit-là. Où en serait-il aujourd'hui s'il avait suivi les conseils du vieux monsieur du bazar Namiya ?

En décembre 1980, la nouvelle de l'assassinat de John Lennon annoncée par la télévision l'avait profondément choqué. Il s'était souvenu de sa passion pour les Beatles, et avait été submergé par un désespoir amer, mêlé d'une certaine mélancolie.

John Lennon avait-il regretté la séparation des Beatles ? Kōsuke s'était fugitivement posé la question. N'avait-elle pas été trop rapide ?

Presque aussitôt, il s'était dit que non. La suite le prouvait. Après leur séparation, les quatre Beatles avaient suivi leur propre voie. Parce qu'ils n'étaient plus sous la contrainte du groupe. De la même manière que lui avait trouvé le bonheur en échappant à ses parents.

À nouveau, il s'était dit que lorsque les gens ne s'aimaient plus, ils ne pouvaient plus rebâtir de liens.

Huit ans plus tard, son maître avait lu dans le journal qu'un incendie au foyer Marukōen avait fait une victime et il lui avait suggéré d'aller voir sur place ce qu'il en était. Kōsuke était parti le lendemain au volant de la camionnette de l'atelier. Il n'y était pas retourné depuis dix ans quand il y était allé pour annoncer qu'il avait terminé ses études au lycée. Les flammes avaient détruit plus de la moitié du bâtiment, les enfants et les éducateurs avaient trouvé refuge dans le gymnase d'une école du voisinage, où il faisait froid, malgré les quelques radiateurs qui y avaient été apportés.

Le directeur du foyer, qui avait vieilli, s'était réjoui de la visite de Kōsuke. Il ne s'attendait probablement pas à ce que ce jeune qui avait refusé de révéler sa véritable identité soit devenu un adulte qui se soucie de l'avenir de l'établissement.

Kōsuke lui avait demandé ce qu'il pouvait faire pour aider le foyer. Le directeur avait répondu que cette offre de service suffisait à le réjouir.

Il s'apprêtait à repartir lorsqu'il avait entendu quelqu'un appeler son nom. En se retournant, il avait vu une jeune femme qui portait un superbe manteau de fourrure, à qui il donna autour de vingt-cinq ans.

— C'est bien vous, n'est-ce pas ? lança-t-elle, les yeux brillants. Je m'appelle Harumi. Mutō Harumi. Vous ne vous souvenez pas de moi ?

Ce nom ne lui disait malheureusement rien. Mais elle ouvrit son sac et en sortit un petit objet.

— Ça sera peut-être plus parlant pour vous !

Il poussa un cri de stupéfaction en voyant un petit chien en bois. Il s'en souvenait. C'était lui qui l'avait fait quand il vivait au foyer. Il regarda à nouveau la jeune femme, avec l'impression de l'avoir déjà vue.

— Vous habitiez le foyer ?

— Oui, répondit-elle. Vous me l'avez donné quand j'avais dix ans.

— Ah… oui, je m'en rappelle vaguement.

— Moi, je ne l'ai jamais oublié. Ce petit chien était ma plus précieuse possession.

— Vraiment… Je suis désolé de ne pas mieux m'en souvenir.

Elle sourit et remit le petit chien dans son sac d'où elle tira une carte de visite, sur laquelle il lut :

MUTŌ HARUMI
DIRECTRICE
OFFICE LITTLE DOG

Il lui tendit sa propre carte, qu'elle prit en lui souriant de plus belle.

— Tourneur sur bois… Vous êtes donc devenu professionnel ?

— D'après mon patron, j'ai encore du chemin avant de le devenir, répondit-il en se grattant la tête.

Ils s'assirent tous les deux sur un banc à l'extérieur du gymnase. Harumi, qui avait appris l'incendie du foyer par la télévision, était immédiatement venue sur place pour offrir son aide au directeur.

— Pour exprimer ma reconnaissance à cet établissement qui a tant compté pour moi.

— C'est un beau sentiment.

— Mais vous aussi, vous êtes venu pour ça, non ?

— Moi, c'est mon patron qui m'a ordonné de venir, répondit-il en regardant sa carte de visite. Que fait votre société ?

— Elle est toute petite. Nous organisons des manifestations pour les jeunes, et nous nous occupons aussi de publicité.

— Hum, fit-il, parce qu'il ne voyait pas du tout de quoi il était question. C'est impressionnant à votre âge !

— Pas du tout. J'ai eu de la chance, c'est tout.

— Ça ne peut pas être que ça. L'idée de créer une société n'est déjà pas ordinaire. Moi, ça me paraît plus facile d'être employé et de percevoir un salaire.

Elle pencha la tête de côté.

— C'est une question de caractère, je pense. J'ai du mal à travailler pour quelqu'un. Je n'ai jamais pu garder un emploi longtemps quand j'étais employée. Après le foyer, je me suis vraiment demandé ce que je pourrais faire. À cette époque, quelqu'un m'a donné de très bons conseils, grâce auxquels j'ai décidé dans quelle direction je voulais me diriger.

— Ah bon… Et qui vous les a donnés ?

— Eh bien…

Elle s'interrompit avant de reprendre :

— Un bazar.

— Un bazar ? répéta Kōsuke en fronçant les sourcils.

— Il se trouvait près de la maison d'une amie et il était célèbre pour sa boîte à questions. Apparemment, il y a même eu un article à son sujet dans un magazine. Je me suis dit que je n'avais rien à perdre à essayer, et les conseils qui m'ont été donnés étaient excellents. C'est grâce à eux que j'en suis là où je suis aujourd'hui.

Kōsuke en était sans voix. Elle parlait sans aucun doute du bazar Namiya. Qu'il y en ait un autre qui offre des conseils était impossible.

— Cette histoire vous paraît incroyable, n'est-ce pas ?

— Non, non, pas du tout. Mais je n'ai jamais entendu parler de ce bazar, répondit-il avec une indifférence feinte.

— C'est intéressant, n'est-ce pas ? J'ignore s'il existe encore.

— En tout cas, je suis content de savoir que tout va bien pour votre société.

— Je vous remercie. Mais en réalité, je gagne plus d'argent avec mes autres projets.

— Vos autres projets ?

— Mes investissements. En actions, en immobilier. Et dans des clubs de golf.

— Ah…

Ces derniers temps, il entendait souvent parler d'investissements de ce genre. Les prix de l'immobilier flambaient, et cela contribuait à la bonne conjoncture de l'économie, une excellente chose pour les artisans comme son patron.

— Vous vous intéressez aux actions ?

— Non, pas du tout, répondit-il avec un sourire embarrassé.

— Ah bon. Dans ce cas, je n'irai pas plus loin, dit-elle sur un ton qui lui parut hésitant.

— Vous vouliez ajouter quelque chose ?

— Si jamais vous deviez décider d'investir à la Bourse ou dans l'immobilier, je vous conseille de tout liquider avant 1990. Parce que l'économie japonaise commencera à décliner à partir de ce moment-là.

Il la regarda, surpris par la conviction qu'il entendait dans sa voix.

— Je vous demande pardon, ajouta-t-elle avec un rire innocent. Je raconte des bêtises. Oubliez ce que je viens de vous dire.

Elle consulta sa montre et se leva.

— Cela m'a fait très plaisir de vous revoir, et j'espère que l'occasion se représentera.

— Oui, fit Kōsuke en se levant à son tour. Portez-vous bien !

Il revint à sa voiture, y monta, démarra puis s'arrêta.

Le bazar Namiya…

Depuis tout à l'heure, il n'arrivait pas à le chasser de son esprit. Il n'avait pas tenu compte des conseils du vieux monsieur qui le tenait. Et c'était la bonne décision pour lui. Mais d'autres personnes lui en étaient encore reconnaissantes, comme Harumi.

Qu'était devenu le bazar ?

Il redémarra et partit dans une autre direction que celle de l'atelier. Il avait décidé d'aller jeter un coup d'œil sur la boutique qui n'existait peut-être plus. Il avait le sentiment confus que quelque chose se dénouerait pour lui s'il allait s'en assurer sur place.

Cela faisait dix-huit ans qu'il n'était pas revenu dans sa ville natale. En chemin, il rassembla les souvenirs qu'il en avait. Même s'il ne croyait pas que quelqu'un pût le reconnaître, il décida d'éviter au maximum les contacts avec les habitants. Pas question d'aller dans le quartier où il avait vécu avec ses parents.

La ville avait beaucoup changé. Elle s'était étendue, ses rues étaient en meilleur état, sans doute grâce à la bonne santé de l'économie.

Le bazar Namiya était toujours là. Il avait vieilli, les caractères de son enseigne étaient presque illisibles, mais le bâtiment n'avait pas changé. Derrière son rideau métallique rouillé se trouvaient sans doute les mêmes produits qu'autrefois sur les étagères.

Il descendit de voiture et s'en approcha, submergé par la nostalgie et la tristesse. Il se rappelait à quel point il était tourmenté les nuits où il était venu déposer ses lettres, quand il se demandait s'il devait suivre ses parents dans leur fuite.

Il se rendit soudain compte qu'il était dans le passage entre le magasin et l'entrepôt voisin. Il arriva à l'arrière de la bâtisse. La boîte à lait était toujours là. Il en ouvrit le couvercle. Elle était vide.

Il soupira. C'était probablement aussi bien comme ça. Le mieux était d'oublier toute cette histoire. Au même moment, une porte s'ouvrit, et un homme d'une cinquantaine d'années apparut. Il semblait aussi étonné que Kōsuke.

— Oh… excusez-moi, bredouilla Kōsuke en refermant le couvercle de la boîte à lait. Je ne veux rien faire de mal. Simplement…

Il s'interrompit, ne sachant comment continuer.

L'homme dirigea un regard soupçonneux vers Kōsuke et la boîte à lait.

— Seriez-vous venu pour un conseil ? finit-il par demander.

— Pardon ?

— Vous faites peut-être partie de ceux qui en ont demandé à mon père autrefois ?

Kōsuke ouvrit la bouche, surpris, puis il hocha la tête.

— Exactement. C'était il y a très longtemps.

L'homme lui sourit.

— Je m'en doutais. Sinon, vous n'auriez pas touché à la boîte à lait.

— Je vous présente mes excuses. Je passais par ici, et tout d'un coup, j'ai eu envie de revoir le bazar.

L'homme le stoppa d'un geste de la main.

— Vous n'avez pas à vous excuser. Je suis le fils Namiya. Mon père est mort il y a huit ans.

— Ah bon… Et la maison…

— Plus personne n'y habite, mais de temps à autre, je viens m'assurer de son état.

— Vous ne comptez pas la faire démolir ?

— Non, fit l'homme en secouant légèrement la tête de côté. Ce n'est pas possible pour le moment. Il faut qu'elle reste comme elle est.

— Ah bon…

Kōsuke aurait bien aimé savoir pourquoi, mais il pensa que poser la question aurait été impoli.

— J'ai l'impression que vous ne lui avez pas demandé de conseils pour vous distraire, reprit l'homme. C'est ce que je me suis dit en voyant la manière dont vous regardiez l'intérieur de la boîte. Vous ne l'avez pas consulté pour rire, n'est-ce pas ?

Kōsuke comprenait ce qu'il voulait dire.

— Vous avez raison. En tout cas, mon intention était sérieuse.

Le fils Namiya hocha la tête et tourna les yeux vers la boîte à lait.

— Mon père avait vraiment de drôles d'idées. Moi, je pensais que plutôt que d'essayer de résoudre les problèmes des autres, il aurait mieux fait de s'intéresser plus à son commerce. Mais c'était devenu sa raison de vivre.

Je crois qu'il était satisfait de la reconnaissance que cela lui apportait.

— Des gens sont venus le remercier ?

— Oui… en quelque sorte. Il a reçu quelques lettres en ce sens. Vous savez, il se demandait toujours si ces conseils avaient servi, cela le préoccupait beaucoup, et j'ai l'impression que ces lettres l'ont rassuré.

— Des lettres qui exprimaient la reconnaissance des gens qui avaient reçu ses conseils ?

— Oui, fit l'homme en rentrant le menton, le regard grave. Quelqu'un lui a écrit que le conseil qu'il avait reçu enfant l'avait beaucoup aidé dans son travail d'enseignant. Et puis il y avait aussi une lettre qui venait de la fille d'une femme qui avait sollicité son avis. Pour lui demander si elle devait garder l'enfant qu'elle portait, conçu dans une relation extraconjugale.

— Je vois. Il était consulté pour toutes sortes de problèmes.

— Exactement. C'est l'impression que j'ai eue en lisant ces lettres. Mon père a fait ça longtemps. Certains problèmes qui lui étaient soumis étaient très graves. Je me souviens d'un enfant qui se demandait s'il devait suivre ses parents qui avaient décidé de s'évaporer sans laisser de trace. Et d'une lettre écrite par une élève tombée amoureuse d'un enseignant…

— Attendez… l'interrompit Kōsuke en levant la main. Un enfant lui a écrit pour demander s'il devait suivre ses parents qui s'apprêtaient à disparaître ?

— Oui, répondit le fils Namiya.

Il le regarda, le visage interrogatif.

— Et cette personne a écrit pour le remercier ?

— Oui. Mon père lui a conseillé de rester avec eux. Et cette personne lui a écrit plus tard pour lui dire qu'il l'avait écouté et qu'il avait vécu heureux avec eux.

Kōsuke fronça les sourcils.

— Mais cette lettre de remerciements, elle est arrivée à quelle époque ?

Le fils Namiya hésita.

— Un peu avant la mort de mon père. Enfin, c'est un peu compliqué, la lettre elle-même n'a pas été écrite à cette époque.

— Comment ça ?

— Eh bien…

Il s'arrêta et reprit, après quelques secondes de silence :

— Quel idiot je fais ! J'aurais mieux fait de me taire. N'y pensez plus, s'il vous plaît. Tout ça n'a pas grande importance, en réalité.

Son embarras était visible. Il se hâta de fermer la porte à clé.

— Je vous laisse. Mais restez aussi longtemps que vous le souhaitez. Enfin, il n'y a pas grand-chose à voir, mais…

Il courba le dos, comme s'il avait froid et s'engagea dans le passage étroit. Kōsuke le regarda partir, puis reposa les yeux sur la boîte à lait.

L'espace d'un instant, elle lui parut déformée.

10

Il remarqua que la chanson qui passait était *Yesterday*, vida son verre et en commanda un second.

Ses yeux se posèrent sur la lettre qu'il venait d'écrire.

À l'attention du bazar Namiya

Il y a environ quarante ans de cela, je vous ai adressé une lettre pour vous demander conseil, sous le pseudonyme de Paul Lennon. Vous vous en souvenez ?

Je voulais que vous me disiez ce que je devais faire vis-à-vis de mes parents qui s'apprêtaient à quitter la ville pour disparaître sans laisser de trace.

Vous m'avez répondu que les familles ne devaient pas se séparer, et que je devais les suivre en leur faisant confiance.

C'est ce que j'ai décidé de faire après vous avoir lu. Et j'ai quitté la maison avec eux.

Mais à un certain moment, je n'ai pas pu continuer. Parce que je ne leur faisais plus confiance. Ou plus exacte-ment parce que je ne faisais plus confiance à mon père. Je n'arrivais plus à croire que je pouvais mettre ma vie entre les mains de mes parents. Les liens qui m'unissaient à eux avaient été rompus.

Je leur ai faussé compagnie. Sans du tout savoir ce qui m'attendait, mais avec la certitude que je ne pouvais plus rester à leurs côtés.

J'ignore ce qui leur est arrivé par la suite. Mais je suis convaincu d'avoir pris la bonne décision.

J'ai eu des hauts et des bas, mais j'ai trouvé le bonheur. Ma vie est stable sur le plan matériel et spirituel.

Autrement dit, j'ai bien fait de ne pas suivre vos conseils.

Que les choses soient claires : je ne vous écris absolument pas pour vous faire des reproches. L'annonce que j'ai vue sur la Toile demandait à ceux qui avaient bénéficié de vos conseils de dire quelle influence ils avaient exercée sur leur vie. Et je me suis dit que cela vous intéresserait aussi d'avoir le point de vue de quelqu'un qui n'en avait pas tenu compte.

La conclusion à laquelle je suis arrivé est que chacun d'entre nous doit trouver sa propre voie.

J'imagine que cette lettre sera lue par les descendants de M. Namiya. J'espère qu'elle ne vous dérangera pas. Faites-en ce que vous voulez.

Paul Lennon

Kōsuke prit son verre et but un peu de whisky.

Il pensait à la fin de l'année 1988, à ce que lui avait raconté le fils du vieux monsieur qui tenait le bazar. D'après lui, le bazar aurait reçu une lettre qui traitait exactement des mêmes problèmes que les siens. Mais son auteur serait resté avec ses parents, comme le vieil homme le lui avait conseillé, et il aurait trouvé le bonheur.

Ce hasard lui paraissait mystérieux. Il y aurait eu dans cette ville un enfant qui avait connu les mêmes tourments que lui ?

Comment les parents de celui-ci avaient-ils réussi à être heureux ? Cela lui paraissait presque impossible quand il repensait à sa famille. Ses parents à lui avaient décidé de s'évaporer parce qu'ils n'avaient pas d'autre solution.

— Vous avez fini votre lettre ?

— Oui, à peu près.

— Une lettre manuscrite, c'est devenu rare.

— Vous avez raison. Je l'ai écrite à la main parce que je n'ai pas eu le temps de faire autrement.

Il avait découvert la notice sur le blog d'une personne le jour même à midi, alors qu'il faisait une recherche sur Internet. Les mots "Bazar Namiya" avaient attiré son attention. Voici ce qu'elle disait :

À l'attention des personnes qui connaissent le bazar Namiya

La boîte à soucis du bazar Namiya sera à nouveau en service le 13 septembre de minuit à l'aube, et j'ai une faveur à demander aux personnes qui y ont autrefois eu recours. Qu'avez-vous pensé des réponses qui vous ont été fournies ? Vous ont-elles été utiles ou non ? Dites-moi franchement ce que vous en avez pensé. Comme autrefois, merci de glisser vos réponses dans la fente du rideau métallique. Je vous remercie.

Il avait sursauté. Douté de ses yeux. Qu'est-ce que cela pouvait signifier ?

Trouver la source de la notification n'avait pas été difficile. C'était un site intitulé "Renaissance du bazar Namiya pour une nuit", dont le responsable était "un petit-enfant du bazar Namiya", qui avait décidé de cette initiative car le 13 septembre marquerait le trente-troisième anniversaire du décès de son grand-père.

Kōsuke avait eu du mal à se concentrer sur son travail pendant le reste de la journée.

Il était rentré chez lui après avoir dîné dans la cantine où il allait tous les jours, en continuant à penser à cette notification. Il était ensuite ressorti. Vivant seul, il n'avait pas eu à fournir d'explication à quiconque.

Il était monté dans le train, en se demandant s'il faisait bien, avec le sentiment que quelque chose s'était produit en lui.

Il relut sa lettre et pensa qu'elle allait lui permettre d'entamer sereinement la dernière période de sa vie.

La stéréo jouait *Paperback Writer*, une chanson qu'il aimait. Il tourna les yeux vers les lecteurs de CD et vit qu'il y avait aussi une platine.

— Vous écoutez parfois des vinyles ?

— Très rarement, répondit la femme qui tenait le bar. Uniquement lorsque des habitués me le demandent.

— Ah bon... Je peux jeter un coup d'œil sur vos disques ? Je veux juste les voir, pas en entendre.

— Je vous en prie, dit-elle en allant les chercher dans l'espace derrière le comptoir.

Elle lui en apporta plusieurs.

— J'en ai d'autres, mais chez moi, dans mon appartement, expliqua-t-elle en les posant sur le comptoir.

Il en prit un en main, *Abbey Road*. Il était sorti avant le film *Let It Be*, le dernier album des Beatles. Sa couverture, qui les montrait en train de traverser une rue sur un passage piéton, avait été à l'origine d'une rumeur selon laquelle Paul McCartney, le seul à être pieds nus, serait mort.

— Ça me rappelle tant de choses, murmura Kōsuke, qui le posa pour prendre *Magical Mystery Tour*.

C'était la musique du film du même nom, dont on disait qu'il était incompréhensible. Le troisième était *Sgt. Pepper's Lonely Hearts Club Band*. Un disque légendaire...

L'œil de Kōsuke fut attiré par un détail, la femme blonde qui se trouvait tout à droite sur la couverture. Quand il était adolescent, il croyait que c'était Marilyn Monroe, mais une fois adulte, il avait appris que c'était en réalité l'actrice anglaise Diana Dors. Plus encore que ce visage féminin, ce qui avait retenu son attention était un endroit où le papier arraché avait été recouvert au marqueur noir.

Son sang ne fit qu'un tour. Son cœur battit plus vite.

— Ce disque… commença-t-il d'une voix rauque.

Il avala sa salive et regarda la femme du bar.

— Il vous appartient ?

Une expression embarrassée apparut sur son visage.

— Oui, maintenant, c'est moi qui l'ai, mais il me vient de mon frère.

— De votre frère ? Et pourquoi l'avez-vous maintenant ? Elle soupira faiblement.

— Mon frère est mort il y a deux ans. Je suis devenue fan des Beatles grâce à lui. Il les aimait depuis son enfance, et même adulte, il voulait avoir un bar qui leur serait dédié. Quand il avait autour de trente ans, il a quitté son emploi de salarié dans une grande entreprise et a ouvert celui-ci.

— Ah bon… Et il est mort de…

— D'un cancer du poumon, dit-elle en serrant les bras sur sa poitrine.

Kōsuke regarda à nouveau son nom la carte de visite qu'elle lui avait remise : Haraguchi Eriko.

— Votre frère s'appelait aussi Haraguchi ?

— Non, mon frère s'appelait Maeda. Haraguchi, c'est mon nom marital. Enfin, je suis divorcée, mais je l'ai conservé.

— Maeda…

Il était fixé. L'ami à qui il avait vendu ses disques s'appelait Maeda. Les disques qu'il avait sous les yeux lui avaient appartenu.

Cela lui paraissait à la fois incroyable et tout à fait normal. Dans une aussi petite ville, le nombre de personnes capables d'ouvrir un bar consacré aux Beatles était nécessairement restreint. Il aurait dû se rendre compte en voyant que le bar s'appelait Fab 4 qu'il pouvait être tenu par quelqu'un qu'il connaissait.

— Le nom de mon frère vous dit quelque chose ?

— Non, pas du tout, répondit Kōsuke en secouant la tête de côté. Ces disques sont donc un souvenir de lui.

— Oui, mais aussi un souvenir de leur ancien propriétaire.

— Ah bon ? fit-il, surpris. Leur ancien propriétaire ?

— Mon frère les avait presque tous achetés à un camarade de classe du collège. Il était encore plus fan des Beatles que lui et en avait plusieurs dizaines. Un beau jour, il a annoncé à mon frère qu'il voulait tous les vendre. Mon frère était ravi, mais cela lui a paru bizarre.

Elle s'interrompit et mit la main sur sa bouche.

— Pardonnez-moi de vous raconter toutes ces histoires sans aucun intérêt pour vous.

— Non, pas du tout, elles m'intéressent, dit-il en buvant une gorgée de whisky. Continuez, s'il vous plaît. Et cet ami avait une raison particulière ?

— Oui, répondit-elle avec un hochement de tête. Il n'est plus revenu au collège après les vacances d'été. En fait, ses parents et lui se sont évaporés. Mon frère m'a dit qu'ils étaient criblés de dettes. Mais ils ont dû penser qu'ils ne pourraient pas fuir assez loin parce que…

— Parce que ?

Elle baissa la tête, l'air accablé, puis la releva.

— Ils se sont suicidés deux jours plus tard. Enfin, l'ami de mon frère n'a sans doute pas eu le choix.

— Quand vous dites : "ils", ça veut dire qui ?

— Eh bien, toute la famille. Enfin, le père a tué sa femme et son fils, et ensuite, il s'est donné la mort…

Il faillit s'exclamer "ce n'est pas possible !" mais se retint de justesse.

— Le père les a tués comment ?

— Je ne connais pas les détails, mais j'ai entendu dire qu'il leur a fait prendre des somnifères, et qu'ensuite, il les a fait monter en bateau, et les a poussés dans la mer.

— Depuis le bateau ?

— Il aurait volé une barque en pleine nuit, mais lui n'a pas dû réussir à se jeter à l'eau. Il est revenu sur la rive, et il s'est pendu.

— Et on a retrouvé les corps de sa femme et de son fils ?

— Eh bien… Je n'en sais rien. Mais le père avait laissé une lettre, qui donnait à comprendre qu'il savait que sa femme et son fils étaient morts.

— Hum…

Kōsuke vida son verre, et en commanda un troisième. Il était bouleversé et avait besoin du soutien de l'alcool pour ne pas le montrer.

S'il était vrai qu'un corps avait été retrouvé, ce ne pouvait être que celui de sa mère. Mais si son père avait écrit dans sa lettre d'adieu qu'il avait tué sa femme et son fils, la police n'avait aucune raison d'en douter, même si elle n'avait qu'un seul cadavre.

Tout le problème était de savoir pourquoi son père avait agi ainsi.

Il pensa à cette nuit, quarante-deux ans auparavant, quand il s'était enfui en grimpant sur le plateau d'un camion garé sur une aire d'autoroute.

Lorsque ses parents s'étaient rendu compte de sa disparition, ils avaient dû être très embarrassés, et se demander que faire. Devaient-ils continuer comme prévu en n'en faisant aucun cas, ou se mettre à sa recherche ? Kōsuke avait pensé qu'ils opteraient pour la première solution, parce qu'ils n'avaient aucun moyen de le trouver.

Mais ses parents n'avaient choisi aucune des deux solutions. Ils avaient préféré mourir.

Eriko posa un nouveau verre devant lui. Il le prit et fit tinter la glace.

Peut-être y avaient-ils pensé dès le départ. Son père, en tout cas, en dernier recours. L'initiative de son fils l'avait confirmé dans cette intention.

Non, il ne s'agissait pas seulement de son père. Il avait dû en discuter avec sa mère.

Mais quand même, pourquoi avait-il fait tomber sa mère dans la mer en allant jusqu'à voler un bateau pour cela ?

Une seule explication était envisageable. Son père avait voulu faire croire qu'il avait aussi tué son fils. Si celui-ci s'était noyé, cela expliquerait que son corps n'ait pas été retrouvé.

Au moment de choisir la mort, ses parents avaient pensé à lui. Ils s'étaient demandé ce qu'il allait devenir s'ils mouraient tous les deux.

Peut-être n'avaient-ils pas pu imaginer comment il comptait s'en sortir. Mais ne s'étaient-ils pas dit qu'il se débarrasserait peut-être de son identité en tant que Waku Kōsuke ? En pensant que dans ce cas, ils ne devaient pas l'en empêcher.

Cela les avait amenés à décider d'éliminer la personne qui portait ce nom.

Les policiers de la brigade des mineurs de la préfecture de Tokyo, les employés des services sociaux, et bien d'autres personnes encore avaient essayé de percer le secret de son identité. Personne n'y avait réussi. Cela allait de soi. Le collégien qui portait son nom avait déjà disparu de tous les registres.

Il se souvint de ce que lui avait dit sa mère quand elle était venue dans sa chambre la veille de leur départ :

261

"Ton père et moi, nous pensons d'abord à toi. Nous voulons ton bonheur avant tout. Même si nous devons donner notre vie pour ça."

Elle ne mentait pas. Et s'il était là où il était aujourd'hui, c'était grâce à ses parents.

Il secoua la tête et but du whisky. Non, ce n'était pas vrai. Il avait souffert plus qu'il n'aurait dû parce que ses parents étaient comme ils étaient. Il avait même dû abandonner son vrai nom. Il en était là où il en était aujourd'hui grâce à ses propres efforts, et rien d'autre.

Mais il ne pouvait nier qu'il était oppressé par les regrets et les remords.

Sa fuite avait privé ses parents de choix. Elle les avait acculés au suicide. Avant de partir, il ne leur avait à aucun moment proposé de renoncer à cette idée de disparaître sans laisser d'adresse, et de rentrer chez eux pour repartir à zéro.

— Vous ne vous sentez pas bien ?

Il releva la tête et vit qu'elle l'observait avec inquiétude.

— Vous avez l'air de souffrir…

— Non, fit-il avec un geste de dénégation. Tout va bien, merci.

Il dirigea les yeux vers la lettre qu'il avait écrite et la relut. Le dégoût l'envahit.

Elle lui paraissait vide de sens, et pleine d'autosatisfaction. Elle n'exprimait aucun respect pour la personne qui avait cherché à l'aider. Comment avait-il pu écrire que la conclusion à laquelle il était arrivé était que chacun d'entre nous devait trouver sa propre voie ? Il ne pouvait savoir ce qui lui serait arrivé si ses parents ne s'étaient pas sacrifiés.

Il la déchira en petits morceaux.

— Que faites-vous ? s'écria-t-elle, interloquée.

— Je suis désolé. Je peux rester encore un peu ?

— Oui, bien sûr, répondit-elle avec un sourire.

Il prit à nouveau son stylo et baissa les yeux vers son bloc de papier à écrire.

Le vieil homme du bazar Namiya avait peut-être eu raison de dire qu'une famille pouvait revenir ensemble sur le bon chemin tant qu'elle restait à bord de la même embarcation, un passage dont il se souvenait. Il s'en était enfui, et cela avait privé l'embarcation de sa destination.

Mais que devait-il écrire ? La vérité, à savoir qu'il avait ignoré le conseil que le vieux monsieur lui avait donné en abandonnant ses parents qui s'étaient ensuite suicidés ?

Il se dit aussitôt qu'il ne pouvait pas, et ne devait pas le faire.

Il ne savait pas si le suicide de la famille Waku avait fait du bruit dans la petite ville. Le vieil homme en avait-il entendu parler ? S'était-il demandé avec inquiétude s'il s'agissait du garçon qui lui avait écrit en signant "Paul Lennon" ? Peut-être avait-il regretté de lui avoir dit de ne pas quitter ses parents.

Le trente-troisième anniversaire de sa mort était à l'origine de la réouverture temporaire du service de conseils, pour le repos de son âme. Il fallait donc écrire quelque chose en ce sens. La notification demandait à ceux qui écriraient de s'exprimer avec franchise, mais dire la vérité était impossible. Non, l'important était de faire passer l'idée que son conseil avait été le bon.

Kōsuke réfléchit encore un peu puis se remit à écrire. Le début de sa lettre était presque inchangé.

À l'attention du bazar Namiya
Il y a environ quarante ans de cela, je vous ai adressé une lettre pour vous demander conseil, sous le pseudonyme de Paul Lennon.

Je vous demandais de me dire ce que je devais faire vis-à-vis de mes parents qui s'apprêtaient à quitter la ville sans laisser de trace. Vous n'avez pas affiché ma lettre, et je crois que c'était la première fois que quelqu'un vous demandait un conseil sérieux.

Vous m'avez répondu que les familles ne devaient pas se séparer, et que je devais faire confiance à mes parents et les suivre. Vous disiez que si ma famille restait unie, à bord de la même embarcation, pour ainsi dire, elle conserverait la possibilité de revenir dans le droit chemin, un conseil qui m'a été très précieux.

J'ai suivi votre conseil, et j'ai décidé de partir avec mes parents. C'était la bonne décision.

Je vous épargne les détails, cela n'a pas toujours été facile, mais finalement nous avons pu surmonter les difficultés en restant ensemble. Mes parents sont morts il y a quelques années, mais je pense que leur vie a été heureuse. Et je le suis aussi.

C'est entièrement grâce à vous. Je vous écris aujourd'hui pour vous dire ma gratitude.

Cette lettre sera-t-elle lue par les descendants de M. Namiya ? J'espère en tout cas qu'elle servira à apaiser son âme.

Paul Lennon

Il la relut plusieurs fois en éprouvant des sentiments complexes. Ce qu'il avait écrit ressemblait au contenu de la lettre que le vieil homme avait reçue du garçon qui avait été, comme lui, confronté au projet de fuite de ses parents. Il ne pouvait que s'agir d'une coïncidence.

Il plia la lettre, la glissa dans l'enveloppe, et consulta sa montre. Minuit était proche.

— J'ai une faveur à vous demander, dit-il en se levant. Je vais aller déposer cette lettre, mais je reviendrai tout de suite. J'aimerais bien boire encore un verre à ce moment-là. C'est possible ?

Elle regarda la lettre et son client, avec un léger embarras, puis elle sourit et dit que cela ne posait aucun problème.

Il la remercia et posa un billet de dix mille yens sur le comptoir. Il ne voulait pas qu'elle pense qu'il comptait partir sans payer.

Il sortit. Les autres bars étaient déjà fermés. Bientôt, il distingua le bazar. Mais il s'arrêta. Quelqu'un était debout devant.

Il se remit à marcher lentement, rempli de doute. La silhouette qu'il avait vue était celle d'une jeune femme en tailleur. Il lui donna autour de trente-cinq ans. Une Mercedes-Benz était garée le long du trottoir. Il regarda à l'intérieur et vit une caisse remplie de CD d'une artiste connue sur le siège passager. La jeune femme était peut-être liée à cette artiste.

Elle glissa quelque chose dans la fente du rideau métallique. Au moment de s'en éloigner, elle remarqua la présence de Kōsuke et s'immobilisa, le visage inquiet.

Il lui montra sa lettre d'une main et tendit l'autre vers le rideau. Le visage de la jeune femme se détendit, elle le salua de la tête et monta dans la berline.

Il se demanda combien de personnes viendraient cette nuit. Le bazar Namiya avait peut-être compté dans la vie de beaucoup de gens.

Il glissa sa lettre une fois que la voiture fut partie et l'entendit tomber avec le même bruit que quarante-deux ans plus tôt.

Il eut l'impression que quelque chose s'était rompu en lui et se dit que tout était peut-être résolu.

Quand il revint au Fab 4, l'écran accroché au mur était allumé. La femme était debout en face d'un appareil derrière le comptoir.

— Que faites-vous ?

— Il y a un film que mon frère aimait beaucoup. Enfin, ce film n'est pas sorti officiellement, et ce que je vais vous montrer, c'est une partie d'une édition pirate.

— Ah bon !

— Vous prendrez un autre verre ?

— Oui, le même whisky.

Elle lui servit encore du Bunnahabhain. Le film commença au moment où il tendait la main vers son verre. Il ne termina pas son geste. Il avait compris ce dont il s'agissait.

— C'est…

L'écran montrait le toit de l'immeuble d'Apple Records. Le vent soufflait fort, et les Beatles venaient de commencer à jouer. C'était en d'autres termes le point culminant du film *Let It Be*.

Il reposa son verre et se concentra sur les images. Ce film avait changé sa vie. En le regardant, il avait douloureusement senti la fragilité des liens entre les êtres humains.

Mais…

Les Beatles ne se comportaient pas tout à fait de la même façon que dans son souvenir. Au cinéma, il avait eu l'impression que les musiciens jouaient chacun de leur côté, et que leur performance n'allait nulle part. Mais ce qu'il voyait sur l'écran était différent.

Les quatre Beatles se donnaient à fond. Ils avaient l'air heureux. Même s'ils étaient sur le point de se séparer, ils retrouvaient peut-être leur plaisir à jouer ensemble.

S'il les avait trouvés très mauvais autrefois, ce devait être lié à son humeur d'alors. Il ne faisait plus confiance aux liens qu'il avait avec les siens.

Il prit son verre et but son whisky. Il ferma les yeux et pria pour le repos de l'âme de ses parents.

V

UNE PRIÈRE DEPUIS LE CIEL

1

Shōta revint de la boutique, le visage sombre.

— Il n'y avait rien ? demanda Atsuya.

— Non, répondit Shōta avant de soupirer. Ce doit être le vent qui a fait trembler le rideau métallique.

— Ah bon. C'est mieux comme ça, le consola son camarade.

— Je me demande si elle a lu notre réponse, déclara Kōhei.

— Elle a dû la lire, répondit Atsuya. Il n'y avait plus de lettre dans la boîte à lait. Personne d'autre n'a pu la prendre.

— Ça, c'est sûr. Mais pourquoi elle ne répond pas ?

— Euh… commença Shōta, qui s'interrompit et regarda Atsuya.

— On n'y peut rien, dit celui-ci. Vu le contenu de la lettre. Même si elle l'a reçue, elle n'a rien dû comprendre. Et puis, ça serait embêtant d'avoir une réponse. Imagine qu'elle nous demande ce que notre lettre signifie.

Kōhei et Shōta baissèrent tous les deux la tête sans rien dire.

— Mais quand même, quelle surprise ! lâcha le deuxième. Un hasard comme ça, ça existe ? Que ce soit lui, le musicien-poissonnier !

— Ça, c'est sûr, approuva Atsuya qui ne pouvait nier son étonnement.

Immédiatement après avoir terminé leurs échanges avec la fille qui avait failli se qualifier pour les Jeux olympiques, une autre demande de conseils était arrivée. Elle avait stupéfié et irrité les trois amis. Son auteur se demandait s'il devait reprendre la poissonnerie familiale ou choisir la musique, un choix qui ne leur avait pas paru difficile. Pour eux, son auteur était un jeune homme privilégié et égocentrique.

Ils lui avaient répondu par une lettre qui exprimait leurs critiques vis-à-vis de son attitude, à laquelle le musicien-poissonnier avait immédiatement réagi. Leur réplique avait été tout aussi rapide, mais une chose étrange s'était produite juste lorsque la lettre suivante était apparue par la fente.

Ils avaient entendu un harmonica qui jouait une mélodie qui leur était familière.

C'était *Renaissance*, la chanson qui avait fait connaître Mizuhara Seri, une auteure-compositeure-interprète devenue célèbre depuis. L'histoire qui y était associée n'était pas sans rapport avec eux.

Mizuhara Seri et son petit frère avaient grandi au foyer Marukōen. Lorsqu'elle était élève à l'école élémentaire, le foyer avait subi un incendie dans lequel son petit frère aurait perdu la vie si le musicien venu animer leur soirée de Noël ne l'avait pas sauvé. Il avait été grièvement blessé et était mort quelques heures plus tard dans l'hôpital où on l'avait transporté.

C'était lui qui avait composé la musique de *Renaissance*. Mizuhara Seri l'avait toujours chantée pour exprimer sa reconnaissance à l'homme qui avait sauvé son petit frère. Cette chanson lui avait valu une grande popularité.

Atsuya et les deux autres connaissaient cette histoire depuis leur enfance, car ils avaient tous les trois grandi dans ce foyer dont Mizuhara Seri était devenue la gloire, et l'image de l'espoir pour les enfants qui y vivaient. Ils rêvaient tous de l'imiter.

D'où l'étonnement des trois en entendant la mélodie. La lettre avait été poussée dans la fente lorsque l'harmonica s'était tu.

Ils avaient immédiatement discuté de la signification de ce qui venait de se passer. L'auteur des lettres les avait écrites en 1980. Mizuhara Seri était déjà née, mais elle était encore petite. Personne à l'époque ne connaissait cette mélodie.

Il n'y avait qu'une seule explication. Le musicien-poissonnier était le compositeur de la mélodie, et l'homme qui avait sauvé le petit frère de l'artiste.

Dans sa lettre, il leur parlait du choc que lui avait causé la lettre du bazar Namiya, mais aussi de la réévaluation de ses propres capacités qu'elle avait entraînée. Et il disait qu'il voulait rencontrer celui qui l'avait rédigée.

Les trois garçons avaient été embarrassés. Devaient-ils l'informer de son avenir ? Pouvaient-ils lui écrire qu'il mourrait le 24 décembre 1988 au soir, dans l'incendie d'un foyer du nom de Marukōen ?

Kōhei y était favorable. Ainsi, il échapperait peut-être à l'incendie, avait-il ajouté. Shōta avait immédiatement protesté. Dans ce cas, le petit frère de Mizuhara Seri mourrait. Kōhei n'avait pas eu d'argument à lui opposer.

Atsuya avait trouvé la solution. La lettre ne parlerait pas de l'incendie.

— De toute façon, même si on le lui disait, il n'y croirait sans doute pas. Il prendrait ça pour une prédiction de mauvais augure et se sentirait mal, c'est tout. Et puis il l'oublierait. En plus, nous savons tous les trois que cet incendie a vraiment eu lieu, et que Mizuhara Seri a vraiment chanté *Renaissance*. Donc, on ne peut probablement rien changer. Quoi qu'on écrive, ça arrivera. Mais on doit au minimum lui prodiguer des mots d'encouragement.

Shōta et Kōhei s'étaient ralliés à son opinion. Mais comment formuler cela ?

— Moi… j'ai envie de le remercier, avait dit Kōhei. S'il n'avait pas existé, Mizuhara Seri ne serait peut-être pas devenue artiste, et nous n'aurions jamais entendu *Renaissance*.

Atsuya partageait son point de vue. Et Shōta avait aussi exprimé son accord.

Ils avaient réfléchi tous les trois et voici ce à quoi ils étaient arrivés.

Vous n'aurez pas décidé d'être musicien pour rien.

Vos mélodies joueront un rôle crucial dans la vie d'autres personnes. Et elles ne disparaîtront pas.

Je serais très embarrassé si vous me demandiez plus de précisions à ce sujet, mais sachez que c'est une certitude.

Croyez-le jusqu'au bout. Oui, jusqu'à la fin.

Je ne peux pas vous en dire plus.

Ils avaient mis la lettre dans la boîte à lait et étaient allés vérifier un peu plus tard qu'elle avait été récupérée. Pouvaient-ils en conclure que le musicien-poissonnier l'avait reçue ?

Ils pensaient avoir une réponse. C'était pour cette raison qu'ils avaient fermé la porte à l'arrière de la maison et attendu.

Mais la réponse tardait. Jusqu'à présent, chaque fois qu'ils avaient placé une lettre dans la boîte à lait, ils avaient presque immédiatement reçu une réponse. Le musicien-poissonnier était peut-être arrivé à une conclusion quand il avait lu leur lettre.

— Bon, je vais ouvrir la porte arrière, dit Atsuya en se levant.

— Ne sois pas si pressé, lança Kōhei en l'agrippant par la manche de sa veste. On a encore un peu de temps, non ?

— Pourquoi ?

— Eh ben… commença Kōhei qui s'arrêta pour se lécher les lèvres. Laissons-la fermée encore un tout petit peu.

Atsuya fronça les sourcils.

— Et pourquoi ? À mon avis, il ne va pas nous répondre.

— Je le sais bien. Je ne me fais plus de souci pour lui.

— Mais pourquoi alors ?

— Eh ben… Peut-être qu'on va recevoir une lettre de quelqu'un d'autre.

— Quoi ? lâcha Atsuya, étonné.

Il lança un regard méprisant à son camarade.

— Qu'est-ce que tu racontes, toi ? Tant que la porte arrière est fermée, le temps ne passe pas. Tu es au courant, non ?

— Bien sûr que je suis au courant.

— Par conséquent, tu piges aussi que ce n'est pas le moment de dire des choses pareilles. J'ai dit d'accord pour que tu dialogues avec ce poissonnier. Maintenant, on arrête de jouer au donneur de conseils.

Atsuya fit un geste de la main comme pour lui enjoindre de partir et se dirigea vers la porte. Une fois dehors, il vérifia l'heure et vit qu'il était un peu après 4 heures du matin.

Encore deux heures et…

Ils avaient prévu de partir à 6 heures passées. Les trains auraient recommencé à circuler à cette heure-là.

Il revint à l'intérieur. Kōhei était assis, le visage fermé. Shōta consultait son téléphone.

Atsuya s'assit sur une des chaises. La flamme de la bougie sur la table tremblota, sans doute à cause d'un souffle de vent venu de l'extérieur.

Quand même, quelle drôle de maison, se dit-il en regardant les murs noircis. Pourquoi ce phénomène paranormal se produisait-il ? Et pourquoi s'étaient-ils trouvés mêlés à cette histoire ?

— Je n'arrive pas à dire ça bien, commença soudain Kōhei, mais ce soir, j'ai eu pour la première fois de ma vie l'impression que je servais à quelque chose. Alors que je suis un idiot.

Atsuya le regarda de travers.

— Tu veux continuer, c'est ça ? Alors que ça ne rapporte pas un sou.

— L'argent n'a rien à voir là-dedans. C'est bien parce que c'est gratuit. Jusqu'à présent, je n'avais jamais vraiment pensé à ce qui pouvait être bien pour quelqu'un sans penser aussi au bénéfice que j'en tirerais.

— Tss, fit Atsuya. Et alors ? On a écrit ces lettres du mieux qu'on pouvait, et ça change quoi ? Nos réponses n'ont servi à rien. La fille des Jeux olympiques a pris ce qui l'arrangeait dans ce qu'on lui a dit, c'est tout, et le poissonnier, on n'a rien pu faire pour lui. C'est ce que je dis depuis le début. Croire que des nuls comme nous peuvent donner des conseils à quelqu'un est idiot.

— Oui, mais quand on a lu la dernière lettre du "Lapin de la lune", même toi tu étais content, non ?

— D'accord, ce n'était pas désagréable. Mais ne te fais pas d'illusions. Nous, on ne peut pas donner notre avis aux autres. Nous, on est...

Il s'arrêta et pointa du doigt le sac posé dans un coin de la pièce.

— Des petits voleurs qui valent rien.

Kōhei baissa la tête, avec une expression offensée. Atsuya le remarqua et renifla.

Au même moment, Shōta poussa un cri. Surpris, Atsuya se leva de sa chaise.

— Qu'est-ce qu'il y a ?

— Je viens de lire un truc sur le bazar Namiya sur Internet, dit-il en montrant son écran.

— Sur le Net ? fit Atsuya en fronçant les sourcils. Tu veux dire un truc écrit par quelqu'un qui s'en souvenait ?

— Non, pas tout à fait. J'ai commencé par voir si je trouvais quelque chose là-dessus.

— Et alors ? Tu as trouvé des vieux souvenirs, non ?

— Pas du tout !

Il s'approcha de lui, le portable à la main.

— Tu n'as qu'à regarder !

— Tu m'embêtes, fit Atsuya qui prit cependant le téléphone.

Il lut ce qui était écrit et comprit l'excitation de Shōta. Le bazar Namiya allait rouvrir pour une seule nuit. Atsuya eut soudain chaud.

La boîte à soucis du bazar Namiya sera à nouveau en service le 13 septembre de minuit à l'aube, et j'ai une faveur à demander aux personnes qui y ont autrefois eu recours. Qu'avez-vous pensé des réponses qui vous ont été fournies ? Vous ont-elles été utiles ou non ? Dites-moi franchement ce que vous en avez pensé. Comme autrefois, merci de glisser vos réponses dans la fente du rideau métallique. Je vous remercie.

— Qu'est-ce que c'est que cette histoire ?

— Je ne sais pas, mais apparemment c'est pour le trente-troisième anniversaire du décès du monsieur qui tenait le bazar, afin d'apaiser son âme. Le message est écrit par son petit-fils.

— Quoi ? Comment ça ? demanda Kōhei en s'approchant à son tour.

Shōta lui donna son téléphone.

— Le 13 septembre, c'est aujourd'hui, remarqua Kōhei.

Atsuya s'en était déjà rendu compte. Le 13 septembre, entre minuit et l'aube... c'est-à-dire maintenant, se dit-il. Là où ils se trouvaient.

— C'est quoi, ce truc ? La boîte à soucis sera de nouveau en service ? répéta Kōhei en clignant des yeux.

— Les trucs étranges qui se passent depuis tout à l'heure, ça doit être lié à ça, fit Shōta. Oui, ça doit être ça. Aujourd'hui, le passé est lié au présent parce que c'est une nuit particulière.

Atsuya se frotta le visage. Il ne comprenait pas comment une telle chose était possible, mais Shōta avait probablement raison.

Il regarda la porte arrière, qui était ouverte. De l'autre côté, il faisait encore sombre.

— Quand la porte est ouverte, le lien avec le passé est interrompu. Il reste du temps jusqu'à l'aube. On fait quoi, Atsuya ?

— Comment ça, on fait quoi ?

— Il se peut que notre présence fasse obstacle à quelque chose. Parce que sans nous, la porte serait fermée.

Kōhei se leva, s'approcha sans bruit de la porte et la ferma.

— Mais qu'est-ce que tu fais ? lui demanda Atsuya.

Kōhei se retourna et fit non de la tête.

— Il faut la laisser fermée.

— Comment ça ? Si elle est fermée, le temps ne passe plus. Tu as envie de rester toute ta vie ici ?

À peine avait-il dit cela qu'il eut une idée. Il hocha la tête.

— OK, d'accord pour garder la porte fermée. Mais nous, on s'en va. Comme ça, tout se passera bien. On ne gênera rien ni personne. Ce n'est pas vrai ?

Ses deux amis ne donnèrent aucun signe d'approuver ce qu'il venait de dire. Leur visage était sombre.

— Mais qu'est-ce qu'il y a encore ? Vous n'êtes pas d'accord ?

Shōta finit par dire quelque chose.

— Moi, je reste ici encore un peu. Tu n'as qu'à sortir si tu veux. Tu peux attendre dehors, ou bien partir le premier.

— Moi aussi, je reste, dit Kōhei.

Atsuya se gratta la tête.

— Et vous allez faire quoi ici ?

— Rien de spécial, répondit Shōta. Juste voir ce qui se passe. Ce que va devenir cette drôle de bicoque.

— Tu piges qu'il ne reste qu'une heure avant l'aube ? Une heure à l'extérieur, ça veut dire plusieurs jours ici. Tu vas rester dans la maison pendant tout ce temps, sans manger ni boire ? C'est tout bonnement impossible.

Shōta détourna les yeux, probablement parce qu'il savait qu'Atsuya avait raison.

— Renonce à cette idée, insista Atsuya.

Shōta s'entêta dans son silence.

Quelques secondes plus tard, ils entendirent bouger le rideau de fer. Atsuya et Shōta se regardèrent.

Kōhei courut vers le magasin. Atsuya le regarda faire en disant que ce devait être le vent. Kōhei revint, les mains vides.

— C'était donc bien le vent ?

Il ne répondit pas tout de suite. Mais une fois qu'il était près d'eux, il leur tendit la lettre qu'il avait cachée dans la poche arrière de son jean.

Atsuya ne put s'empêcher de faire la grimace. C'est reparti pour un tour, pensa-t-il.

— On s'occupe de celle-là, et après on s'en va, d'accord Atsuya ? Je te promets que je partirai avec toi une fois qu'on aura répondu à cette lettre.

— OK, commençons par la lire, fit celui-ci, résigné. Peut-être que ce sera un problème qui nous dépasse.

Kōhei se mit à ouvrir prudemment l'enveloppe.

2

Bonjour Monsieur Namiya,
J'ai décidé de vous écrire pour solliciter vos conseils.

J'ai obtenu mon diplôme commercial au lycée ce prin-
temps, et j'ai immédiatement été recrutée par une société
de Tokyo. Je n'ai pas pu continuer mes études pour des rai-
sons familiales, et parce que je souhaitais commencer à tra-
vailler le plus vite possible.

Mais peu de temps après avoir été embauchée, j'ai com-
mencé à avoir des doutes sur la justesse de ma décision.

Mon employeur ne confie que les tâches les plus simples
aux jeunes filles qui sortent du lycée. Chaque jour, je sers
du thé à mes collègues, je fais des copies, et je remets au
propre les brouillons griffonnés par mes collègues mascu-
lins. N'importe qui pourrait le faire, même quelqu'un qui
ne serait pas allé plus loin que le collège, voire un élève du
primaire qui saurait bien écrire. Je ne retire aucune satis-
faction de mon travail. J'ai un diplôme de sténographie,
mais je ne m'en suis pas servi une seule fois.

Je crois que mon employeur considère que les femmes qui
veulent travailler ne le font que pour chercher un mari,
et qu'elles arrêteront une fois qu'elles en auront trouvé un.
Il n'a que faire de leurs qualifications et semble préférer
recruter chaque année de nouvelles employées afin que
ses employés masculins puissent trouver facilement une

épouse. Cela lui permet en outre de ne pas payer beaucoup les femmes.

Je n'ai pas cherché du travail dans ce but. Je veux devenir une femme indépendante, capable de subvenir à ses propres besoins. Je ne considère pas que le travail n'est qu'une étape dans ma vie.

J'avais déjà commencé à me poser toutes ces questions lorsque quelqu'un m'a abordée un jour dans la rue, pour m'offrir de venir travailler dans l'établissement qui l'employait. C'était un recruteur pour un bar à entraîneuses.

Les conditions offertes étaient excellentes, le salaire dix fois supérieur à celui de ma société. Elles étaient tellement bonnes que j'ai pensé qu'il y avait anguille sous roche. Cet homme m'a proposé de venir voir de mes propres yeux son établissement, et je l'ai fait. Je ne m'attendais pas du tout à ce que j'ai découvert.

J'associais aux mots "club" ou "entraîneuse" une atmosphère louche, mais ce que j'ai découvert était un splendide univers pour adultes. Les femmes qui y travaillaient portaient de beaux vêtements, et j'ai eu l'impression qu'elles faisaient de grands efforts pour réfléchir sérieusement à la manière de satisfaire leurs clients. Je ne sais pas si j'en serai capable, mais je me suis dit que c'était un défi à relever.

C'est ainsi que j'ai commencé à travailler la nuit comme entraîneuse dans ce club tout en continuant le jour dans la société où j'avais été embauchée. Je n'ai que dix-neuf ans, mais je me suis vieillie d'un an pour le bar. Ma seconde activité est fatigante physiquement, tenir compagnie aux clients est plus difficile que je ne le pensais, mais mon quotidien est plus satisfaisant. Sur le plan financier, cela m'apporte bien sûr de grandes facilités.

Je mène les deux de front depuis deux mois, et je commence à avoir des doutes sur la nécessité de continuer à travailler comme employée de bureau. Si je continue à

n'être chargée que de tâches simples, je ne vois pas l'utilité
de m'imposer cette obligation. Si je décidais de travailler
à plein temps dans le club, je gagnerais beaucoup plus, et
je serais aussi plus efficace.

Je cache aux gens que je connais que je travaille dans le
monde de la nuit. Et je crains que si je décidais de démis-
sionner abruptement de la société, cela causerait quelques
remous.

J'ai cependant l'impression d'avoir enfin trouvé ce que
je voulais faire. Je vous serais extrêmement reconnaissante
si vous aviez des conseils à me donner sur la manière de
procéder afin d'abandonner ce travail avec la pleine com-
préhension de mes proches, et je vous en remercie d'avance.

Le chiot qui doute

Atsuya lut la lettre et renifla bruyamment.

— Cette demande ne mérite même pas qu'on en discute. C'est quand même incroyable que la dernière lettre
que le bazar Namiya ait reçue soit ce truc !

— Oui, c'est vraiment trop, confirma Shōta en faisant la moue. Des filles comme ça, il y en a toujours eu.
Des filles légères, qui tombent dans le piège du monde
de la nuit.

— Elle doit être belle, en tout cas, commenta Kōhei,
l'air rêveur. Puisqu'un recruteur lui a adressé la parole
dans la rue, et qu'en deux mois tout juste, elle gagne
déjà pas mal.

— Ce n'est pas ça qui compte ! Allez Shōta, réponds-
lui !

— Qu'est-ce que je dois écrire ?

Il avait le stylo à la main.

— Je n'ai pas besoin de le dire, non ? "Faudrait quand
même pas prendre ses rêves pour la réalité !"

Shōta fit la grimace.

— Ça me paraît un peu violent de dire ça à une fille de dix-neuf ans.

— Pour qu'une idiote de son genre comprenne ce qu'on lui dit, il faut y aller fort.

— Je comprends, mais c'est mieux de commencer plus doucement.

— Tss, fit Atsuya. Tu es trop gentil, toi.

— Si on y va trop fort, elle jettera la lettre et fera tout le contraire de ce qu'on dit. C'est ce que tu ferais, toi, non ?

La lettre que Shōta rédigea fut la suivante :

À l'attention du Chiot qui doute,

J'ai bien reçu votre lettre.

Je serai direct. Quittez le monde de la nuit. C'est trop n'importe quoi.

Je comprends que vous puissiez y gagner bien plus qu'une employée de bureau normale. Et sans vous donner de mal.

Je comprends aussi que vous trouviez agréable ce travail qui vous permet de mener une vie confortable sans vous épuiser.

Mais cela ne durera que pendant que vous êtes jeune. Vous l'êtes, et en juste deux mois, vous n'avez pas encore découvert les aspects pénibles de ce travail. Il y a toutes sortes de gens parmi vos clients. Tôt ou tard, vous tomberez sur des hommes qui chercheront à vous séduire. Vous croyez que vous saurez les repousser ? Ou comptez-vous vous donner à tous ? Vous vous épuiserez !

Vous envisagez de devenir entraîneuse à temps plein ? Jusqu'à quel âge ? Vous voulez acquérir votre indépendance, mais dites-vous bien qu'une fois que vous serez plus âgée, plus personne ne voudra de vous.

Admettons que vous fassiez entraîneuse longtemps. Pour arriver à quoi ? Patronne de bar ? Dans ce cas-là, d'accord. Bon courage. Mais même si vous finissez par avoir votre propre bar, ce ne sera pas rien de le tenir. Vous n'avez pas envie de vous marier un jour, d'avoir des enfants et un foyer heureux ? Si oui, je ne vous blâmerai pas, mais cessez immédiatement ce travail d'entraîneuse.

Parce que si vous le continuez, vous projetez de vous marier avec qui ? Un de vos clients ? Quel pourcentage d'entre eux n'est pas marié ?

Pensez à vos parents. Ils ne vous ont pas élevée pour que vous fassiez ce métier, ni fait faire des études pour ça.

Quel mal y a-t-il à être employée de bureau ? Vous n'avez pas grand-chose à faire, mais vous êtes payée quand même, vos collègues vous traitent bien, et vous finirez par épouser l'un d'entre eux, non ? Après, vous n'aurez plus à travailler.

Ça ne vous satisfait pas ? Pourtant, c'est super.

Peut-être ne savez-vous pas qu'il y a aujourd'hui des tas d'hommes plus âgés que vous qui n'arrivent pas à trouver du travail. Et qui seraient sans doute très contents de servir du thé à leurs collègues même pour la moitié de votre salaire.

Je ne vous dis pas ça pour vous embêter. Mais pour vous aider. Croyez-moi et servez donc du thé à vos collègues.

Bazar Namiya

— Ça me semble bien, dit Atsuya, en relisant ce que Shōta avait écrit.

Il avait immédiatement eu envie de sermonner cette fille qui voulait devenir entraîneuse de bar alors que ses parents lui avaient permis d'aller au lycée et qu'elle avait un vrai travail.

Shōta alla mettre la réponse dans la boîte à lait. Il venait de refermer la porte arrière lorsqu'ils entendirent le bruit du clapet qui refermait la fente du rideau métallique.

— Je vais la chercher, dit-il en se dirigeant vers la boutique.

Il revint en tenant une autre lettre.

À l'attention du bazar Namiya,

Je vous remercie de votre réponse. Je n'étais pas sûre que vous m'en enverriez une, et j'ai été soulagée de la trouver.

Mais quand je l'ai lue, je me suis dit que j'avais eu tort de vous écrire. Vous vous méprenez sur beaucoup de points. J'aurais dû vous fournir plus d'informations.

Ce n'est pas par goût du luxe que j'ai envie de travailler dans un bar, mais pour gagner de l'argent. L'argent est pour moi une arme pour vivre sans compter sur personne. Mon travail d'employée de bureau ne me permettrait pas de me le procurer.

Je ne désire pas non plus me marier. Se marier, avoir des enfants et mener une vie de femme au foyer est probablement une forme de bonheur, mais ce n'est pas celle que je recherche.

Je crois aussi comprendre un peu la dureté de la vie dans le milieu de la nuit. Quand je vois mes collègues plus âgées, je n'ai aucun mal à imaginer que l'avenir ne sera pas facile. Je le sais, mais je veux suivre ce chemin. J'ai l'intention d'avoir mon propre bar un jour.

J'ai confiance en moi. En deux mois seulement, je me suis déjà fait quelques clients fidèles. Mais je sais aussi que je ne leur donne pas entièrement satisfaction. Le fait que je travaille aussi pendant la journée est ce qui m'en empêche. Je ne peux me rendre au bar qu'après avoir terminé ma journée au bureau, et je ne peux pas déjeuner avec mes clients quand ils le souhaitent. C'est une des raisons pour lesquelles je voudrais quitter ce travail.

Permettez-moi de vous donner une précision : je n'ai jamais eu, comme vous semblez le craindre, de relation charnelle avec mes clients. Je n'irais pas jusqu'à dire que personne ne me l'a proposé, mais j'ai réussi à refuser sans froisser mon interlocuteur.

Je sais que ceux qui m'ont élevée me désapprouveraient. S'ils venaient à l'apprendre, ils s'inquiéteraient pour moi. Mais je pense aussi que ce que je fais aujourd'hui me permettra de leur exprimer ma reconnaissance un jour.

La lecture de ces quelques lignes vous a-t-elle fait changer d'avis ?

Le chiot qui doute

PS : Je voulais vous demander conseil sur la manière de convaincre mon entourage de la justesse de mon choix, mais je n'ai jamais eu l'intention de quitter le monde de la nuit. Si vous n'arrivez pas à l'admettre, libre à vous d'ignorer ma lettre.

— Ignorons-la, d'accord ? lança Atsuya. Comment ça, elle a confiance en elle ? Elle prend les gens pour des idiots, ou quoi ?

Kōhei lut à son tour la lettre.

— On peut dire ça.

— Mais elle ne dit pas que des bêtises, objecta Shōta. Pour une fille qui n'est pas allée plus loin que le lycée, travailler dans le monde de la nuit est sans doute une bonne façon de parvenir à l'indépendance financière. Ce n'est pas du tout idiot de le penser. Il faut de l'argent ici-bas. Quand on n'en a pas, on ne peut rien faire.

— Tu crois qu'on a attendu que tu nous le dises ? répliqua Atsuya. Elle n'a pas tort de le penser, mais ce qu'on veut lui dire c'est qu'elle ne pourra pas y arriver.

— Comment peux-tu affirmer ça ? Personne ne peut le savoir ! s'exclama Shōta en pinçant les lèvres.

— Parce qu'il y a beaucoup plus de gens qui n'y arrivent pas que ceux qui y réussissent, fit Atsuya. Des entraîneuses qui gagnent plein d'argent et ouvrent leur propre bar pour faire faillite au bout de six mois, il y en a des tonnes. Avoir son propre bar n'est pas si simple. Il faut de l'argent, mais pas que ça. Elle écrit ce qu'elle écrit, mais elle ne sait rien du monde. Si elle se donne à fond dans le boulot d'entraîneuse, elle y prendra goût et oubliera son objectif. Quand elle s'en rendra compte, il sera trop tard. Elle sera trop vieille pour se trouver un mari comme pour continuer à avoir du succès comme entraîneuse et n'aura plus que ses larmes pour pleurer.

— Elle n'a que dix-neuf ans. Tu crois vraiment qu'elle doit penser si loin ?

— C'est parce qu'elle est si jeune que je dis ça, fit Atsuya en élevant le ton. Bon, écris-lui qu'elle doit oublier ces idées stupides, ne garder que son boulot de jour, et se trouver un mari.

Shōta fit non de la tête en regardant la lettre posée sur la table.

— Moi, j'ai envie de la soutenir. À mon avis, elle a réfléchi avant d'écrire.

— Le problème n'est pas de dire si elle a réfléchi ou pas, mais de savoir si c'est réaliste.

— Moi, je trouve que ça l'est assez.

— Comment ça ? Tu veux parier qu'elle y réussira ? Moi, je veux bien parier qu'elle va rencontrer au bar un mec pas sérieux, avec qui elle finira par avoir un enfant, et qu'elle causera des problèmes à son entourage.

Shōta frémit. Puis il baissa la tête avec une expression mécontente.

Un lourd silence emplit la pièce. Atsuya aussi regardait ses pieds.

— Dites, commença Kōhei, on pourrait vérifier…

— Vérifier quoi ?

— Obtenir plus de détails. Je vous ai écoutés et je me dis que vous avez raison tous les deux. Si on lui posait plus de questions pour comprendre jusqu'où elle a réfléchi, et qu'on y pense ensuite ?

— De toute façon, elle donnera une réponse qui paraîtra sérieuse, puisqu'elle croit qu'elle l'est, fit Atsuya.

— Posons-lui des questions concrètes, dit Shōta en relevant la tête. Par exemple sur la façon dont elle envisage d'arriver à l'indépendance financière, ou sur ce qui lui déplaît dans la perspective de trouver le bonheur en se mariant et en ayant des enfants. Et puis aussi sur comment elle projette d'arriver à avoir son propre bar. Parce qu'Atsuya a raison de dire que ce n'est pas simple d'avoir sa propre affaire. Si elle ne nous donne pas de réponses convaincantes, je serai d'accord pour dire qu'elle n'est pas réaliste, et pour lui écrire qu'elle doit renoncer à son boulot d'entraîneuse.

Atsuya renifla, mais acquiesça.

— À mon avis, c'est une perte de temps, mais je veux bien quand même.

— OK, fit Shōta en prenant le stylo.

Atsuya le regarda pendant qu'il noircissait la page en s'arrêtant de temps à autre pour réfléchir. Il ruminait ce qu'il venait de dire. Oui, il avait raison de prévoir qu'elle s'amouracherait d'un homme peu sérieux avec qui elle aurait un enfant hors mariage, mettant ainsi son entourage dans l'embarras. C'était ce qu'avait fait sa mère. Shōta, qui le savait, n'avait rien osé lui dire.

La mère d'Atsuya avait vingt-deux ans quand il était né. Son père, le barman de l'endroit où elle travaillait, était encore plus jeune. Mais il avait disparu dans la nature peu de temps après sa naissance.

Elle avait continué à travailler comme entraîneuse, sans doute parce qu'elle ne savait rien faire d'autre.

Quand il avait commencé à prendre conscience du monde qui l'entourait, sa mère était avec un autre homme. Atsuya ne l'avait jamais considéré comme son père. Cet homme avait aussi fini par sortir de la vie de sa mère qui l'avait rapidement remplacé par un autre. Il ne travaillait pas. Puis il était parti à son tour. Un autre était arrivé. Cela s'était reproduit plusieurs fois, puis celui qu'il n'oublierait pas avait fait son apparition.

Un homme qui le battait sans rime ni raison. Enfin, il devait bien en avoir une, mais Atsuya ne la connaissait pas. Un jour, il l'avait frappé en lui disant qu'il n'aimait pas la tête qu'il faisait. Atsuya était alors au cours préparatoire. Sa mère ne le protégeait pas, sans doute pour ne pas déplaire à cet homme.

Il était toujours couvert de bleus, mais faisait attention à ce que personne ne les remarque. Si l'école s'en rendait compte, cela lui créerait plus de problèmes. Et plus de coups.

Quand il était au cours élémentaire, l'homme avait été arrêté parce qu'il jouait à des jeux illégaux. Des policiers étaient venus chez eux. L'un d'eux avait remarqué les traces de coups sur le corps du petit garçon. Il avait demandé à la mère des explications, mais elle n'en avait pas donné de satisfaisantes.

La police avait prévenu les services sociaux. Une assistante sociale s'était présentée chez eux.

La mère lui avait dit qu'elle élevait son fils seule. Atsuya s'était demandé pourquoi. Il l'avait souvent entendue dire au téléphone qu'elle détestait s'occuper de lui et regrettait de lui avoir donné la vie.

L'assistante sociale était repartie. Il avait commencé à vivre seul avec sa mère en pensant qu'il ne serait plus battu.

En effet, elle ne le frappait pas, mais la vie d'Atsuya n'était pas de tout repos. Sa mère revenait de moins en moins souvent chez eux mais elle ne lui préparait rien à manger à l'avance et ne lui donnait pas non plus d'argent pour qu'il s'achète quelque chose. Les seuls repas qu'il faisait étaient ceux de la cantine. Atsuya ne s'était jamais plaint à personne. Il ne savait pas pourquoi il ne l'avait pas fait. Peut-être parce qu'il n'avait pas envie que l'on ait pitié de lui.

L'hiver était arrivé. Il avait passé Noël seul. Les vacances de fin d'année avaient commencé. Cela faisait plus de deux semaines qu'il n'avait pas vu sa mère. Le frigo était vide.

Le 28 décembre, Atsuya avait été arrêté parce qu'il avait volé des brochettes de poulet sur un stand en plein air. Il ne souvenait plus de ce qu'il avait mangé entre le début des vacances et ce jour-là. À dire vrai, il ne se souvenait pas non plus d'avoir volé les brochettes. Il s'était évanoui en tentant d'échapper à ses poursuivants.

Trois mois plus tard, il était entré au foyer Marukōen.

3

À l'attention du Chiot qui doute,
J'ai bien reçu votre deuxième lettre.

À présent, je comprends que ce n'est pas par goût du luxe que vous travaillez comme hôtesse.

Votre rêve d'avoir un jour votre propre bar m'impressionne.

J'ai cependant des doutes sur votre capacité à ne pas laisser l'argent et le luxe que votre travail d'entraîneuse vous apporte vous monter à la tête.

Comment comptez-vous par exemple mettre de côté l'argent dont vous aurez besoin ? Avez-vous préparé un plan détaillé ? Une fois que vous aurez l'argent nécessaire, comment comptez-vous procéder ? Vous aurez besoin de personnel. Il faudra savoir le gérer. Comment allez-vous apprendre à le faire ? Êtes-vous sûre d'en être capable ? Si oui, d'où tirez-vous cette certitude ?

Votre projet d'arriver à l'autonomie financière est louable. Mais ne croyez-vous pas qu'en vous mariant avec quelqu'un qui a de l'argent, vous aurez accès à une vie stable et honorable ? Ne trouvez-vous pas qu'une épouse qui ne travaille pas est en un certain sens autonome, dans la mesure où elle soutient son mari ?

Vous écrivez que vous souhaitez exprimer votre gratitude à ceux qui vous ont élevée, mais l'argent ne suffira sans doute pas. Vous voir heureuse est la meilleure façon de le faire.

Vous me demandez d'ignorer votre lettre si je ne suis pas d'accord avec vous, mais j'en suis incapable, et c'est ce qui m'a amené à vous répondre. S'il vous plaît, répondez-moi avec franchise.

Bazar Namiya

— Ça me semble pas mal, dit Atsuya en rendant la feuille à Shōta.

— Je me demande comment elle va y réagir. Et si elle va nous donner un plan détaillé pour son avenir.

Atsuya secoua la tête en l'entendant.

— Moi, je pense que non.

— Et pourquoi pas ? Tu veux bien arrêter de tout décider d'avance ?

— Même si elle te donne un plan, ce sera un truc pas réaliste. Du genre, elle va avoir un client qui sera un acteur connu ou un joueur de baseball célèbre qui va l'aider.

— Si ça lui arrivait, ça lui garantirait le succès, lança Kōhei.

— Idiot ! Comment cela pourrait-il lui arriver ?

— Bon, je vais mettre la lettre dans la boîte à lait, dit Shōta en se levant.

Il ouvrit la porte arrière et sortit. Ses deux amis entendirent le couvercle de la boîte s'ouvrir et se refermer. Atsuya se demanda soudain combien de fois il l'avait entendu.

Shōta revint et referma la porte arrière. Immédiatement après, il y eut un bruit métallique du côté de la boutique.

— Je vais la chercher, dit Kōhei.

Atsuya et Shōta échangèrent un regard.

— J'ai hâte de lire sa réponse, dit le second.

Le premier haussa les épaules.

Kōhei revint, une enveloppe à la main.

— Je peux la lire en premier ?

— Vas-y, répondirent les deux autres de concert.

Il commença immédiatement à le faire. Son visage passa du sourire à la concentration. Il se mit à se ronger les ongles. Ses deux amis se dévisagèrent à nouveau. Kōhei se rongeait les ongles quand il avait peur.

La lettre était longue. Elle comptait plusieurs feuillets. Leur impatience grandissait. N'en pouvant plus, Atsuya tendit la main vers le premier, dont Kōhei avait fini la lecture.

À l'attention du bazar Namiya,

J'ai lu votre deuxième courrier. Et à nouveau, les regrets m'ont envahie.

J'ai éprouvé de la colère en lisant que vous pensiez que l'argent qui coulerait à flots me monterait à la tête. En me demandant qui s'amuserait à penser des choses pareilles.

Mais après avoir retrouvé mon calme, je me suis dit que vous aviez raison. Il est normal que vous ne fassiez pas confiance à une petite jeune de dix-neuf ans qui dit qu'elle veut avoir sa propre affaire.

Je pense à présent que je n'aurais pas dû faire de cachotteries. Et je compte maintenant tout vous dire.

Je me répète, mais je veux devenir financièrement indépendante. Et je veux aussi vivre à mon aise. Pour dire les choses tout à fait clairement, je veux gagner beaucoup d'argent. Mais ce n'est pas seulement pour moi.

J'ai perdu mes parents quand j'étais petite, et j'ai vécu pendant six ans, jusqu'à la fin de l'école élémentaire, dans un foyer pour enfants, le foyer Marukōen.

Mais j'ai eu la chance d'être recueillie par des parents juste avant d'entrer au collège. Ce sont eux qui m'ont permis d'aller jusqu'au lycée. Au foyer, j'ai côtoyé des enfants qui avaient été battus par leurs parents. Et d'autres qui n'avaient pas été nourris suffisamment par leur famille d'accueil, qui ne les avait pris chez eux que pour avoir de l'argent. Tout cela fait que je pense que j'ai eu de la chance.

C'est pour cette raison que je veux exprimer ma gratitude aux membres de ma famille qui m'ont recueillie. Mais le temps presse. Ils sont âgés, ne travaillent plus et vivent de ce qui reste de leurs économies. Je suis la seule à pouvoir les aider. Et mon travail de jour, où je passe mon temps à servir du thé et à faire des photocopies, ne me le permet pas.

J'ai un plan pour ouvrir mon propre bar. Je dois bien sûr faire des économies, mais j'ai aussi quelqu'un qui me conseille, un de mes clients, un homme qui a plusieurs restaurants. Il m'a dit qu'il me soutiendrait sur tous les plans une fois que je deviendrais indépendante.

Je devine que vous allez douter de cela. Que vous allez vous demander pourquoi cet homme est si gentil avec moi.

Je serai franche. Il voudrait que je devienne sa maîtresse. Si je lui dis oui, il me versera de l'argent chaque mois, une somme non négligeable. Je suis en train de réfléchir à sa proposition. Parce que cet homme ne me déplaît pas.

Voilà, je pense avoir répondu à vos questions. J'espère que vous avez compris que je ne suis pas une tête en l'air qui fait l'entraîneuse. Ou bien ma lettre vous donne-t-elle l'impression que je vous mens ? Allez-vous me dire que je fais des rêves de petite fille ? Mais je vous prie de m'indiquer là où vous pensez que je me trompe, et les angles morts que vous trouvez à mon approche.

Je vous en remercie d'avance.

Le chiot qui doute

4

— Je vais à la gare et je reviens, dit Harumi à sa grand-tante Hideyo qui était dans la cuisine où flottait une bonne odeur de bouillon de poisson.

— Oui, répondit celle-ci qui était en train de s'assurer du goût de sa préparation.

Harumi enfourcha sa bicyclette posée près du portail et se mit à pédaler sans se presser. C'était la troisième fois cet été qu'elle sortait de si bonne heure le matin. Hideyo trouvait peut-être cela bizarre, mais ne lui posait pas de question car elle lui faisait confiance. Harumi ne s'absentait d'ailleurs pas pour une mauvaise raison.

Elle suivit la même route que d'habitude, à la même allure. Bientôt, elle arriva à destination.

Le bazar Namiya était nimbé de brume, sans doute à cause de la pluie tombée pendant la nuit. Elle s'assura qu'il n'y avait personne alentour et s'engagea dans le passage à côté du magasin. La première fois qu'elle l'avait fait, elle était tendue, mais ce n'était plus le cas aujourd'hui.

Il y avait une porte à l'arrière de la maison, et une boîte à lait juste à côté. Elle inspira profondément avant de l'ouvrir. Comme les autres fois, une enveloppe s'y trouvait.

Elle poussa un soupir de soulagement.

Puis elle retourna sur la rue et repartit chez elle. Quelle réponse sa troisième lettre avait-elle reçue ? Harumi pédala plus vite qu'à l'aller, pressée de la lire.

Mutō Harumi était revenue chez elle le deuxième samedi d'août. Par chance, la société où elle travaillait le jour et le bar qui l'employait la nuit fermaient tous les deux au même moment pour les vacances d'été. Si cela n'avait pas été le cas, elle n'aurait pas pu venir chez sa grand-tante. Demander des congés à la société n'aurait pas été facile. C'était plus simple au bar, mais elle ne souhaitait pas ne pas travailler, car elle voulait gagner le maximum tant qu'elle le pouvait.

Elle était revenue dans la maison qu'elle considérait comme "chez elle". Ce n'était pas celle de ses parents. Le nom qui figurait sur la plaque, Tamura, était différent du sien.

Son père et sa mère étaient morts dans un accident de la route quand elle avait cinq ans. Un camion qui roulait en sens inverse sur une voie rapide avait franchi le terre-plein central pour venir percuter leur voiture, un accident exceptionnel. Harumi se trouvait à ce moment-là à l'école maternelle et ne se souvenait pas du moment où on lui avait appris ce qui s'était passé. Elle avait dû être submergée de chagrin, mais elle n'en avait gardé aucun souvenir, pas plus que de la période de six mois pendant laquelle elle avait été mutique, comme on le lui avait raconté par la suite.

Elle n'était pas sans famille, mais ses parents avaient très peu de contacts avec les leurs. Cela expliquait que personne n'ait offert de la recueillir, à part les époux Tamura.

Tamura Hideyo, sa grand-tante, était la sœur aînée de sa grand-mère maternelle. Le grand-père de Harumi était mort à la guerre, et sa grand-mère de maladie peu après la guerre. Hideyo la choyait comme si c'était sa propre petite-fille, et Harumi considérait qu'elle avait eu de la chance. Son grand-oncle était un homme très gentil.

Mais son bonheur n'avait pas duré. La fille unique des Tamura était revenue habiter chez eux avec son mari et ses enfants. Des années après, Harumi avait appris que l'entreprise créée par l'époux de leur fille avait fait faillite, et qu'ils avaient perdu leur domicile à cause de leurs lourdes dettes.

C'était l'année où elle allait entrer à l'école élémentaire, et sa grand-tante l'avait confiée à un foyer en lui disant qu'elle viendrait bientôt la chercher.

Hideyo n'avait pu tenir cette promesse que six ans plus tard, lorsque sa fille et sa famille avaient pu reprendre leur indépendance. Le jour où Harumi était revenue, elle s'était agenouillée devant l'autel bouddhique de la maison en disant qu'elle pouvait enfin regarder sa petite sœur dans les yeux.

En face de la maison des Tamura se trouvait celle des Kitazawa, dont la fille, Shizuko, avait trois ans de plus que Harumi. Les deux fillettes avaient souvent joué ensemble la première année que Harumi avait passée chez les Tamura. Quand elle y était revenue, Shizuko venait d'entrer au lycée et Harumi l'avait trouvée très mûre.

Shizuko lui avait confié, les larmes aux yeux, qu'elle s'était fait beaucoup de souci pour elle. Leur amitié était sortie grandie de cette séparation, et elles se considéraient presque comme des sœurs. Harumi se réjouissait de la revoir.

Shizuko était étudiante en quatrième année dans une université de sport, où elle s'était spécialisée en escrime, sport qu'elle avait commencé au lycée. Elle faisait partie des escrimeuses présélectionnées pour les Jeux olympiques.

Son université n'étant pas loin, elle habitait encore chez ses parents mais s'absentait souvent pour des stages et des compétitions à l'étranger.

Par chance, elle aussi serait là pendant ces deux semaines. Comme le Japon avait décidé de boycotter les Jeux de Moscou, Harumi avait eu peur que cela la déprime, mais ce n'était heureusement pas le cas. Parler des Jeux olympiques ne la dérangeait pas. Elle n'avait d'ailleurs pas été retenue pour l'équipe nationale, ce qui expliquait son détachement face à la décision du Japon, bien qu'elle en ait été attristée pour ses camarades qui l'avaient été.

Presque deux ans s'étaient écoulés depuis leur dernière rencontre. La jeune fille mince qu'était autrefois Shizuko s'était transformée en une athlète aux larges épaules, et aux bras plus musclés que beaucoup d'hommes.

Son amie lui avait confié en fronçant le nez, une habitude qu'elle avait depuis toujours, que sa mère avait coutume de dire que la maison semblait plus petite quand elle était là. C'était elle qui lui avait parlé du bazar Namiya, lorsqu'elles revenaient d'une danse traditionnelle de la Fête des morts. Elles discutaient de leurs rêves et de mariage quand Harumi, qui avait envie de taquiner son amie, lui avait demandé ce qu'elle ferait si elle devait choisir un jour entre l'escrime ou son amoureux.

Shizuko s'était immobilisée, et elle avait regardé Harumi droit dans les yeux, avec un regard pénétrant. Puis elle s'était mise à pleurer.

— Mais qu'est-ce qui t'arrive ? J'ai dit quelque chose qu'il ne fallait pas dire ? Pardon ! Je ne voulais pas te faire de peine, s'excusa Harumi.

Shizuko secoua la tête et essuya ses larmes de la manche de son kimono de coton. Puis elle lui sourit.

— Ce n'est rien. C'est à moi de te demander pardon pour ma réaction. Ce n'est rien, rien du tout, lui répéta-t-elle avant de se remettre à marcher.

Elles continuèrent à avancer quelque temps en silence. Le chemin parut soudain long à Harumi. Puis son amie s'arrêta à nouveau.

— Harumi, tu serais d'accord pour faire un petit détour ?

— Un détour ? Pour aller où ?

— Tu verras. Ne t'en fais pas, ce n'est pas loin.

Elle l'emmena devant un petit magasin, dont l'enseigne annonçait : "Bazar Namiya". Le rideau de fer était tiré, sans que Harumi ne comprenne si c'était à cause de l'heure ou parce que le magasin avait définitivement fermé.

— Tu as entendu parler de ce magasin ?

— Namiya… Ça me dit quelque chose, mais je ne sais plus quoi.

— "Le bazar Namiya à qui vous pouvez confier vos soucis", chantonna Shizuko.

— Ah ! s'exclama Harumi, je me souviens maintenant, une amie m'en a parlé. Alors, c'est ici ?

C'était quand elle était à l'école élémentaire, mais elle n'y était jamais venue.

— Le bazar est fermé, mais le propriétaire continue à répondre aux questions qui lui sont posées.

— Vraiment ?

— Oui. Ces derniers temps, j'y ai fait appel.

Harumi écarquilla les yeux en entendant cette confidence.

— Je n'y crois pas !

— Tu es la première personne à qui j'en parle. Parce que tu m'as vue pleurer, expliqua-t-elle, les yeux à nouveau humides.

Ce que son amie lui raconta choqua Harumi. Elle fut surprise d'apprendre qu'elle était tombée amoureuse de son entraîneur, et qu'ils avaient envisagé le mariage, mais le choc était venu quand Shizuko lui avait dit qu'il était mort, et qu'elle savait qu'il était condamné quand elle préparait les Jeux.

— Moi, je n'y serais jamais arrivée, dit Harumi. L'homme que tu aimais était atteint d'une maladie incurable. Moi, je n'aurais pas pu me concentrer sur le sport à un moment pareil.

— Tu dis ça parce que tu ne sais pas tout de nous, répondit Shizuko d'un ton calme. Je crois qu'il avait compris qu'il n'en avait plus pour longtemps. Et qu'il a passé ses derniers jours à prier que mon rêve et le sien se réalisent. J'en étais consciente, et je n'ai plus hésité.

Elle ajouta que le bazar Namiya l'avait aidée à se débarrasser de ses doutes.

— Ses conseils sont extraordinaires, d'une grande clarté, sans rien d'ambigu. Je me suis fait remonter les bretelles ! Mais cela m'a fait comprendre que je me mentais à moi-même. Après ça, j'ai pu me donner à fond pour l'escrime.

— Hum… lâcha Harumi.

Elle regarda la bâtisse. La maison semble inhabitée.

— Je comprends tes doutes. Mais je te raconte la vérité. À mon avis, personne n'y vit, mais la nuit, quelqu'un doit venir chercher les lettres. Ensuite cette personne écrit la réponse et la met dans la boîte à lait avant l'aube.

— Ah bon…

Harumi avait du mal à concevoir qui se donnerait la peine de faire cela. Mais Shizuko ne mentait certainement pas.

À partir de ce soir-là, elle n'arriva plus à oublier le bazar Namiya. Elle avait pour cela une bonne raison, un problème dont elle ne pouvait parler à personne.

Il s'agissait d'argent.

Sa grand-tante ne lui avait pas fait de confidences à ce sujet, mais les Tamura avaient des difficultés financières si graves qu'ils étaient sur le point de sombrer. Pour l'instant, ils arrivaient encore à écoper l'eau qui entrait dans leur embarcation, mais cela ne pourrait pas durer.

Autrefois, ils étaient riches. Ces dernières années, ils avaient dû vendre petit à petit les terrains qu'ils possédaient afin de rembourser les dettes de leur gendre. Ils y avaient réussi et avaient pu accueillir à nouveau leur petite-nièce.

Leurs problèmes ne se limitaient pas à cela. À la fin de l'année précédente, son grand-oncle avait eu un accident vasculaire cérébral qui l'avait laissé hémiplégique.

Telles étaient les circonstances dans lesquelles Harumi était partie travailler à Tokyo. Elle se sentait bien sûr le devoir de les aider. Mais son salaire était tellement bas qu'elle le dépensait presque entièrement pour vivre et ne pouvait leur offrir aucun soutien.

L'occasion de travailler dans le monde de la nuit s'était présentée à un moment où elle se demandait que faire. Elle ne l'aurait sans doute pas envisagé dans d'autres circonstances, car elle avait des préjugés contre les femmes qui travaillaient comme entraîneuses.

Ce n'était plus le cas aujourd'hui. Elle songeait à arrêter son travail d'employée de bureau pour devenir exclusivement entraîneuse.

Assise dans sa chambre d'enfant, elle réfléchissait à la manière de formuler sa demande de conseils, en s'interrogeant sur la réaction du bazar Namiya.

Le problème pour lequel Shizuko y avait fait appel était aussi très délicat. Et elle avait obtenu une réponse qui l'avait aidée. Le bazar Namiya saurait peut-être le faire pour elle aussi.

Continuer à hésiter ne lui apporterait rien. Autant essayer, pensa-t-elle en se mettant à écrire.

Au moment de glisser sa lettre dans la fente du rideau métallique, elle avait à nouveau été saisie d'angoisse. Allait-elle vraiment recevoir une réponse ? Shizuko lui avait raconté qu'elle avait demandé conseil l'année précédente. Peut-être n'y aurait-il personne pour lire sa lettre qui resterait dans la boutique à l'abandon.

Tant pis, se dit-elle en la poussant dans la fente. Son nom n'apparaissait pas. Quelqu'un qui la lirait ne devinerait pas qu'il s'agissait d'elle.

Le lendemain matin, elle trouva une enveloppe dans la boîte à lait. Le contraire l'aurait embarrassée, mais elle n'en était pas moins étonnée.

Elle lut la lettre et comprit ce que Shizuko avait voulu dire. Le ton de son auteur était direct, il n'y allait pas par quatre chemins, sans gêne ni politesse superflues. Elle eut même le sentiment qu'il la provoquait et cherchait à la mettre en colère.

— C'est le style du bazar Namiya. Je crois que c'est intentionnel, pour aider à faire la part des choses, à trouver sa propre réponse, avait dit Shizuko.

Quand même, le ton est rude, pensa Harumi, blessée par la supposition que le métier d'entraîneuse l'intéressait parce qu'il permettait une vie facile.

Elle avait immédiatement décidé de répondre par une lettre de protestation, dans laquelle elle expliquait qu'elle ne souhaitait pas se lancer à plein temps dans le monde de la nuit pour avoir une vie facile, mais parce qu'elle rêvait de créer sa propre affaire.

La réponse du bazar Namiya à cette deuxième lettre l'avait encore plus irritée. Cette fois-ci, son auteur semblait douter de sa sincérité. Il lui suggérait même de se marier et de devenir femme au foyer pour exprimer sa gratitude à la famille qui l'avait accueillie.

Elle s'était calmée en pensant qu'elle y était pour quelque chose, puisqu'elle avait caché le plus important. Cela faisait que son interlocuteur ne pouvait comprendre ses sentiments.

Elle avait décidé de révéler plus de choses sur elle-même dans sa troisième lettre : le contexte dans lequel elle avait grandi, et les difficultés actuelles de sa famille nourricière. Elle avait aussi écrit noir sur blanc le plan qu'elle avait conçu.

Elle glissa sa missive dans la fente en se demandant quelle réponse elle recevrait. Il ne faut pas que j'en attende trop, s'admonesta-t-elle.

Le petit-déjeuner était prêt lorsqu'elle revint à la maison. Elle commença à le manger, assise sur les tatamis. Sa grand-tante nourrissait à la cuillère son grand-oncle allongé dans la pièce voisine. Harumi se dit en les voyant qu'elle n'avait pas une minute à perdre. Elle devait les aider.

Une fois son repas terminé, elle remonta dans sa chambre, sortit la lettre de sa poche et s'assit à son bureau d'écolière pour la lire. Elle reconnut l'écriture peu soignée de son correspondant.

Le contenu était cependant très différent des missives précédentes.

À l'attention du Chiot qui doute
J'ai lu votre troisième lettre et j'ai bien compris que vous vous trouviez dans une situation difficile et que votre désir

d'exprimer votre gratitude est sincère. Cela me conduit à vous poser d'autres questions.

L'homme avec qui vous envisagez de conclure un contrat d'amante est-il vraiment fiable ? Vous dites qu'il s'occupe de bars et de restaurants, mais lui avez-vous déjà demandé de vous fournir plus d'informations à ce sujet ? À savoir, le genre d'établissements, la nature de ses rapports avec eux, etc. S'il vous donne des informations précises, vous feriez bien d'y aller en dehors des heures d'ouverture, pour essayer de parler aux gens qui y travaillent.

Avez-vous des preuves qu'il vous aidera véritablement lorsque vous créerez votre propre affaire ? Savez-vous s'il est marié ? S'il l'est, sera-t-il capable de respecter le contrat qu'il aura conclu avec vous-même si sa femme découvre votre relation ?

Avez-vous l'intention d'être toujours sa maîtresse ? Que ferez-vous si vous tombez amoureuse de quelqu'un d'autre ?

Vous dites que vous avez l'intention de continuer à travailler dans le monde de la nuit pour acquérir des moyens financiers et ouvrir un jour votre propre bar, mais pourriez-vous imaginer un autre moyen de le faire ? Ou bien avez-vous une raison pour souhaiter rester dans ce monde ?

S'il existe une autre façon d'acquérir des moyens financiers, et que le bazar Namiya vous l'apprenne, serez-vous prête à suivre toutes nos instructions ? Il se peut que parmi ses instructions figurent des choses comme "arrêter de travailler comme entraîneuse" ou encore "ne pas devenir la maîtresse d'un homme douteux".

Merci de répondre à ces questions dans votre prochaine lettre. Suivant votre réponse, nous pourrons vous aider à réaliser votre rêve.

Vous doutez sans doute de ce que nous vous écrivons. Mais nous n'avons aucune intention de vous tromper. De toute façon, nous n'avons rien à gagner en vous aidant. Faites-nous confiance.

Il y a cependant un point de la plus haute importance : nous ne pourrons continuer cette correspondance avec vous que jusqu'au 13 septembre. Toute communication sera impossible après cette date.

Réfléchissez bien !

Bazar Namiya

5

Harumi venait de finir de raccompagner son troisième groupe de clients de la soirée lorsque Maya, une entraîneuse qui avait quatre ans de plus qu'elle, la fit venir dans les toilettes des employés où elle l'agrippa par les cheveux.

— Faudrait pas croire que tu peux faire n'importe quoi parce que t'es jeune !

— De quoi parles-tu ? répliqua Harumi, les traits tordus par la douleur.

— Comme si tu savais pas. Tu fais du rentre-dedans à mes clients ! lui reprocha Maya en pinçant ses lèvres rouge vif.

— Mais à qui ? Je n'ai rien fait de tel !

— Ne fais pas l'idiote. La manière dont tu t'es conduite avec le vieux Satō ! Ce client-là, il m'a suivie quand j'ai commencé ici, moi !

Satō ? Elle aurait fait du gringue à cet homme dodu ? Et puis quoi encore, pensa Harumi.

— Il m'a parlé, je lui ai répondu, c'est tout !

— Menteuse ! T'as voulu le draguer, je t'ai vue !

— Quand on travaille ici, on doit être aimable avec les clients, non ?

— Tu vas la fermer, enfin !

Maya lâcha enfin ses cheveux mais lui donna une bourrade dans la poitrine. Le dos de Harumi alla heurter le mur.

— En tout cas, sache que tu auras des ennuis si tu recommences. T'as intérêt à pas l'oublier ! reprit-elle avant de quitter les toilettes.

Harumi se regarda dans le miroir. Elle remit de l'ordre dans ses cheveux ébouriffés et s'efforça de retrouver son calme. Elle ne pouvait pas se laisser impressionner par cet incident.

Elle sortit des toilettes et reçut l'ordre d'aller à une autre table où étaient assis trois hommes habillés de vêtements visiblement coûteux.

— Tu es encore toute jeune, toi, lança sur un ton lascif celui d'entre eux qui avait le crâne chauve.

— Enchantée de faire connaissance. Je m'appelle Miharu, répondit-elle en s'asseyant à côté de lui.

Une collègue plus âgée était déjà attablée, le sourire aux lèvres, avec les trois hommes. Elle lui jeta un regard glacial. Quand elle lui avait reproché, quelques jours plus tôt, d'être trop voyante, Harumi avait décidé de ne pas s'en préoccuper. L'important dans ce métier était de plaire aux clients, non ?

Tomioka Shinji arriva peu après. Il portait un complet gris avec une cravate rouge. Son corps svelte faisait oublier ses quarante-six ans.

Il fit bien sûr venir Harumi à sa table.

— Je connais un bar très chic à Akasaka, dit-il après avoir bu une gorgée de son whisky. Il est ouvert jusqu'à 5 heures du matin, il sert des vins du monde entier, et quelqu'un de là-bas m'a appelé tout à l'heure pour me dire qu'ils avaient reçu du très bon caviar. Ils aimeraient que je vienne le goûter. Tu crois que tu pourrais m'y accompagner tout à l'heure ?

La proposition attirait Harumi qui joignit pourtant les mains devant son visage.

— Je suis désolée, mais demain, je ne peux pas arriver en retard.

Tomioka soupira avec une expression ambiguë.

— C'est exactement pour ça que je pense que tu devrais donner ta démission. C'est quoi déjà, la boîte où tu bosses ?

— Un fabricant d'équipements de bureau.

— Et tu y fais quoi ? Rien de spécial, non ?

— Non, admit-elle parce que c'était la vérité.

— Ce travail t'impose des contraintes, mais ne te rapporte pas grand-chose. On n'est jeune qu'une fois, tu sais. Et si tu veux parvenir à réaliser ton rêve, il faut que tu utilises au mieux le temps dont tu disposes.

— Oui, acquiesça-t-elle avant de le regarder. À propos, vous m'avez promis de m'emmener dans un restaurant de Ginza. Vous savez, celui dont vous vous êtes occupé au moment de l'ouverture.

— Tu veux y aller quand ? demanda-t-il en se penchant vers elle.

— Si c'était possible, à un moment où il n'est pas ouvert.

— Comment ça ?

— J'aimerais parler aux gens qui y travaillent. Voir comment ça se passe quand il n'est pas ouvert…

Le visage de Tomioka s'assombrit.

— Je ne suis pas sûr que ce soit une bonne idée.

— Vous ne voulez pas ?

— J'ai pour principe de ne pas mélanger mes affaires et ma vie privée. Si je te montre l'envers du décor parce que je te connais, ça ne sera pas agréable pour les gens qui travaillent là-bas.

— Ah… Vous avez raison. Je vous demande pardon pour cette demande déraisonnable.

— Mais ça ne me poserait aucun problème que tu y ailles en tant que cliente. On n'a qu'à le faire un de ces jours, suggéra-t-il en lui souriant à nouveau.

Cette nuit-là, il était à peu près 3 heures lorsqu'elle arriva dans son logement de Kōenji. Tomioka la raccompagna en taxi.

— J'attendrai que tu m'invites pour monter chez toi, lui dit-il comme il le faisait chaque fois qu'elle descendait de voiture devant chez elle. J'espère que tu réfléchis à mon offre.

C'était une référence au contrat qu'il lui avait proposé. Elle lui sourit, comme elle le faisait toujours quand il en parlait.

Sitôt chez elle, elle but un grand verre d'eau. Elle travaillait dans le bar quatre soirs par semaine, et rentrait généralement à cette heure-là. Les trois autres soirs, elle allait au bain public.

Elle se démaquilla avant de consulter son agenda. Il y aurait une réunion demain matin, et elle devrait arriver au bureau une demi-heure plus tôt que d'ordinaire. Elle ne pourrait dormir que quatre heures au maximum.

Elle remit ensuite son agenda dans son sac et en tira une enveloppe. Elle soupira en sortant la lettre qu'elle contenait. À force de l'avoir lue et relue, elle la connaissait par cœur. Mais elle la consultait une fois par jour. C'était la troisième qu'elle avait reçue du bazar Namiya.

"L'homme avec qui vous envisagez de conclure un contrat d'amante est-il vraiment fiable ?"

Elle avait ses doutes là-dessus mais s'était efforcée de les oublier. Si Tomioka mentait sur tout, son rêve s'éloignerait encore plus.

Mais ils étaient justifiés quand elle réfléchissait calmement à sa proposition. Si Harumi acceptait de devenir sa maîtresse et que sa femme découvre leur relation, continuerait-il à l'aider ? Elle n'en était pas certaine.

Et que penser de son attitude ce soir ? Affirmer qu'il avait pour principe de ne pas mêler le privé et le business n'avait rien de surprenant, mais il lui avait proposé de l'emmener dans ce restaurant pour lui montrer ce dont il s'occupait.

Elle commençait à se dire qu'elle ne pouvait peut-être pas lui faire confiance. Mais dans ce cas, que faire ?

Elle tourna à nouveau les yeux vers la lettre. "S'il existe une autre façon d'acquérir des moyens financiers, et que le bazar Namiya vous l'apprenne, serez-vous prête à suivre toutes nos instructions ?" Et un peu plus bas : "Suivant votre réponse, nous pourrons vous aider à réaliser votre rêve."

Qu'est-ce que cela pouvait bien signifier ? Le texte de la lettre lui faisait penser au boniment d'un escroc cherchant à vendre des produits qui n'existent pas. Normalement, elle n'en aurait pas tenu compte.

Mais elle l'avait reçue du fameux bazar Namiya, qui avait résolu les tourments de Shizuko. Au demeurant, même si elle ne l'avait pas su, les échanges qu'elle avait eus avec son auteur lui donnaient envie de lui faire confiance. Il s'exprimait directement, sans chercher à la flatter, et cette franchise lui donnait le sentiment qu'il était maladroit mais sincère.

La lettre disait vrai. Son auteur n'avait rien à gagner à tromper Harumi. Elle ne pouvait pas pour autant le croire aveuglément. S'il existait une méthode pour réussir à tous les coups, personne ne serait dans l'embarras, et le propriétaire du bazar aurait dû faire fortune.

Les vacances de Harumi se terminèrent sans qu'elle écrive de réponse, et elle revint à Tokyo où elle recommença à travailler au bar et dans la société d'équipements de bureau, un quotidien fatigant. Elle avait souvent envie de donner sa démission.

Une autre chose la préoccupait. Le calendrier indiquait la date du 10 septembre, un mercredi.

La correspondance avec le bazar Namiya s'interrompait définitivement le 13, c'est-à-dire le samedi suivant. Pourquoi en était-il ainsi ?

Elle allait sans doute lui adresser une nouvelle lettre. Elle pourrait décider ensuite de ce qu'elle ferait. Une promesse n'engageait que celui qui y croyait. Si elle ne la respectait pas et qu'elle continuait à travailler comme hôtesse, son correspondant n'en saurait rien.

Elle se regarda dans le miroir et vit qu'elle avait un bouton près de sa bouche. Elle manquait de sommeil. Une fois que je ne serai plus employée de bureau, je dormirai tous les jours jusqu'à midi, se dit-elle.

Le vendredi 12 septembre, elle partit pour la maison des Tamura en sortant du bureau. Elle avait prévenu le bar qu'elle serait absente ce soir-là.

Les Tamura avaient été surpris d'apprendre qu'elle reviendrait les voir moins d'un mois après la fin des vacances d'été. Surpris, mais aussi contents. Elle put bavarder tranquillement avec son grand-oncle, ce qu'elle n'avait pas eu le temps de faire pendant sa dernière visite, et l'informa des derniers développements de sa vie, bien sûr sans mentionner son travail au bar.

— Tu t'en sors avec le loyer, et les factures d'eau et d'électricité ? Si tu n'y arrives pas, dis-le, et on t'aidera, articula-t-il avec peine.

Comme sa femme s'occupait des finances de leur foyer, il ne savait pas à quel point leur situation était difficile.

— Oui, je m'en sors, parce que je fais attention. Et puis je suis tellement occupée que je n'ai pas le temps de dépenser mon argent, répondit Harumi d'un ton dégagé.

Elle ne mentait pas.

Elle prit son bain après le dîner et regarda le ciel nocturne de l'autre côté de la moustiquaire. La lune était pleine. Il ferait sans doute beau demain.

Quelle réponse allait-elle obtenir ?

Elle était passée par le bazar Namiya en venant chez les Tamura. La lettre qu'elle avait glissée par la fente du rideau métallique disait qu'elle ne souhaitait pas être entraîneuse, et préférerait ne pas signer ce contrat avec l'homme qui voulait faire d'elle sa maîtresse. Elle voulait arrêter de travailler dans le bar en faisant entièrement confiance au bazar Namiya s'il existait une méthode qui lui permette de réaliser son rêve.

Le lendemain serait le 13 septembre, le dernier jour où il serait possible de correspondre avec le bazar. Elle réfléchirait à son avenir après avoir lu la réponse à sa lettre.

Elle se réveilla avant 7 heures. Il serait plus juste de dire qu'elle décida de se lever avec le sentiment de n'avoir quasiment pas fermé l'œil de la nuit.

Sa grand-tante s'affairait déjà dans la cuisine. Une odeur désagréable flottait dans la pièce à tatamis. Elle venait sans doute de finir de changer la couche de son époux qui ne pouvait plus aller aux toilettes.

— Je vais prendre un peu l'air, dit-elle en sortant.

Elle enfourcha sa bicyclette et prit le chemin qu'elle connaissait bien. Elle ne mit pas longtemps à arriver au bazar qui lui fit l'effet de l'attendre paisiblement. Après avoir posé sa bicyclette, elle prit le passage qui menait à l'arrière de la maison.

Elle souleva le couvercle de la boîte à lait et vit une enveloppe qu'elle prit avec un mélange de curiosité et d'appréhension.

Trop impatiente pour attendre d'être revenue chez les Tamura, elle s'arrêta dans un square en chemin pour lire la lettre, après s'être assurée qu'il n'y avait personne pour la voir. Elle la sortit de l'enveloppe sans descendre de sa bicyclette.

À l'attention du Chiot qui doute

J'ai lu votre lettre. Savoir que vous faites confiance au bazar Namiya m'a soulagé.

Il m'est bien sûr impossible de déterminer si votre lettre est sincère ou non. Peut-être écrivez-vous uniquement dans le but de voir quelle sera la réponse que vous recevrez. Mais comme c'est une chose contre laquelle je ne peux rien, je vous écris en supposant que vous me croirez.

Venons-en au fait. Comment réaliser votre rêve ?

En étudiant et en mettant de l'argent de côté.

Dans les cinq ans à venir, étudiez à fond tout ce qui a trait à l'économie, et plus précisément au négoce des actions et aux transactions immobilières. Il vous faudra sans doute pour cela quitter votre travail de jour, mais je ne vois pas d'objections à ce que vous continuiez à travailler au bar pendant cette période.

Vous économiserez pour acheter de l'immobilier. Dans la mesure du possible, dans le centre de Tokyo. Des terrains, des appartements, des maisons, cela n'a pas d'importance. Des logements anciens et petits feront aussi l'affaire. Achetez autant que vous pourrez jusqu'en 1985. Mais pas dans le but de vous loger.

À partir de 1986, le Japon va connaître une conjoncture sans précédent, et l'immobilier va gagner beaucoup de valeur. Lorsque cela arrivera, vendez ce que vous avez, et achetez des appartements plus chers. Vous les revendrez avec un profit que vous devrez réinvestir en actions. C'est pour ça qu'il vous faut accumuler des connaissances dans ce domaine. Entre 1986 et 1989, quoi que vous achetiez, vous ne perdrez probablement pas d'argent.

Les cartes de membres dans des clubs de golf sont aussi un bon placement.

Il y a un grand "mais".

Sachez que vous ne pourrez gagner de l'argent grâce à ces investissements que jusqu'en 1988 ou 1989. En 1990, la conjoncture changera brutalement. Même s'il vous semble à ce moment que les prix peuvent remonter, n'y croyez pas et vendez tout ce que vous possédez. Comme si vous jouiez au pouilleux. C'est cela qui déterminera si vous vous retrouverez du côté des perdants ou des gagnants. Croyez-moi, et faites ce que je vous dis.

L'économie japonaise commencera ensuite à se détériorer et cela durera. Je ne peux pas vous en dire plus, mais ne croyez pas que vous pourrez vous en tirer en continuant à spéculer. Par la suite, il ne sera plus possible de gagner de l'argent autrement que petit à petit.

J'imagine que vous allez douter. Vous demander comment je peux vous dire avec une telle assurance ce qui va se passer. Comment je peux prédire le futur de l'économie.

Il m'est malheureusement impossible de vous l'expliquer. D'ailleurs, si je le faisais, vous ne me croiriez probablement pas. Considérez simplement que mes prédictions se réalisent la plupart du temps.

Je vais d'ailleurs vous en dire un peu plus sur l'avenir.

J'ai écrit que l'économie japonaise ne fera que se détériorer, mais cela ne signifie pas qu'il sera impossible de rêver ou d'espérer. Les années 1990 seront riches en nouvelles opportunités.

Les ordinateurs se généraliseront dans le monde. Chaque foyer en aura un, puis chaque personne. Ces ordinateurs seront tous connectés les uns aux autres, et les gens du monde entier pourront partager les informations qu'ils détiennent. Bientôt, tout le monde aura aussi un téléphone portable. Ces téléphones seront eux aussi reliés aux ordinateurs dans un grand réseau.

La clé de la réussite sera de se lancer avant les autres dans des affaires qui utilisent ce réseau. Par exemple en créant des magasins sur ce réseau ou en promouvant des produits par ce biais, voire en les vendant. Les possibilités seront illimitées.

Libre à vous de me croire ou non. Mais il y a une chose que je vous demande de ne pas oublier. Comme je vous l'ai déjà dit, je n'ai rien à gagner en vous offrant ces conseils. Cette lettre est l'aboutissement d'une réflexion sur la meilleure voie à suivre pour vous.

J'aimerais pouvoir en faire plus pour vous. Mais le temps me manque. C'est la dernière lettre que vous recevrez du bazar Namiya.

À vous de décider si vous me faites confiance. Mais je vous prie de le faire. Je le souhaite de tout cœur.

Bazar Namiya

Harumi était stupéfaite. Abasourdie par ce qu'elle venait de lire.

Cette lettre prédisait l'avenir, d'un ton qui excluait le doute.

En cette année 1980, l'économie japonaise était loin d'être florissante. Les conséquences du choc pétrolier se faisaient encore sentir, les étudiants avaient du mal à trouver du travail à l'issue de leurs études. Mais d'ici quelques années, l'économie prendrait une tournure florissante ?

Elle n'y croyait absolument pas et ne pouvait que penser qu'on cherchait à l'embobiner.

Mais, comme le soulignait la lettre, le bazar Namiya n'avait rien à gagner à la tromper.

Dans ce cas, ce qui était écrit serait vrai ? Si la réponse était oui, pourquoi pouvait-il prédire cela ?

Il ne s'agissait pas seulement de l'économie japonaise. La lettre prédisait aussi une technologie qui n'existait pas encore. Prédire n'était d'ailleurs pas le bon mot. Elle l'annonçait avec une conviction qui semblait absolue.

Un réseau d'ordinateurs, des téléphones portables… Elle ne voyait pas du tout ce que cela pouvait être. Bien sûr, le XXIe siècle serait là dans vingt ans, et il n'y aurait rien d'étrange à ce qu'apparaissent des technologies qui relevaient pour le moment du rêve. Mais Harumi n'arrivait pas à voir dans la lettre autre chose que des événements se produisant dans des ouvrages de science-fiction ou des mangas.

Cela la préoccupa toute la journée. Le soir venu, elle s'assit à son bureau d'écolière, prit du papier à lettres et commença à écrire une nouvelle lettre, au bazar Namiya, cela va de soi. La communication ne serait bientôt plus possible, mais la date du jour était encore le 13 septembre. Si la lettre parvenait avant minuit, cela irait peut-être.

Elle y exprimait le désir de connaître la raison de ces prédictions. Elle souhaitait la comprendre, même s'il s'agissait de choses incroyables, écrivait-elle, et elle ajoutait qu'elle comptait décider de son avenir ensuite.

Il était presque 11 heures du soir quand elle sortit furtivement de la maison. Elle enfourcha son vélo et se mit à pédaler vers le bazar.

Une fois arrivée devant la boutique, elle consulta sa montre : 23 h 05. Ça devrait aller, se dit-elle en s'en approchant.

Mais elle s'arrêta soudain. Elle ressentait très fort que tout était fini.

L'ambiance mystérieuse qui avait flotté jusqu'alors sur les lieux s'était évanouie, et il ne restait plus qu'une vieille boutique fermée, visiblement abandonnée. Elle n'aurait pas pu expliquer pourquoi elle avait ce sentiment – il serait plus exact de parler d'une conviction.

Glisser la lettre dans la fente du rideau métallique n'avait plus de sens. Elle remonta sur son vélo et repartit.

Quatre mois plus tard, au moment du Nouvel An, qu'elle passait avec les Tamura, elle découvrit que son instinct ne l'avait pas trompée. Shizuko et elle se rendaient au sanctuaire shintô pour leur première visite de l'année. Comme son amie avait été recrutée par une grande enseigne de la distribution, qui n'avait naturellement pas de club d'escrime, elle ne pourrait pas continuer la compétition.

— Je trouve ça dommage, dit Harumi.

Shizuko fit non de la tête en riant.

— Je n'ai plus envie de continuer l'escrime. J'ai tout donné dans l'espoir d'être sélectionnée pour les Jeux de Moscou, et je crois que de là où il est aujourd'hui, il ne m'en voudra pas, expliqua-t-elle en tournant les yeux vers le ciel. Maintenant, je veux penser à la suite. Je vais d'abord me concentrer sur mon travail, et ensuite, je compte me chercher quelqu'un de bien.

— Quelqu'un de bien ?

— Oui, pour me marier et avoir des enfants, continua-t-elle.

Elle sourit. Rien sur son visage n'évoquait son chagrin d'avoir perdu un an auparavant l'homme qu'elle aimait. Elle est vraiment forte, pensa Harumi.

— Ah, oui, je voulais te dire un truc, lança Shizuko sur le chemin du retour. Tu te souviens de cet étrange bazar, à qui on pouvait parler de ses problèmes ?

— Oui, bien sûr, le bazar Namiya, c'est ça ? répondit Harumi, le cœur battant.

Elle n'avait pas informé son amie qu'elle aussi y avait eu recours.

— Maintenant, il est complètement fermé. Le vieux monsieur qui le tenait est mort. L'autre jour, en passant devant, j'ai vu quelqu'un qui le prenait en photo, je lui ai parlé, et il m'a dit qu'il était son fils.

— Ah bon… C'était quand ?

— En octobre, je crois. Mais son père était mort le mois précédent.

Harumi était stupéfaite.

— Donc il est mort en septembre.

— Oui, c'est ça.

— Tu ne sais pas quel jour ?

— Non, je ne lui ai pas demandé. Mais pourquoi ?

— Je ne sais pas, comme ça…

— Le bazar était fermé depuis quelque temps parce que son père était malade. Mais apparemment, il a quand même continué à répondre aux gens qui le consultaient. Je suis peut-être la dernière personne qu'il ait conseillée. Ça me fait tout drôle quand j'y pense, fit-elle d'un ton attendri.

Harumi résista à l'envie de la détromper, et pensa que le vieux monsieur était probablement mort le 13 septembre. Ce devait être parce qu'il savait qu'il ne vivrait pas plus longtemps que cela qu'il lui avait écrit que c'était la dernière limite pour le consulter.

Si c'était vrai, il avait vraiment un extraordinaire don de voyance. Il avait prédit la date de sa mort.

C'est impossible, pensa-t-elle aussitôt avant de se raviser. Mais pourtant…

La dernière lettre disait peut-être vrai.

6

DÉCEMBRE 1988

Harumi s'apprêtait à signer un contrat dans une pièce aux murs ornés de tableaux. Il s'agissait d'immobilier. Ces dernières années, elle en avait conclu beaucoup. Compter en dizaines de millions de yens ne l'impressionnait plus. Bien que le contrat du jour ne porte pas sur un montant élevé, elle ressentait une tension nouvelle pour elle. La propriété qu'elle était sur le point d'acquérir n'était pas de la même nature que celles qu'elle avait achetées jusqu'à présent.

— Je vous prie de signer à la main et avec votre sceau personnel le contrat si vous en acceptez les conditions.

L'homme qui venait de parler, un agent immobilier, portait un complet de marque Dunhill qui devait coûter deux cent mille yens au bas mot. Il tourna vers Harumi son visage bronzé, sans doute sous une lampe aux ultraviolets.

Outre l'agent immobilier et elle, Tamura Hideyo et sa fille, Kozuka Kimiko, ainsi que le mari de celle-ci, Shigekazu, étaient présents dans cette pièce située dans les locaux de la banque principale de sa société. Quelques cheveux blancs se voyaient dans la chevelure de Kimiko qui avait eu cinquante ans l'année précédente.

Harumi leva les yeux vers les deux vendeuses qui baissaient la tête. Celle de Shigekazu était orientée vers le côté, comme s'il était fâché. C'est vraiment un lâche, se dit-elle. Il n'a qu'à me lancer un regard noir s'il n'est pas content.

Elle sortit un stylo de son sac et signa.

— Je vous remercie. La transaction est terminée, dit l'agent immobilier en rassemblant les papiers.

Le montant de la vente n'était pas élevé, mais celui de sa commission était fixe.

Une fois que les vendeurs et l'acheteuse eurent pris leur document, Shigekazu fut le premier à se lever. Sa femme resta assise. Harumi lui tendit la main droite. Kimiko lui lança un regard étonné.

— On se serre la main, dit Harumi.

— Euh… d'accord, fit Kimiko en tendant la sienne. Pardon, hein…

— Tu n'as pas à t'excuser, sourit Harumi. Tout est bien qui finit bien, non ? Pour vous comme pour moi.

— Oui, c'est vrai, fit Kimiko sans la regarder.

— Mais qu'est-ce que tu traînes ? On y va, lança Shigekazu.

— Tout de suite, répondit-elle avant de tourner son visage embarrassé vers sa mère.

— Je me charge de raccompagner tante Hideyo, dit Harumi. Ne t'en fais pas.

Elle avait toujours appelé Hideyo ainsi, bien qu'elle soit sa grand-tante.

— Ah bon… Merci. Maman, ça te va ?

— C'est comme vous voulez, murmura Hideyo.

— D'accord. Eh bien merci, Harumi.

Son mari avait déjà quitté la pièce. Elle l'imita après les avoir saluées de la tête, l'air gêné.

Une fois dehors, Harumi fit monter Hideyo dans sa BMW qui était garée sur le parking de la banque. Elle la reconduirait dans la maison qui lui appartenait désormais.

Le mari de Hideyo était mort au printemps précédent. Il avait été grabataire pendant les derniers mois de sa vie. Son décès avait été un soulagement pour sa femme, qui l'avait soigné pendant des années.

À partir du moment où elle avait appris que sa fin était proche, Harumi avait été préoccupée par la succession, et plus précisément par la maison où il vivait avec Hideyo, la seule propriété qui leur restait.

Les prix de l'immobilier grimpaient depuis deux ou trois ans, et leur domicile, situé à environ deux heures de Tokyo, avait aussi pris de la valeur. Harumi devinait que leur fille, et surtout son mari, le savaient. Il avait continué à se lancer dans diverses activités, qui avaient échoué les unes après les autres.

Un peu après la cérémonie du quarante-neuvième jour*, Hideyo n'avait pas été étonnée de recevoir un appel de Kimiko qui souhaitait lui parler de la succession.

La proposition qu'elle lui avait faite était la suivante : la maison étant le seul bien immobilier de l'héritage, elle et sa mère en recevraient chacune la moitié. Le partage réel étant impossible, la propriété de la maison, dont la valeur serait fixée par un expert, serait transférée à Kimiko. Hideyo continuerait à y habiter, mais au lieu de donner à sa fille en une seule fois la moitié de la valeur de la maison, le montant du loyer théorique qu'elle devrait à sa fille serait déduit de sa part à elle.

Ce montage ne posait aucun problème d'un point de vue juridique et paraissait équitable. Mais lorsque Hideyo le lui avait expliqué, Harumi n'en avait pas

---

* Au Japon, les morts sont incinérés mais, selon la tradition, leurs cendres ne sont mises en terre que quarante-neuf jours après leur décès.

été satisfaite. La proposition revenait à transmettre la propriété à Kimiko, qui ne paierait pas un centime à sa mère et pourrait vendre la maison si elle le souhaitait. Se débarrasser d'un locataire pouvait être difficile, mais c'était plus simple lorsqu'il s'agissait de sa propre mère. Si d'aventure Kimiko le faisait, elle devrait payer à Hideyo le montant qui lui revenait, moins le loyer que sa mère ne lui avait pas payé. Si elle ne lui réglait pas ce montant, elle savait aussi que sa mère ne la poursuivrait vraisemblablement pas en justice.

Harumi ne prêtait pas ces sombres desseins à Kimiko, mais à Shigekazu.

Elle avait alors proposé à Hideyo de mettre le titre de propriété à son nom et à celui de sa fille, afin qu'elle puisse ensuite la leur racheter. La mère et la fille n'auraient qu'à se partager le montant de la vente. Et Harumi voulait que Hideyo continue à y habiter.

Hideyo en avait parlé à sa fille et, comme Harumi s'y attendait, Shigekazu avait tenté de s'y opposer. Il ne comprenait pas pourquoi sa belle-mère rejetait l'idée de Kimiko. Harumi avait suggéré à Hideyo de répondre que c'était parce qu'elle préférait la proposition de Harumi, et qu'elle demandait à sa fille de bien vouloir l'accepter.

Shigekazu n'avait pu lui opposer aucun argument. Il n'avait en réalité pas son mot à dire là-dessus.

Après avoir raccompagné Hideyo, Harumi décida de passer la nuit sur place. Elle devrait partir de bonne heure le lendemain. C'était un samedi, jour où sa société était normalement fermée, mais elle avait organisé une croisière pour deux cents personnes dans la baie de Tokyo, afin de célébrer Noël.

Allongée sur son futon, elle ressentit de l'émotion en regardant le plafond qu'elle connaissait si bien. Elle n'arrivait pas à croire qu'elle en était propriétaire. L'achat de son premier appartement l'avait touchée, mais d'une autre manière.

Elle n'avait aucune intention de revendre. Lorsque Hideyo mourrait, ce qui arriverait un jour, elle la garderait comme résidence secondaire.

Tout allait si bien pour elle qu'elle en avait presque peur. Elle en venait à penser que quelqu'un veillait sur elle.

Tout avait commencé par cette lettre.

Elle ferma les yeux et se remémora l'étrange missive qu'elle avait reçue du bazar Namiya.

Son contenu paraissait incroyable, mais après une longue hésitation, elle avait décidé de suivre les conseils qu'elle lui prodiguait, en partie parce qu'elle ne voyait pas d'autre solution. Faire confiance à Tomioka était, tout bien réfléchi, dangereux. De plus, étudier l'économie ne pourrait que lui être utile pour l'avenir.

Elle avait donné sa démission de son travail diurne et s'était inscrite à une école professionnelle, afin d'acquérir le plus de connaissances possible sur les actions et l'immobilier. Elle avait ainsi obtenu plusieurs diplômes et certifications.

Dans le même temps, elle avait décidé de mettre plus d'énergie dans son travail au bar et d'arrêter au bout de sept ans. Cela lui avait permis de mieux se concentrer sur cette occupation qu'elle savait potentiellement lucrative, et qui comportait aussi des aspects intéressants. Elle avait su s'attacher les faveurs de nombreux clients réguliers, et elle était rapidement devenue l'employée qui rapportait le plus. Elle avait dit non à Tomioka, qui avait cessé de rechercher sa compagnie, mais elle avait aisément compensé cette perte. Elle s'était d'ailleurs rendu compte qu'il se vantait en affirmant s'occuper de plusieurs restaurants et bars. Son rôle était bien plus limité.

En juillet 1985, elle avait pris son premier risque. Avec les quelque trente millions de yens qu'elle avait mis de côté en quelques années, elle avait acheté un appartement de cette valeur, situé à Yotsuya, au cœur de Tokyo, en pensant qu'il n'y avait aucun risque de perdre de l'argent.

Deux mois plus tard, l'économie mondiale avait été ébranlée par un séisme : les accords du Plaza, qui avaient drastiquement accéléré la dépréciation du dollar américain vis-à-vis du yen. Harumi avait eu très peur. L'économie japonaise était basée sur les exportations, et elle pensait que l'appréciation du yen pouvait entraîner une récession au Japon.

À cette époque, elle investissait déjà en Bourse. Une récession ferait baisser les cours des actions. Ce n'est pas du tout ce que prédisait la lettre du bazar Namiya, s'était-elle dit.

Mais l'économie japonaise ne s'était pas dégradée. Parce qu'il le craignait, le gouvernement avait diminué les taux d'intérêt et lancé un grand programme de travaux publics.

Au début de l'été 1986, l'agent immobilier qui lui avait vendu l'appartement de Yotsuya l'avait contactée. Il voulait savoir si elle y habitait toujours. Harumi avait hésité, et il lui avait proposé une autre affaire.

Elle avait soudain compris que cela signifiait que les prix de l'immobilier étaient repartis à la hausse.

Elle avait raccroché après avoir répondu qu'elle n'avait aucune envie de vendre, puis elle était allée voir son banquier, afin de savoir combien elle pouvait emprunter en hypothéquant son appartement. La somme qu'il avait mentionnée le lendemain l'avait stupéfiée. Elle était de moitié supérieure à celle qu'elle avait payée pour l'acheter.

Elle avait immédiatement accompli les démarches pour emprunter et s'était mise à chercher un appartement à acheter. Celui qu'elle avait trouvé à Waseda n'avait pas tardé à prendre de la valeur et elle avait contracté un nouveau prêt en s'en servant comme hypothèque. Son banquier lui avait recommandé de créer une société, car cela faciliterait le financement de ses projets. Elle avait suivi son conseil et baptisé sa société Office Little Dog.

Harumi n'avait plus aucun doute quant au fait que les prédictions du bazar Namiya étaient exactes.

Elle avait continué à acheter et à vendre des appartements jusqu'à l'automne 1987. Certains d'entre eux avaient triplé de valeur en une seule année. Comme la Bourse était aussi haussière, son patrimoine avait rapidement augmenté. Elle avait quitté son emploi d'entraîneuse et s'était lancée dans l'organisation d'événements en utilisant le carnet d'adresses qu'elle s'était fait au bar, planifiant toutes sortes de manifestations et fournissant le personnel nécessaire. La conjoncture était excellente, et les grandes sociétés offraient presque tous les jours des réceptions. Le travail ne manquait pas.

À partir du début de 1988, elle avait commencé à vendre ses propriétés immobilières et ses participations dans des clubs de golf, parce qu'elle avait remarqué que les prix entraient dans une phase de stabilisation. Ils ne baissaient pas encore, mais elle avait opté pour la prudence. Elle croyait aux prédictions du bazar Namiya et se souvenait de la référence au jeu du pouilleux. Il était au demeurant impossible que cette extraordinaire conjoncture dure éternellement.

L'année 1988 se terminerait dans quelques jours. Harumi s'endormit en se demandant ce que réservait 1989.

7

La croisière de Noël dans la baie de Tokyo fut un succès. Une fois qu'elle fut terminée, Harumi et ses employés vidèrent plusieurs bouteilles de Dom Pérignon rosé aux petites heures du 26 décembre. Elle se réveilla dans son appartement d'Aoyama avec un léger mal de tête.

Elle alluma la télévision et tomba sur un bulletin d'informations qui montrait un incendie quelque part. Elle regarda l'écran d'un œil vague et sursauta en lisant qu'il s'agissait d'un foyer pour enfants du nom de Marukōen.

Elle tendit l'oreille, mais le présentateur était déjà passé au sujet suivant. Elle changea de chaîne mais n'en apprit pas plus sur le sinistre.

Elle s'habilla à la hâte afin d'aller chercher le journal déposé chaque matin dans sa boîte aux lettres dans l'entrée de l'immeuble.

C'était un dimanche, le journal était lourd, avec un épais cahier de petites annonces qui concernaient presque toutes des logements à vendre. Elle le lut cependant de la première à la dernière page, sans y trouver d'article sur l'incendie, peut-être parce qu'il ne s'était pas produit dans la capitale.

Pensant que le journal local en parlerait, elle téléphona à Hideyo. C'était le cas, et sa grand-tante lui lut l'article. L'incendie avait eu lieu dans la soirée du 24 décembre. Il avait fait un mort et dix blessés. La victime n'était pas quelqu'un du foyer, mais un musicien amateur venu animer la soirée de Noël.

Elle avait envie d'y partir immédiatement mais décida d'attendre d'en savoir plus. Arriver au milieu du chaos ne servirait à rien.

Après avoir quitté le foyer à la fin de l'école élémentaire, elle y était retournée à plusieurs occasions, notamment pour annoncer qu'elle allait poursuivre ses études au lycée, et quand elle était entrée chez le fabricant d'équipement de bureau. Elle n'y était pas revenue depuis qu'elle avait commencé à travailler dans le bar, de peur que quelqu'un ne devine ce qu'elle faisait.

Le lendemain, Hideyo l'appela à son bureau pour lui dire que le journal local avait un nouvel article au sujet de l'incendie, selon lequel les enfants et le personnel étaient temporairement hébergés dans le gymnase d'une école à proximité.

Vivre dans un gymnase par ce froid… Harumi frissonna.

Elle quitta son travail plus tôt que d'habitude et prit sa voiture pour y aller. En route, elle s'arrêta dans une pharmacie où elle acheta assez de chauffe-mains de poche et de médicaments contre le rhume et la diarrhée pour remplir un carton. Il y aurait certainement des enfants malades. Puis elle passa dans un supermarché d'où elle ressortit avec une grande quantité de repas sous vide, parce que les employés du foyer avaient probablement du mal à faire la cuisine.

Elle chargea le tout dans sa BMW et repartit. La radio jouait une chanson des Southern All Stars, *Minna no uta*, dont la mélodie entraînante ne chassa pas son inquiétude. Elle regrettait que 1988, qui avait été une bonne année jusqu'à présent, s'achève de cette manière.

Il était presque 14 heures quand elle arriva à destination. Les flammes avaient noirci le bâtiment blanc qu'elle connaissait bien. Il était impossible de s'en approcher, car les pompiers et la police n'avaient pas encore terminé leur enquête. Une odeur de brûlé flottait dans l'air.

Le gymnase était situé à un kilomètre de là. Minazuki Yoshikazu, le directeur du foyer, fut touché par sa visite.

— Merci d'être venue de si loin. Je ne m'y attendais pas du tout. Tu es vraiment adulte maintenant. Et tu as réussi dans la vie, on dirait, dit-il en regardant la carte de visite qu'elle lui avait donnée.

Il lui parut plus frêle que dans son souvenir, peut-être à cause de la fatigue causée par l'incendie. Il avait plus de soixante-dix ans, et ses cheveux se faisaient rares. Il se réjouit de ce qu'elle apportait.

— Les repas sont un vrai problème, admit-il.

— N'hésitez pas à me dire si vous avez besoin d'autre chose. Je ferai tout ce que je pourrai.

— Merci, cela me fait chaud au cœur de l'entendre.

— Surtout, n'hésitez pas ! Cela fait longtemps que je voulais vous exprimer ma gratitude.

— Merci, répéta-t-il.

Au moment de repartir, elle croisa quelqu'un qu'elle n'avait pas vu depuis longtemps, Fujikawa Hiroshi, un camarade du foyer, qui avait quatre ans de plus qu'elle et en était parti à la fin du collège. C'était lui qui avait sculpté le chiot en bois qui lui servait de porte-bonheur et ne la quittait jamais. Le nom de sa société, Office Little Dog, venait de cet objet.

Fujikawa était là parce qu'il avait entendu parler de l'incendie. Devenu tourneur sur bois, il était aussi peu loquace qu'autrefois.

Nous ne sommes probablement pas les seuls anciens du foyer à nous faire du souci, pensa-t-elle après lui avoir dit au revoir.

Au début de l'année suivante, l'empereur décéda, et l'ère Heisei débuta. Sa mort perturba un temps le quotidien des Japonais : des émissions de divertissement furent annulées à la télévision et le tournoi de sumo du printemps débuta avec un jour de retard.

Une fois que tout fut redevenu normal, Harumi retourna au foyer pour voir ce qui s'y passait. Elle trouva Minazuki dans le bureau provisoire aménagé à côté du gymnase. Les enfants y vivaient encore pour l'instant, mais ils s'installeraient bientôt dans un bâtiment temporaire. Le bâtiment originel du foyer serait ensuite entièrement reconstruit.

La cause du sinistre était connue : du gaz qui avait fui dans la cuisine vétuste s'était enflammé, probablement à cause de l'électricité statique.

— Nous aurions dû reconstruire le bâtiment plus tôt, dit Minazuki avec une expression peinée.

Il s'en voulait visiblement d'avoir indirectement causé la mort d'un homme, le musicien amateur qui était retourné dans les flammes chercher un enfant et n'avait pu en sortir à temps. Harumi tenta de le réconforter.

— Oui, c'est triste, mais aucun enfant n'est mort. C'est un peu une consolation.

— C'est vrai. L'incendie s'est produit de nuit, et aurait pu faire beaucoup plus de victimes. J'ai dit au personnel que nous avions peut-être été protégés par l'ancienne directrice.

Harumi avait conservé le vague souvenir d'une vieille dame de petite taille, mais elle ne se rappelait pas quand Minazuki lui avait succédé.

— C'était ma grande sœur. C'est elle qui a fondé le foyer.

— Je l'ignorais.

— Ah bon ! C'est vrai que tu étais encore petite.

— Comment se fait-il que votre sœur a ouvert un foyer pour enfants ?

— Ça serait trop long de le raconter, mais pour le dire en un mot, elle voulait partager ce dont elle avait bénéficié.

— Comment ça ?

— Je ne veux pas me vanter, mais nous sommes issus d'une famille de propriétaires terriens, qui était assez riche. À la mort de mes parents, ma sœur et moi avons hérité de leurs biens. J'ai utilisé ma part pour créer ma société, et elle pour fonder ce foyer, afin d'aider les enfants qui en avaient besoin. Elle était enseignante et souffrait de voir la misère des orphelins de guerre.

— Elle est morte il y a combien de temps ?

— Cela fait dix-neuf, non, presque vingt ans. Elle avait des problèmes de cœur, et elle s'est endormie entourée de tous ses proches.

Harumi secoua la tête.

— Je suis désolée. Je n'en savais rien.

— C'est normal. Elle ne voulait pas que les enfants l'apprennent, et nous vous avons dit qu'elle se reposait à l'hôpital. J'ai confié mon entreprise à mon fils et j'ai décidé de reprendre le foyer.

— Que vouliez-vous dire quand vous disiez que votre grande sœur protégeait le foyer ?

— Peu de temps avant de mourir, elle m'a chuchoté que je n'avais pas à me faire de souci, parce qu'elle prierait de là où elle serait pour le bonheur du foyer. Je m'en suis rappelé au moment de l'incendie, expliqua-t-il avec un sourire timide. Libre à chacun d'y croire ou pas.

— Ah… C'est une belle histoire.

— Merci.

— Votre sœur avait une famille ?

Minazuki fit non de la tête.

— Non, elle était célibataire. Elle a en quelque sorte consacré sa vie à l'éducation.

— C'est impressionnant. Quelle personne magnifique !

— Ça ne lui aurait pas plu qu'on dise ça d'elle. Je crois qu'elle pensait qu'elle avait vécu comme elle l'entendait, et rien de plus. Mais dis-moi, tu as l'intention de te marier un jour ? Tu as un petit ami ?

Prise au dépourvu, Harumi fit non de la tête.

— Non, je n'en ai pas.

— Ah bon… Quand elles trouvent un travail qui donne un sens à leur vie, les femmes oublient de se marier. C'est bien d'avoir ta propre société, mais j'espère que tu trouveras un homme qui te convient.

— Malheureusement, je crois que je ne suis capable que d'en faire à ma tête, comme votre sœur.

Il esquissa un sourire.

— Tu es forte. Mais si ma sœur ne s'est jamais mariée, ce n'est pas parce qu'elle aimait trop son travail. Quand elle était jeune, elle a rencontré un homme avec qui elle voulait se marier. Et elle avait même prévu de le faire contre l'avis de ses parents.

— Vraiment ?

Vivement intéressée, Harumi se pencha vers lui.

— Il avait dix ans de plus qu'elle et travaillait dans un petit atelier de réparation de vélos dans notre quartier.

Ils se sont rencontrés lorsqu'elle lui a apporté le sien à réparer. Ils ont commencé à se fréquenter en cachette. À l'époque, cela faisait naître des rumeurs si une jeune fille marchait dans la rue aux côtés d'un homme qui n'était pas son mari.

— Et elle voulait l'épouser contre l'avis de vos parents ?

Il hocha la tête.

— Mes parents s'y opposaient pour deux raisons. La première, c'était que ma sœur était encore au lycée. Ça, ça se serait arrangé avec le temps, parce qu'elle avait presque fini ses études. La seconde était plus complexe. Comme je l'ai déjà dit, ma famille était riche, et quand on est riche, on recherche aussi la renommée. Mon père voulait la marier dans une famille connue, et un humble mécanicien ne lui convenait pas.

Harumi baissa la tête, l'air grave. Ce genre d'histoire n'était probablement pas rare il y a soixante ans, se dit-elle.

— Et qu'est-il arrivé à leur projet de se marier malgré cela ?

Minazuki haussa les épaules.

— Eh bien, ils n'ont pas pu le réaliser. Ma sœur comptait se débarrasser de son uniforme de lycéenne dans un sanctuaire shintō qui se trouvait sur le chemin du lycée, et retrouver son ami à la gare, d'où ils comptaient prendre le train et quitter la ville.

— Se débarrasser de son uniforme ?

— Nous avions du personnel à la maison, et elle était devenue très amie avec une des employées qui avait son âge. Elle lui avait demandé de lui apporter des vêtements dans le sanctuaire. Des vêtements de cette employée. Ceux de ma sœur étaient luxueux et donc voyants. Habillée de ceux de la bonne, elle se serait fondue dans la foule à la gare avec son ami. C'était assez bien pensé, je trouve.

— Mais ça n'a pas marché ?

— Lorsque ma sœur est arrivée au sanctuaire, elle a trouvé des employés de mon père au lieu de son amie. Celle-ci avait accepté de l'aider, mais elle avait pris peur et en avait parlé à une autre bonne plus âgée, qui l'avait trahie.

Harumi comprenait les sentiments de la jeune employée et n'arrivait pas à lui donner tort.

— Et ce mécanicien, qu'est-il devenu ?

— Mon père lui a fait porter une lettre à la gare, signée par ma sœur, qui lui demandait de l'oublier.

— Votre père l'avait fait écrire par quelqu'un qui se faisait passer pour votre sœur, c'est ça ?

— Non, elle l'avait écrite elle-même. En échange, mon père lui avait promis de n'engager aucune poursuite contre son ami. Il connaissait le chef de la police, et il aurait pu faire emprisonner le mécanicien s'il l'avait voulu.

— Et comment a réagi cet homme en lisant la lettre ?

Minazuki prit une mine perplexe.

— Je n'en sais rien. La seule chose certaine, c'est qu'il a quitté la ville. Il n'était pas d'ici, au départ. J'ai entendu dire qu'il était reparti dans sa ville natale, mais je ne sais pas si c'est vrai. Je ne l'ai rencontré qu'une seule fois.

— Ah bon ?

— C'était environ trois ans après cette tentative ratée. J'étais étudiant, je marchais dans la rue quand quelqu'un m'a appelé. Je me suis retourné et j'ai aperçu un homme d'une trentaine d'années. Je ne l'avais jamais vu à l'époque où il fréquentait ma sœur, et je ne l'ai donc pas reconnu. Il m'a remis une lettre qu'il m'a demandé de transmettre à Akiko – ma sœur.

— Il savait qui vous étiez ?

— Il ne pouvait pas en être absolument sûr, mais peut-être m'avait-il suivi. J'ai hésité, et il m'a dit que si je trouvais ça louche, je pouvais lire la lettre, et même la faire lire à mes parents, à condition que je sois sûr que ma sœur en prenne aussi connaissance. C'est ce qui m'a décidé à accepter. Pour être honnête, j'avais très envie de la lire.

— Et vous l'avez lue ?

— Oui, bien sûr. L'enveloppe n'était pas cachetée. Je l'ai lue en chemin.

— Et que disait-elle ?

— Eh bien… commença-t-il.

Il s'interrompit, la regarda, réfléchit, se donna une tape sur les genoux, et reprit :

— Je vais te la montrer, ce sera plus simple.

— Me la montrer ?

— Attends ici une minute.

Minazuki ouvrit un des cartons empilés dans la pièce et commença à chercher dans celui sur lequel figurait la mention : "Bureau du directeur".

— Comme mon bureau était loin de la cuisine, je n'ai presque rien perdu. Et j'ai apporté tous mes papiers ici, pensant que j'en profiterais pour les ranger. Il me reste beaucoup d'affaires de ma sœur auxquelles je n'ai jamais touché. Ça y est, j'ai trouvé ce que je cherchais.

Il sortit une boîte métallique carrée et en ouvrit le couvercle sous les yeux de Harumi. Elle contenait des carnets et des photos, et une enveloppe qu'il prit et posa devant elle.

"À l'attention de Mademoiselle Akiko", y était-il écrit.

— Lis, tu comprendras, dit-il.

— Vous êtes sûr ?

— Bien sûr. Elle a été écrite pour que n'importe qui puisse la lire.

— Dans ce cas, je vais le faire.

L'écriture élégante n'était pas celle que Harumi attendait d'un mécanicien.

À l'attention de Mademoiselle Minazuki Akiko

Permettez-moi tout d'abord de vous demander de m'excuser de vous adresser cette lettre soudainement. J'ai choisi ce moyen de vous la faire parvenir de peur qu'une lettre adressée par la poste ne soit mise au panier avant qu'elle ne vous parvienne.

Comment allez-vous ? Au cas où vous ne vous souviendriez pas de moi, je suis Namiya Yūji, qui travaillais comme mécanicien au garage Kusunoki il y a trois ans. J'espère que vous lirez cette missive jusqu'au bout.

Si j'ai décidé de vous écrire aujourd'hui, c'est pour vous présenter mes excuses. Aujourd'hui, je regrette profondément la conduite stupide qui a été la mienne avec vous. Alors que vous n'étiez encore qu'une lycéenne, j'ai cherché à vous faire quitter le droit chemin en vous proposant d'abandonner les vôtres pour vivre à mes côtés le restant de vos jours. C'était une très mauvaise action et je n'ai pas de mots pour la défendre.

Aujourd'hui, je suis persuadé que votre famille a fait le bon choix en vous empêchant de le faire. Peut-être ont-ils réussi à vous convaincre de renoncer à notre projet, et si c'est le cas, je souhaite leur exprimer ma reconnaissance. J'ai failli commettre une erreur irréparable.

Je travaille à présent dans ma ville natale, et je pense à vous chaque jour. Nous avons passé très peu de temps ensemble, mais ces moments ont été les meilleurs de ma vie. Je n'ai cessé pendant ces trois ans de vous présenter mes excuses. Je n'arrive pas à trouver le sommeil quand je pense que je vous ai peut-être blessée.

Ma chère Akiko, j'espère que vous trouverez le bonheur. C'est mon seul désir. Et je vous souhaite aussi de rencontrer un homme qui vous convienne.

Namiya Yūji

Harumi releva la tête et regarda Minazuki.

— Qu'en pensez-vous ? demanda-t-il.

— C'était un homme bon, n'est-ce pas ?

Il approuva de la tête.

— Je suis d'accord avec vous. Il a dû réfléchir à toutes sortes de choses quand leur projet a échoué. Détester mes parents, ou bien imaginer que ma sœur l'avait trahi. Mais j'ai l'impression qu'au bout de trois ans, il en est venu à penser que c'était mieux ainsi. Tout en trouvant que cela ne suffisait pas. Il a dû éprouver le besoin de lui présenter ses excuses pour que la blessure de son cœur à elle puisse se refermer. Parce qu'elle devait s'en vouloir de l'avoir trahi. C'est ce qui l'a poussé à écrire cette lettre. J'ai compris tout cela en la lisant, et je l'ai remise à ma sœur. Bien sûr sans en parler à mes parents.

Harumi remit la lettre dans l'enveloppe.

— Votre sœur a toujours gardé cette lettre ?

— Oui, je crois. J'ai eu la gorge serrée quand je l'ai trouvée dans un tiroir de son bureau après sa mort. Elle est restée célibataire jusqu'à sa mort, probablement parce qu'elle n'a jamais oublié cet homme. Elle n'a jamais aimé personne d'autre. Et elle a décidé de consacrer sa vie au foyer. Pourquoi pensez-vous qu'elle a ouvert ce foyer ici ? Au départ, ce lieu n'avait aucun lien avec nous. Elle ne me l'a jamais expliqué, mais je crois que c'est parce que ce n'était pas loin de l'endroit d'où il était originaire. J'ignore où ses parents à lui vivaient, mais une conversation que j'ai eue avec elle un jour me l'a fait deviner.

Elle hocha la tête, émue. Bien sûr, ces deux amoureux n'avaient pas été unis, mais elle était un peu envieuse de cette femme qui avait aimé si profondément un homme.

— Ma sœur m'avait dit qu'elle prierait pour nous de là où elle serait, et je pense que l'homme de la lettre veillait sur elle de loin. S'il était encore vivant, dit le vieil homme, le visage grave.

— Oui, vous avez raison, glissa Harumi.

Le nom de cet homme la préoccupait : Namiya Yūji. Elle avait correspondu avec le bazar Namiya, mais elle ignorait le prénom du vieux propriétaire. La seule chose qu'elle savait de lui, grâce à Shizuko, était qu'il était très âgé en 1980. Il pouvait donc correspondre à la personne dont M. Minazuki avait parlé.

— Qu'est-ce qui se passe ?

— Euh… ce n'est rien, répondit-elle.

— Voilà pourquoi je ne peux pas laisser le foyer fondé par ma sœur disparaître. J'ai l'intention de le rebâtir, expliqua-t-il comme pour conclure.

— Je vous souhaite bon courage, et si je peux vous aider… dit-elle en lui rendant l'enveloppe.

Au même moment, ses yeux se posèrent sur les caractères de l'enveloppe. Ils étaient d'une écriture qui n'avait rien à voir avec celle des lettres qu'elle avait reçues.

Donc, ce n'était qu'un hasard…

Cela ne servirait à rien d'y penser, se dit-elle.

8

Harumi ouvrit les yeux et éternua vigoureusement. Elle remonta la couverture en éponge et se dit que la climatisation était trop forte. Il faisait très humide la veille au soir, et elle l'avait augmentée en oubliant de la baisser quand elle était allée se coucher. Elle s'était endormie sans refermer le livre qu'elle lisait ni éteindre la lumière.

Le cadran du réveil indiquait qu'il était un peu avant 7 heures, l'heure à laquelle il devait sonner, comme chaque matin. Elle n'en avait généralement pas besoin.

Elle se leva, ouvrit le rideau et vit que le soleil estival brillait déjà. Il allait sans doute faire aussi chaud que la veille.

Elle se lava les mains dans la salle de bains et sursauta en se voyant dans le miroir, parce qu'elle se sentait comme si elle avait encore la trentaine. Elle avait cinquante et un ans, et cela se voyait.

Elle inspecta ses traits en se demandant pourquoi elle avait eu le sentiment d'être jeune et se dit qu'elle avait dû rêver qu'elle l'était. Il lui semblait que M. Minazuki, le directeur du foyer, figurait dans son rêve.

Elle n'en était pas vraiment surprise et comprenait pourquoi, mais elle regretta de ne pas se rappeler les détails.

Elle se regarda à nouveau dans la glace et hocha la tête. Il n'y avait rien d'étrange à ce qu'elle ait des rides et que sa peau se relâche. C'était la preuve qu'elle avait vécu, et elle n'en avait pas honte.

Elle se lava la figure et se maquilla en lisant les nouvelles sur sa tablette. Puis elle prit son petit-déjeuner, un sandwich et un jus de légumes qu'elle avait achetés la veille. Elle dînait généralement dehors et ne cuisinait qu'exceptionnellement.

Une fois prête, elle quitta son appartement à la même heure que d'habitude dans sa voiture, un modèle hybride de petite taille qu'elle avait acheté parce qu'elle s'était lassée des grosses berlines étrangères. Il était juste après 8 h 30 quand elle arriva à son bureau de Roppongi.

Elle gara sa voiture dans le parking souterrain de l'immeuble de dix étages où se trouvait son bureau et se dirigea vers l'ascenseur.

Soudain elle entendit une voix appeler : "Madame Mutō, madame Mutō !"

Elle regarda autour d'elle et vit un homme de forte corpulence qui portait une chemise polo grise. Il courut vers elle. Son visage lui disait quelque chose, mais elle n'arrivait pas à se souvenir de son nom.

— Madame Mutō, j'ai une prière à vous faire. Pourriez-vous revoir votre décision au sujet de Sweet Pavilion ?

— Sweet Pavilion ? Ah… fit-elle en se souvenant que l'homme dirigeait une pâtisserie.

— Pourriez-vous nous accorder un mois de délai supplémentaire ? Juste un mois ! Nous ferons le maximum pour redresser la situation ! supplia l'homme en s'inclinant profondément devant elle.

Il était presque chauve et son crâne rond rappela à Harumi les gâteaux ronds aux marrons qui étaient la spécialité de sa maison.

— Auriez-vous oublié les clauses du contrat ? Si vous

êtes dernier au classement de popularité deux mois de suite, vous pouvez être amené à quitter les lieux.

— Je sais bien, et c'est pour cela que je suis ici. Ne pouvez-vous pas nous accorder juste un mois de plus ?

— Non, c'est impossible. Nous avons déjà quelqu'un pour vous remplacer, dit Harumi en recommençant à marcher.

— Mais quand même, reprit l'homme sans se décourager, je vous garantis que nous allons redresser la situation. Donnez-nous encore une chance. Nous allons faire faillite si nous devons partir maintenant. Je vous en supplie, accordez-nous un sursis !

Un gardien du parking avait dû remarquer que l'homme l'importunait, car il s'approcha d'eux.

— Que se passe-t-il ?

— Cet homme n'a rien à faire ici. Faites-le partir !

Le gardien blêmit.

— Très bien, madame.

— Mais ce n'est pas vrai ! J'ai à faire ici ! Madame Mutō, madame Mutō !

Harumi continua à avancer vers l'ascenseur d'un pas ferme tout en entendant les protestations de l'homme.

Les bureaux de la société Office Little Dog se trouvaient au quatrième et au cinquième étage. Une fois dans son bureau, Harumi consulta son ordinateur pour vérifier les dernières informations. Elle s'irrita du nombre de courriels sans intérêt qu'elle avait reçus, malgré le filtre antispam, et se consola en pensant que ce serait pire sans.

Elle commença à répondre aux plus importants et ne releva la tête qu'à 9 heures passées. Elle souleva le combiné de l'interphone et appela un poste. Sotojima, le directeur général, décrocha immédiatement.

— Vous pouvez venir me voir ?

— J'arrive, madame, répondit-il.

Moins d'une minute plus tard, il était devant elle. Il portait une chemise à manches courtes, car depuis l'année précédente, la climatisation était réglée au minimum. Harumi lui raconta sa mésaventure dans le parking. Sotojima sourit tristement.

— Ce vieux bonhomme… Le responsable du projet m'a dit qu'il était venu pleurer sur son épaule. Mais je ne m'attendais pas à ce qu'il vienne vous importuner.

— Pourquoi l'a-t-il fait ? On ne lui a pas fourni d'explications convaincantes ?

— Si, certainement, mais cela n'a pas suffi à le décourager. J'ai entendu dire que son magasin principal était aussi en perte de vitesse, et que son entreprise était au bord de la faillite.

— Peut-être, mais nous n'y pouvons rien. Nous faisons notre travail, c'est tout.

— Vous avez tout à fait raison. Et nous ne faisons rien de mal, ajouta Sotojima d'un ton indifférent.

Deux ans auparavant, Office Little Dog avait été contacté dans le cadre d'un projet de rénovation d'un grand centre commercial de Tokyo. Le client souhaitait mieux utiliser l'espace consacré aux manifestations temporaires, conçu à l'origine pour accueillir des concerts.

La société de Harumi qui avait commencé à travailler sur le projet avait proposé de le transformer en une Mecque des gâteaux et sucreries, en y regroupant tous les cafés et pâtisseries déjà présents dans le centre commercial, et en contactant des pâtisseries traditionnelles dans tout le Japon. C'était ainsi qu'était né le Sweet Pavilion, qui comportait une trentaine de boutiques.

Le projet avait su attirer une attention considérable qui avait assuré son succès. Les pâtisseries qui y participaient avaient toutes vu le chiffre d'affaires de leur magasin principal progresser.

Mais le public se lassait vite, et on ne pouvait jamais baisser la garde. Ce qui comptait le plus pour un centre commercial était que les clients y reviennent. L'offre devait être constamment renouvelée, grâce à un classement de popularité qui garantissait son efficacité. Les visiteurs répondaient à des enquêtes en indiquant les établissements qui leur plaisaient et ceux qui ne les intéressaient pas. Les boutiques étaient informées mensuellement de leur rang, et si l'une d'entre elles était la dernière deux mois de suite, elle pouvait être appelée à quitter le Sweet Pavilion. La compétition était intense.

Le magasin principal du fabricant de gâteaux ronds aux marrons se trouvait à Tokyo. Au moment du lancement du Sweet Pavilion, les pâtisseries de Tokyo avaient eu la priorité, et ce fabricant s'était réjoui d'y participer. Mais son produit phare n'avait rien de novateur, et son magasin n'avait pas eu le succès escompté. Ces derniers mois, il avait été le moins bien noté de l'ensemble du Sweet Pavilion. Office Little Dog devait se tenir à sa politique afin de ne pas se discréditer auprès de la concurrence.

— Je voulais aussi vous demander s'il y avait du neuf pour l'animation en 3D. On va pouvoir s'en servir ?

Sotojima baissa la tête.

— J'ai vu la démo, la technologie n'est pas encore tout à fait au point. Les écrans de téléphone sont petits, et on ne voit pas très bien. À mon avis, mieux vaut attendre la prochaine version.

— D'accord. Ne vous en faites pas, je voulais juste savoir où nous en étions, le rassura Harumi en souriant. Merci, c'est tout ce que j'avais pour l'instant. Vous voyez autre chose ?

— Non. Je vous ai dit le plus important par mail. Mais le foyer d'accueil pour enfants reste un peu préoccupant, ajouta-t-il, en lui lançant un regard lourd de sous-entendus.

— Je m'en occupe personnellement. Ça n'a rien à voir avec la société.

— Je le sais bien, puisque je travaille ici. Mais de l'extérieur, la confusion est facile.

— Il s'est passé quelque chose ?

Sotojima se mordit les lèvres.

— On nous pose des questions du genre : "Que compte faire Office Little Dog pour Marukōen ?"

Harumi parut embarrassée. Elle se passa la main dans les cheveux.

— C'est contrariant. Comment se fait-il que les gens puissent poser une telle question ?

— Parce que vous attirez l'attention. Même quand vous ne faites rien de remarquable, on s'intéresse à vous.

— Vous vous moquez de moi ?

— Pas du tout. C'est la réalité, lâcha-t-il d'un ton las.

— D'accord. Vous pouvez disposer.

Sotojima quitta le bureau.

Elle se leva et alla à la fenêtre. Le cinquième étage n'était pas très élevé. Office Little Dog aurait pu choisir un autre étage, mais elle ne l'avait pas voulu, pour ne pas tomber dans le piège de l'arrogance. Mais même à cet étage, j'ai réussi dans la vie, se dit-elle.

Elle se remémora soudain les vingt dernières années. Pour réussir en affaires, il faut vivre avec son temps. Ne pas savoir anticiper peut conduire à la perte.

En mars 1990, le ministère des Finances avait mis en place une directive limitant les investissements des institutions financières afin de stopper l'inflation des prix de l'immobilier. Il avait dû le faire car le prix des terrains avait atteint des sommets vertigineux. Les salariés moyens ne pouvaient plus envisager de devenir un jour propriétaires de leur logement.

Harumi n'était pas sûre que cette mesure avait eu l'impact espéré. À l'époque, les médias avaient dit que cela revenait à verser de l'eau froide sur du métal chauffé à blanc. Les prix de l'immobilier n'avaient d'ailleurs pas dégringolé.

Mais le coup qu'elle avait porté à l'économie japonaise était rude.

La Bourse avait commencé à baisser. L'invasion du Koweït par l'Irak en août de la même année avait fait monter le cours du pétrole, et cela avait accéléré la récession. Les prix de l'immobilier avaient entamé une longue descente.

La société japonaise ne l'avait pas immédiatement compris. Beaucoup de Japonais avaient pensé qu'il s'agissait d'un phénomène passager et que les prix allaient remonter. Ce n'était qu'en 1992 que l'idée que la fête était finie avait été acceptée.

Grâce aux prédictions de la lettre du bazar Namiya, Harumi l'avait saisi bien plus tôt. À la fin de 1989, elle ne possédait plus aucun de ses investissements immobiliers. Elle avait aussi vendu ses actions et ses participations dans des clubs de golf. Elle faisait partie des gagnants à ce jeu du pouilleux géant et avait accumulé une fortune qui atteignait plusieurs centaines de millions de yens.

À l'époque où le reste du pays avait enfin compris ce qui se passait, elle était déjà à la recherche de nouveaux projets. La lettre avait annoncé l'avènement d'un réseau d'informations extraordinaire qui connecterait ordinateurs et téléphones portables. De fait, la technologie ne cessait de progresser dans ces deux domaines, et les ordinateurs s'étaient généralisés jusque dans les foyers.

Elle avait acquis son premier ordinateur personnel très tôt en prévision du monde de rêve qui allait advenir et s'était mise à étudier le sujet et à rassembler autant d'informations qu'elle le pouvait.

En 1995, lorsque Internet avait commencé à se répandre, Office Little Dog avait recruté plusieurs étudiants qui venaient d'obtenir leur diplôme en informatique. Harumi leur avait fourni des ordinateurs et demandé de réfléchir à ce qui était possible.

L'année suivante, Office Little Dog avait lancé son propre site qui faisait de la publicité pour la société. Cela lui avait valu une attention médiatique considérable : des entreprises et des particuliers l'avaient contactée à la recherche de conseils dans ce domaine. Tout le monde ne disposait pas encore d'un accès au réseau, mais ses possibilités comme support publicitaire suscitaient l'enthousiasme. Office Little Dog s'était vu confier la réalisation de nombreux sites.

Pendant quelques années, la société avait gagné des sommes extraordinaires grâce à ses activités de publicité, de vente et de distribution de jeux en ligne.

Début 2000, Harumi avait commencé à réfléchir à la suite. Elle avait ouvert un service de conseils au sein de son entreprise lorsqu'un restaurateur qu'elle connaissait avait sollicité ses services. Le chiffre d'affaires de son restaurant ne progressait plus, et il était en difficulté.

Armée de son diplôme d'État de conseiller aux PME, elle avait recruté du personnel qualifié et réfléchi avec eux. La conclusion à laquelle ils étaient arrivés était que le restaurant n'avait pas besoin d'une campagne publicitaire, mais d'une rénovation autour d'un concept décliné dans sa décoration et son menu.

Le restaurant avait mis en œuvre ce plan et le succès avait suivi. Trois mois après sa réouverture, il était devenu difficile d'y obtenir une réservation. Harumi avait compris que le secteur du conseil était le plus porteur, à condition que les choses soient faites à fond. N'importe qui pouvait analyser les raisons d'un échec, mais pour réussir sur le long terme, il fallait savoir élaborer des mesures radicales pour redresser la situation. Elle avait recruté des personnes expérimentées afin de diversifier ses activités de conseil, qui allaient aujourd'hui du développement de nouveaux produits aux plans de restructuration.

Sa société continuait à prospérer grâce à ses activités dans les technologies de l'information et le conseil. Tout allait presque trop bien. On disait souvent d'elle qu'elle voyait l'avenir. Ce n'était pas entièrement faux, mais elle n'en aurait pas été là sans la lettre du bazar Namiya. Elle aurait aimé pouvoir lui exprimer sa reconnaissance, consciente qu'elle n'avait pas réussi uniquement grâce à ce qu'elle avait en elle.

À propos de reconnaissance, elle devait aussi penser au foyer Marukōen.

Quelques mois plus tôt, elle avait entendu dire qu'il risquait de fermer. Elle s'était renseignée et avait compris que c'était vrai. À la mort du vieux M. Minazuki en 2003, son fils lui avait succédé tout en continuant à diriger son entreprise de transport. Celle-ci avait périclité, et il n'avait plus eu le temps de s'occuper du foyer.

Harumi l'avait immédiatement contacté. Le fils de M. Minazuki lui avait appris qu'il n'était que nominalement à la tête du foyer, dont il avait confié les rênes à un dénommé Kariya. Harumi l'avait appelé pour lui dire qu'elle serait heureuse de lui être utile et qu'elle pouvait même envisager une participation financière. Mais ce Kariya n'avait montré aucun enthousiasme. Il lui avait répondu d'un ton dégagé, comme s'il n'était pas conscient de la gravité de la situation, qu'il préférait compter sur ses propres forces.

Peu satisfaite de cette réponse, elle avait rendu visite à M. Minazuki pour lui demander de lui confier la gestion du foyer. Il n'avait pas réagi de manière positive et s'était contenté de dire qu'il faisait entièrement confiance à Kariya.

Harumi avait continué à se renseigner sur le foyer. Elle avait découvert que le nombre d'employés à plein temps avait diminué de moitié ces dernières années, et que celui des salariés à temps partiel avait explosé. En vérifiant de plus près, elle avait découvert que ces personnes n'y effectuaient aucun travail réel.

Elle avait deviné que depuis la mort du vieux M. Minazuki, le foyer servait avant tout à solliciter des subventions grâce à une comptabilité falsifiée. Kariya était probablement à l'origine de cette fraude, et il avait refusé l'aide qu'elle lui avait proposée de peur qu'elle ne le mette au jour.

Cela avait renforcé sa détermination à sauver le foyer.

9

En cherchant des mots sur son nouveau smartphone, Harumi avait fait une découverte étonnante. Elle avait tapé les caractères "Bazar Namiya" et était tombée sur cette annonce : "Renaissance du bazar Namiya pour une nuit".

En quelques manipulations, elle avait trouvé le site officiel du bazar où elle avait lu que le 13 septembre, de minuit à l'aube, pour commémorer le trente-troisième anniversaire de la mort de son propriétaire, les personnes qui l'avaient autrefois consulté pouvaient, si elles le désiraient, lui faire connaître par écrit l'influence négative ou positive que les conseils reçus avaient eue sur leur vie. Les lettres étaient à déposer dans la fente du rideau métallique, comme autrefois.

Cela paraissait difficile à croire. Elle n'aurait jamais imaginé voir le nom du bazar en ligne. Que signifiait cette réouverture pour une seule nuit ? Le site ne donnait aucune autre information. S'agissait-il d'une plaisanterie ? Mais quel en aurait été le but ? Qui aurait pu tirer un profit matériel d'une telle initiative ? Et d'ailleurs, qui verrait cette annonce ?

La date avait achevé de convaincre Harumi. M. Namiya était mort le 13 septembre, et c'était pour cela que trente-deux ans auparavant, une des trois lettres lui avait signifié que la boîte aux lettres ne fonctionnerait que jusqu'à ce jour.

Ce n'était pas une plaisanterie, mais un véritable événement qui ne pouvait pas la laisser indifférente. Elle devait absolument écrire une lettre. Afin d'exprimer sa reconnaissance.

Mais avant cela, elle tenait à s'assurer d'une chose. Le bâtiment du bazar Namiya existait-il encore ? Elle allait dans l'ancienne maison des Tamura plusieurs fois par an, mais n'était jamais retournée à l'endroit où se trouvait le bazar.

Elle devait se rendre au foyer Marukōen pour discuter de sa cession et n'aurait qu'à y passer en revenant.

Kariya la reçut.

— M. et Mme Minazuki m'ont donné les pleins pouvoirs vis-à-vis du foyer et me font entièrement confiance, lui répéta-t-il en clignant des yeux.

— Dans ce cas, vous avez le devoir de leur rendre compte précisément de sa situation financière. Si vous le faisiez, cela pourrait leur faire changer d'avis.

— Je n'ai pas attendu que vous le suggériez. Ils sont au courant et me font confiance pour tout.

— Dans ce cas, pourrais-je voir ces documents ?

— Non. Vous êtes une personne extérieure.

— Monsieur Kariya, soyez raisonnable. Au rythme actuel, le foyer va devoir fermer.

— Ne vous faites pas de souci pour ça. Nous nous en sortirons sans vous. Je n'ai plus rien à vous dire.

Elle décida de ne pas aller plus loin pour le moment, bien qu'elle n'ait pas l'intention d'en rester là. Il allait lui falloir convaincre les époux Minazuki.

De retour sur le parking, elle remarqua que sa voiture était souillée de boue et regarda les alentours. Des enfants qui l'observaient depuis l'autre côté de la palissade s'égaillèrent.

Elle soupira. Ils devaient penser qu'elle était là pour leur nuire. Kariya avait dû leur dire qu'elle voulait du mal au foyer.

Elle monta en voiture, démarra et vit dans le rétroviseur que des enfants avaient réapparu et criaient quelque chose, peut-être : "Ne reviens plus jamais, sorcière."

Ce n'était pas agréable, mais elle ne renonça pas à son projet de voir si le bazar Namiya était toujours debout. Elle le retrouva sans difficulté. Le bâtiment était quasiment dans le même état que lorsqu'elle y avait glissé ses lettres, trente et quelques années plus tôt. Les caractères de l'enseigne étaient presque invisibles, le rideau était rouillé, mais il en émanait une ambiance sereine, qui lui fit penser à un vieillard prêt à accueillir ses petits-enfants.

Harumi arrêta sa voiture, baissa sa vitre pour mieux le voir, et repartit. Elle passerait par la maison des Tamura, puisqu'elle était ici.

Le 12 septembre, elle quitta son bureau, rentra chez elle, ouvrit son ordinateur et réfléchit à ce qu'elle allait écrire. Elle avait été trop occupée pour le faire plus tôt, comme elle l'avait prévu. Ce soir aussi, elle avait un dîner avec un client qu'elle avait appelé pour lui dire qu'elle avait un empêchement de dernière minute.

Il était plus de 21 heures lorsqu'elle termina son texte, l'imprima afin de le recopier sur une feuille de papier à lettres. Elle avait pour habitude d'écrire ses courriers les plus importants à la main.

Elle relut la lettre avant de la glisser dans l'enveloppe qu'elle avait achetée le jour même à cette fin.

Ses préparatifs lui prirent plus de temps qu'attendu, et il était presque 22 heures quand elle monta dans sa voiture. Elle roula aussi vite que le permettait la limite de vitesse et arriva à destination environ deux heures plus tard. Elle avait pensé aller directement au bazar, mais il était encore trop tôt. Elle décida d'aller déposer ses affaires dans l'ancienne maison des Tamura où elle dormirait ce soir.

Hideyo avait continué à y habiter après son rachat par Harumi jusqu'à sa mort, juste avant le début du nouveau millénaire. Sa petite-nièce, qui y avait fait quelques travaux, s'en servait comme d'une résidence secondaire et la considérait comme sa maison de famille. La proximité de la petite ville avec la campagne lui plaisait.

Mais depuis quelques années, elle n'arrivait à y aller qu'une fois tous les deux mois. Elle laissait toujours de quoi manger dans la cuisine et le congélateur. L'éclairage public était rare dans le quartier où elle était située, mais Harumi la vit de loin car c'était un soir de pleine lune.

Il n'y avait personne dehors quand elle arrêta sa voiture le long du trottoir. Elle prit son sac de voyage et en descendit, franchit le portail et ouvrit la porte d'entrée. Elle se déchaussa en sentant l'odeur du parfum d'intérieur qu'elle avait mis sur le placard du vestibule lors de sa dernière visite, et y posa ses clés de voiture avant d'allumer le plafonnier.

Elle passa dans le couloir au bout duquel se trouvait la porte du séjour. Elle la poussa et tendit la main vers l'interrupteur pour aussitôt s'immobiliser, car elle venait de percevoir une présence étrangère, ou plutôt une odeur étrangère. Légère, mais étrangère.

Flairant un danger, elle voulut tourner les talons mais une main vint se placer sur la sienne. Quelqu'un la tira en arrière et mit quelque chose sur sa bouche, si vite qu'elle n'eut pas le temps de crier.

— Ne fais pas de bruit. Nous ne te ferons pas de mal si tu obéis.

La voix était celle d'un jeune homme. Il était derrière elle, elle ne le voyait pas.

Tout devint blanc devant ses yeux. Pourquoi y avait-il quelqu'un ici ? Pourquoi une chose pareille devait-elle lui arriver ? Comment était-ce possible ?

Elle aurait voulu résister, mais son corps ne lui obéissait pas, comme si elle était paralysée.

— Il y avait des serviettes dans la salle de bains, non ? Apporte-m'en plusieurs ! fit la même voix.

Il n'eut pas de réponse et elle n'entendit aucun bruit.

— Grouille-toi, enfin ! Des serviettes !

Elle discerna dans la pénombre une silhouette qui bougeait. Son agresseur n'était pas seul. Elle avait le souffle court, son cœur battait à grands coups, mais elle eut l'impression de reprendre un peu le contrôle de ses émotions. Une main gantée était placée sur sa bouche.

Au même moment, elle entendit une autre voix masculine en face d'elle, mais un peu sur le côté.

— On a un problème, chuchota-t-elle.

— À quoi ça sert de dire ça maintenant, répondit celle de son agresseur. Regarde plutôt ce qu'il y a dans son sac. Trouve son portefeuille.

Une main lui prit son sac et le fouilla.

— Je l'ai ! lança l'autre voix.

— Il y a combien dedans ?

— Vingt, euh non, trente mille yens. Et des cartes bizarres.

Son agresseur soupira.

— Pourquoi il n'y a pas plus ? Bon, tant pis. Prends le liquide, laisse les cartes, ça sert à rien.

— Et le portefeuille, j'en fais quoi ? C'est un truc de marque, cher.

— Il est usé. On va prendre son sac parce qu'il a l'air tout neuf.

Le troisième larron revint.

— Ça va comme ça ?

Sa voix semblait plus jeune.

— OK, on va lui cacher les yeux avec ça. Serre fort, et noue bien.

L'autre parut hésiter, mais l'instant suivant, elle avait un bandeau sur les yeux. Elle reconnut le parfum de sa lessive habituelle. La serviette serrait. Elle aurait du mal à la défaire.

Ils la firent ensuite s'asseoir à table, et lui ligotèrent les mains au dossier de la chaise, puis les chevilles aux pieds de celle-ci. Pendant tout le temps que cela prit, la main placée sur sa bouche ne la quitta pas.

— Maintenant on va causer, fit le chef des trois. Je vais enlever ma main. Ne crie pas, on a une arme, et si tu hurles, on te tuera. Mais on n'a pas du tout envie de faire ça. Si tu parles normalement, on ne te fera rien. Hoche la tête si tu es d'accord.

Elle n'avait aucune raison de résister et obéit. L'agresseur retira sa main.

— Désolé, fit son agresseur. On est des voleurs, mais ça, tu le sais. On est entrés parce qu'on pensait qu'il n'y avait personne. On ne s'attendait pas à ce que tu arrives et on n'avait pas prévu de te ligoter. Donc il ne faut pas nous en vouloir.

Elle soupira sans rien dire. Comment pourrait-elle ne pas leur en vouloir ? Mais elle se sentait légèrement soulagée. Ces garçons n'étaient pas des criminels aguerris.

— On repartira sitôt qu'on aura fini. Ce qu'on veut, c'est ce qui peut se transformer en liquide. Pour l'instant, on n'a rien trouvé ou presque. Il y a des choses de valeur ici ? On prend tout, nous. Dis-nous ce qu'il y a, ça fera gagner du temps.

Elle inspira avant de parler.

— Il n'y a rien de valeur ici.

Elle entendit un soupir déçu.

— Ce n'est pas possible. On s'est renseigné sur toi. N'essaie pas de nous arnaquer.

— Je ne mens pas, fit-elle. Vous avez bien vu qu'il n'y a rien ici. Je n'habite pas ici, c'est pour ça que je ne laisse rien qui ait de la valeur.

— Il doit quand même y avoir quelque chose, dit l'homme d'un ton irrité. Fais un effort. Je suis sûr qu'il y a quelque chose. On restera tant que tu ne nous l'auras pas dit. Ça ne t'arrange pas non plus, hein ?

Il avait raison, mais le fait est qu'il n'y avait presque rien de précieux ici. Elle avait emporté chez elle tous les souvenirs de Hideyo.

— Dans l'alcôve de la pièce à tatamis, il y a un bol à thé, je crois qu'il vaut quelque chose.

— On l'a déjà pris. Ainsi que le kakémono. Il y a quoi d'autre ?

Le bol à thé était authentique, mais la peinture était une reproduction, lui avait dit Hideyo. Elle choisit de ne pas les en informer.

— Vous êtes allés dans la pièce occidentale à l'étage ? La plus grande des deux.

— On a jeté un coup d'œil, mais on n'a rien vu d'intéressant.

— Vous avez ouvert les tiroirs de la coiffeuse ? Le deuxième à partir du haut a un double fond, dans lequel il y a des bijoux fantaisie. Vous les avez vus ?

Elle n'eut pas de réponse, comme si les trois se consultaient du regard.

— Va voir, fit son agresseur.

Elle entendit un bruit de pas.

La coiffeuse avait appartenu à Hideyo, et elle l'avait gardée parce que c'était un joli meuble. Il y avait effectivement des bijoux fantaisie dans le double fond du tiroir, mais il s'agissait de ceux que la fille de Hideyo avait achetés avant son mariage. Elle ne les avait jamais regardés de près, mais imaginait que Kimiko avait emporté ceux qui avaient le plus de valeur quand elle s'était mariée.

— Pourquoi avez-vous choisi de cambrioler cette maison ?

Il y eut un silence.

— Comme ça, finit par répondre le chef des trois.

— Mais vous savez qui je suis, n'est-ce pas ? Vous devez avoir une autre raison.

— Tais-toi ! Ça change quoi ?

— Pour moi, beaucoup de choses.

— Pas du tout. Allez, tais-toi.

Elle lui obéit pour ne pas l'irriter. Un silence tendu s'installa.

— Je peux vous poser une question ? fit une autre voix que celle du chef.

Elle ne s'attendait pas à être vouvoyée.

— Dis donc, fit le chef. Tu crois quoi, toi ?

— Qu'est-ce que ça peut faire ? Il y a une chose que je tiens à lui demander.

— À quoi bon ?

— Que voulez-vous me demander ? Allez-y, je vous écoute, dit-elle.

Elle entendit quelqu'un claquer de la langue et se dit que ce devait être le chef.

— C'est vrai que vous voulez en faire un hôtel ?

— Un hôtel ?

— Que vous comptez faire démolir le foyer Marukōen pour construire un hôtel à la place.

Elle était prise de court, époustouflée. Kariya aurait envoyé ces cambrioleurs ?

— Absolument pas. J'ai décidé de le racheter pour le remettre sur de bons rails.

— Tout le monde dit que ce n'est pas vrai, riposta le chef des trois. On dit que ce que tu fais, c'est de racheter des affaires qui ne marchent pas, de les rénover et de gagner beaucoup d'argent au passage. J'ai entendu dire que ta boîte a transformé un hôtel de tourisme en hôtel de rendez-vous par exemple. Et que c'est le projet pour le foyer.

— C'est vrai que nous avons transformé un hôtel de cette façon, mais il n'en est pas question pour le foyer. C'est un projet personnel, qui n'a rien à voir avec ma société.

— Tu mens.

— Non. Ce n'est pas pour dire, mais construire un hôtel de rendez-vous à cet endroit serait stupide, car il n'y a pas de passage. Je ne ferais pas une chose aussi bête. Je veux aider les gens faibles.

— Vous dites la vérité ?

— Elle ment, c'est sûr. Ne la crois pas. Comment ça, elle veut aider les gens faibles ? Alors qu'elle se débarrasse de toutes les affaires qui ne marchent pas !

Il y eut un bruit de pas dans l'escalier.

— T'en as mis un temps, grogna le chef de bande.

— Je n'arrivais pas à ouvrir le double fond. Mais ça y est. Regardez ce que j'ai trouvé !

Il y eut un bruit. Il avait sans doute apporté tout le tiroir. Ses deux complices se turent. Ils avaient probablement du mal à estimer le prix de ces bijoux fantaisie démodés.

— Bon, on va faire avec ça. C'est mieux que rien. On le prend et on se casse.

Elle entendit un bruit de fermeture éclair. Ils avaient sans doute mis le tout dans son sac.

— On fait quoi avec elle ?

C'était la voix de celui qui lui avait posé une question à propos du foyer.

— Sors la bande adhésive, répondit l'autre après un moment d'hésitation. Ça serait embêtant qu'elle fasse du bruit.

Il y eut un craquement de bande qu'on déchire, et la seconde suivante, quelqu'un la colla sur sa bouche.

— On peut pas la laisser comme ça, quand même. Si personne ne vient, elle mourra de faim.

Il y eut un nouveau silence. Le chef devait réfléchir.

— Une fois qu'on se sera taillés, on appellera votre bureau pour dire que vous êtes ligotée ici. Comme ça, vous devriez vous en sortir.

— Et si elle a besoin d'aller aux toilettes ?

— Il faudra qu'elle se retienne.

— Vous y arriverez ?

La question lui était adressée. Elle fit oui de la tête. Pour le moment, cela allait. Et elle n'avait aucune envie qu'ils l'y emmènent. Elle n'attendait qu'une chose, leur départ.

— Bon, on y va. On n'a rien oublié ?

Elle entendit les deux autres s'éloigner après cette déclaration du chef. Puis leurs pas s'éloignèrent. Ils sortirent apparemment par la porte d'entrée. Un peu plus tard, ils parlèrent des clés de la voiture, et elle sursauta. Elle les avait laissées dans l'entrée. Son sac à main, dans lequel se trouvait son vrai portefeuille, était dans la voiture. Il contenait plus de deux cent mille yens, et ses vraies cartes de crédit.

Mais ce qui la préoccupait n'était pas ce portefeuille. Elle aurait préféré qu'ils l'emportent plutôt que son sac à main, que dans leur précipitation, elle était certaine qu'ils prendraient. Son sac à main contenait sa lettre au bazar Namiya, et cela l'embarrassait.

Très vite, elle se dit que cela ne changerait rien. Même s'ils l'avaient laissé, elle ne pouvait rien faire. Elle ne pourrait pas bouger avant demain. Il serait alors trop tard pour faire parvenir sa lettre de remerciement au bazar Namiya.

Elle aurait aimé exprimer sa reconnaissance. Dire que grâce au bazar, elle avait connu une réussite exceptionnelle. Et faire savoir qu'elle avait désormais l'intention de faire du bien autour d'elle. C'était ce qu'elle disait dans sa lettre.

Mais quand même, pourquoi lui était-il arrivé une chose pareille ? Était-ce une punition pour quelque chose qu'elle aurait fait ? Elle ne se souvenait pas de mériter un tel châtiment. Elle n'avait fait qu'aller de l'avant, en toute honnêteté.

Immédiatement après, elle se souvint de ce qu'avait dit le chef des trois. "Comment ça, elle veut aider les gens faibles ? Alors qu'elle se débarrasse de toutes les affaires qui ne marchent pas !"

Cela l'avait surprise. Quand avait-elle agi ainsi ? La seconde suivante, elle revit le visage au bord des larmes du pâtissier des gâteaux traditionnels aux marrons.

Elle renifla et imagina le plaisir qu'il aurait eu à la voir ainsi bâillonnée et ligotée.

Oui, elle n'avait cessé d'aller de l'avant, aussi vite qu'elle le pouvait. Mais peut-être s'était-elle trop concentrée sur ce qu'il y avait devant elle, en ignorant le passé. Devait-elle voir ce qui lui arrivait non comme un châtiment divin, mais comme une exhortation à aller moins vite ?

Elle se dit qu'elle allait peut-être secourir le pauvre pâtissier.

10

L'aube devait être proche. Atsuya regardait la feuille blanche.

— Tu y crois, toi ?

— De quoi tu parles ? demanda Shōta.

— De ça, répondit Atsuya. Du fait que cette maison relie le présent au passé, que nous avons reçu des lettres venues du passé, et que les lettres que nous avons mises dans la boîte à lait sont reparties dans le passé.

— À quoi ça sert de se demander ça ? fit Shōta en fronçant les sourcils. C'est bien parce que c'était possible qu'on a pu avoir cette correspondance.

— Ça, c'est sûr, mais quand même…

— C'est bizarre, sans aucun doute, renchérit Kōhei. Cette réouverture exceptionnelle du bazar Namiya doit y être pour quelque chose.

— OK, fit Atsuya en se levant, la feuille à la main.

— Tu vas où ?

— Je vais vérifier, répondit-il à Shōta.

Il sortit par la porte arrière et la referma. Puis il la glissa par la fente du rideau métallique et revint à l'intérieur. Il s'approcha de la boîte placée sous la fente à l'intérieur. La feuille blanche n'y était pas.

— C'est comme je pensais, fit Shōta d'un ton assuré. La feuille que je viens de glisser maintenant par la fente a dû arriver trente-deux ans plus tôt. Voilà ce que signifie cette réouverture exceptionnelle. Voilà ce qu'on a vécu ici.

— Quand il sera l'aube ici, qu'est-ce qui s'est passé il y a trente-deux ans ? demanda Atsuya.

— Je pense que ça correspond au moment où le vieux monsieur est mort, continua Shōta. Celui qui tenait le bazar.

— Oui, c'est la seule conclusion possible, fit Atsuya avant de soupirer profondément.

Cela paraissait bizarre, mais il n'y avait pas d'autre explication.

— Je me demande ce qui est arrivé à cette fille, murmura Kōhei.

Ses deux amis le dévisagèrent.

— Je veux dire, celle qui signait "Le chiot qui doute". Est-ce que nos lettres l'auront aidée ?

— Va-t'en savoir, répondit Atsuya. Elle n'a pas dû y croire.

— Oui, ça a dû lui paraître louche, fit Shōta en se grattant la tête.

Quand il avait lu la troisième lettre du "Chiot qui doute", les trois garçons avaient frémi. Elle était apparemment sur le point de tomber dans le panneau que lui tendait un homme qui voulait se servir d'elle. Comme eux, elle avait vécu au foyer Marukōen. Ils ne pouvaient pas rester les bras croisés. Ils avaient décidé de la sauver, et même de la guider jusqu'à la réussite.

La conclusion à laquelle ils étaient arrivés était qu'ils devaient lui dire ce que l'avenir allait apporter, enfin, jusqu'à un certain point. Ils savaient tous les trois que le Japon avait traversé une période connue comme celle de la bulle spéculative à la fin des années 1980. Ils avaient décidé de lui donner des conseils sur la manière de s'en relever.

Ils lui avaient écrit une lettre qui ressemblait à une prophétie, en vérifiant différents faits à ce sujet sur leurs portables, et en ajoutant des informations sur ce qui se passerait après l'éclatement de la bulle. Le faire sans pouvoir utiliser le mot "internet" leur avait paru difficile.

Ils s'étaient demandé s'ils pouvaient lui parler des accidents et des catastrophes. Et il y en avait, notamment le tremblement de terre de Kobé en 1995, et celui du Japon de l'Est en 2011. Mais ils avaient décidé de ne rien lui en dire, de la même manière qu'ils n'avaient pas révélé au musicien-poissonnier l'incendie du foyer, parce qu'ils pensaient devoir éviter les sujets qui se rapportaient aux vies humaines.

— Mais quand même, que le foyer soit si présent, c'est bizarre, non ? fit Shōta. Comment se fait-il que tant de choses y soient liées ? Est-ce que ça peut être le hasard ?

Ce point préoccupait aussi Atsuya. Le hasard ne pouvait pas bien faire les choses à ce point. D'autant plus que s'ils se trouvaient tous les trois ici à ce moment précis, c'était à cause du foyer.

Au début du mois précédent, Shōta leur avait appris que cet établissement où ils avaient grandi traversait une grave crise. Ce soir-là, il avait retrouvé ses deux amis pour boire un verre, non pas dans un bar, mais dans un parc où ils avaient apporté de la bière et d'autres boissons alcoolisées.

Il leur avait expliqué qu'une femme qui dirigeait sa propre boîte avait l'intention de le racheter pour le fermer, même si elle mentait à ce sujet en disant qu'elle voulait le faire pour lui donner un nouveau départ.

Shōta avait perdu son travail de vendeur dans un magasin d'électroménager qui avait procédé à une réduction de personnel. La supérette où il travaillait en attendant de trouver mieux n'était pas loin du foyer et il y allait de temps en temps.

— C'est terrible, ce que tu viens de dire. Moi qui pensais que je pourrais toujours m'y réfugier si je perdais mon logement, fit Kōhei d'un ton plaintif.

Il était chômeur depuis que le garage où il était mécanicien avait fait faillite quelques mois plus tôt. Pour l'instant, il vivait encore dans le logement fourni par son ex-employeur, mais il devrait en partir tôt ou tard.

Atsuya n'avait pas non plus de travail depuis deux mois. Avant cela, il était employé chez un sous-traitant. Un jour, il avait reçu une commande de la part du donneur d'ordres pour de nouvelles pièces, dont les dimensions étaient radicalement différentes des précédentes. Atsuya avait demandé à plusieurs reprises confirmation de celles-ci. Chaque fois, la réponse était la même, la commande était correcte, et il avait fini par les fabriquer. Une fois qu'elles avaient été expédiées, il s'était avéré qu'une erreur commise par un nouvel employé du donneur d'ordres avait été à l'origine d'une grande quantité de produits défectueux. La responsabilité en avait été attribuée à Atsuya.

Ce n'était pas la première fois qu'un sous-traitant devait porter le chapeau pour une erreur qu'il n'avait pas commise. Son dirigeant ne protégeait pas non plus ses employés. Lorsqu'il y avait un problème, il s'en prenait toujours à ses subalternes.

À bout de patience, Atsuya avait donné sa démission et il avait quitté l'atelier sur-le-champ.

Il ne lui restait presque rien de ses maigres économies et cela faisait deux mois qu'il n'avait pas payé son loyer.

Même s'ils étaient tous les trois inquiets de l'avenir du foyer, ils ne pouvaient rien pour le secourir, sinon dire du mal de la riche femme d'affaires qui essayait de l'acheter. Il ne se souvenait plus lequel d'entre eux en avait parlé le premier – peut-être était-ce lui – mais il n'avait pas oublié qu'il avait levé le poing et lancé : "Allons lui voler son argent ! La sainte Marie nous le pardonnera, c'est sûr !"

Ses deux amis l'avaient approuvé. Ils étaient prêts à en découdre.

Ils se connaissaient depuis l'école élémentaire, et avaient fréquenté tous les trois le même collège et le même lycée. Ils avaient fait les mêmes bêtises, vol à l'étalage, à la roulotte, ou encore de caisses de distributeurs de produits, enfin tous les vols possibles sans violence aux personnes. Tous les trois trouvaient étrange de ne pas avoir été pris plus souvent. Sans doute était-ce parce qu'ils avaient respecté leur principe de ne pas se répéter : jamais deux fois au même endroit, jamais deux fois la même méthode.

Ils n'avaient commis qu'un seul cambriolage, quand ils étaient en dernière année de lycée et avaient besoin d'argent pour s'acheter de nouveaux vêtements afin de chercher du travail. Leur cible était la maison du garçon le plus riche du lycée. Ils avaient choisi un jour où il était parti avec ses parents, et avaient mené une enquête méticuleuse sur l'alarme de la maison, sans réfléchir un seul instant à ce qu'ils feraient si les choses ne se déroulaient pas comme prévu. Leur opération leur avait rapporté trente mille yens, trois billets trouvés dans un tiroir, et ils étaient repartis contents. Le plus drôle était que la famille ne s'était rendu compte de rien. Ils avaient tous les trois vécu ce cambriolage comme un jeu.

Ils avaient cessé de commettre des méfaits après le lycée. Majeurs tous les trois, leurs noms apparaîtraient dans le journal s'ils faisaient une bêtise.

Mais cette fois-ci, ils étaient prêts à faire une exception, tant leur colère était grande. Le sort du foyer était en réalité indifférent à Atsuya. Il avait de la reconnaissance pour l'ancien directeur du foyer mais ne pensait pas du bien de Kariya, le nouveau. Depuis qu'il en avait pris les rênes, l'ambiance au sein du foyer s'était dégradée.

Shōta s'était chargé de rassembler des informations sur leur cible. Quand ils s'étaient rencontrés quelques jours plus tard, il leur avait annoncé, les yeux brillants, qu'il avait de bonnes nouvelles.

— Lorsque j'ai appris qu'elle devait venir au foyer, je suis allé la guetter là-bas en scooter. Ensuite, je l'ai suivie jusqu'à chez elle. Ce n'est qu'à une vingtaine de minutes du foyer. Une belle maison, qui ne sera pas difficile à cambrioler. D'après les gens du quartier, elle n'y vient même pas une fois par mois. Ne vous en faites pas, j'ai fait attention, personne ne se souviendra de moi.

Tout le problème était de savoir si la maison contenait des choses de valeur.

— Comment pouvez-vous en douter ? avait affirmé Shōta. Cette femme est habillée de vêtements de marque des pieds à la tête. C'est sûr qu'elle a des bijoux dans sa résidence secondaire, et des objets précieux !

Ses deux amis n'avaient pu qu'acquiescer, même si aucun d'entre eux ne savait comment vivaient les riches, sinon par ce qu'ils avaient vu dans des dessins animés ou des séries.

Ils avaient choisi une date, le 12 septembre au soir, parce que Shōta ne travaillait pas ce soir-là, même s'il y avait bien d'autres soirs où il ne travaillait pas non plus.

Kōhei s'était chargé de la voiture dont ils auraient besoin. Son expérience de mécanicien lui avait permis d'en voler une, d'un ancien modèle, car les antivols récents lui résistaient.

Le 12, vers 23 heures, ils s'étaient introduits dans la maison en brisant un carreau à l'arrière, et en faisant tourner ensuite la poignée de la fenêtre, une méthode classique. Ils avaient pris la précaution de coller de l'adhésif sur la vitre pour empêcher que des morceaux de verre ne tombent par terre en faisant du bruit.

La maison était vide, comme ils s'y attendaient. Ils pouvaient la fouiller à leur aise, ce qu'ils avaient fait avec entrain. Mais ils n'avaient rien trouvé d'intéressant.

Elle ne contenait aucun objet précieux. La femme d'affaires s'habillait cher, mais l'intérieur de sa résidence secondaire était modeste. Au moment où Shōta s'exclamait que c'était étrange, ils avaient entendu une voiture s'arrêter devant la maison. Tous les trois avaient éteint leurs lampes de poche. Puis la porte d'entrée s'était ouverte. Atsuya n'en croyait pas ses oreilles. La propriétaire était là ! Ce n'était pas ce qu'on lui avait dit, mais il était trop tard pour protester.

La lumière de l'entrée s'était allumée. Les pas s'étaient rapprochés. Atsuya avait décidé d'agir.

11

— Dis donc, Shōta, fit-il. Tu l'as trouvée comment, cette bicoque ? Si tu me dis que c'est par hasard, je ne te croirai pas.

— Non, ce n'est pas par hasard, répondit celui-ci, le visage fermé.

— Mais alors, explique-moi comment !

— Ne me regarde pas comme ça. Je vous ai dit que j'avais suivi cette bonne femme, et que j'avais découvert où était sa résidence secondaire, hein ? Avant d'y aller, elle est passée ici, et s'est arrêtée devant cette bicoque.

— Pourquoi elle a fait ça ?

— J'en sais rien, moi ! En tout cas, elle s'est arrêtée, et elle a regardé l'enseigne. Ça m'a intrigué, et je suis revenu ici une fois que j'avais vu où était sa maison. Je me suis dit que cette bicoque pourrait toujours servir.

— Mais cette bicoque était en fait une machine à voyager dans le temps.

— Eh oui, fit Shōta en haussant les épaules.

Atsuya croisa les bras et grogna en regardant le sac posé contre le mur.

— Elle s'appelle comment déjà, cette bonne femme ?

— Mutō, je crois. Mutō Haruko, non ?

Atsuya tendit le bras vers le sac. Il ouvrit la fermeture éclair et en sortit le sac à main de la femme d'affaires.

S'il n'avait pas remarqué les clés de voiture sur le meuble de l'entrée tout à l'heure, ils auraient manqué le seul objet précieux, posé sur le siège de la voiture. Il s'en était emparé sans penser à rien.

Le sac à main contenait un long et fin portefeuille bleu, qu'il prit et ouvrit. Assez de billets de dix mille yens pour faire au bas mot deux cent mille yens. C'était déjà ça. Les cartes de crédit ne l'intéressaient pas.

Il contenait aussi un permis de conduire, au nom de Mutō Harumi. La photo montrait une belle femme. D'après ce qu'avait dit Shōta, elle avait la cinquantaine, mais faisait beaucoup moins.

Shōta le suivait de ses yeux un peu rougis, sans doute à cause du manque de sommeil.

— Tu fais quoi ? demanda Atsuya.

— Regarde… Il y avait ça dans son sac… dit Shōta en lui tendant une lettre.

— C'est quoi ? Qu'est-ce qu'il t'arrive ?

Shōta lui montra l'endroit de l'enveloppe. Quand il lut ce qui y était écrit, Atsuya crut qu'il allait défaillir : "À l'attention du bazar Namiya"

J'ai lu sur la Toile que le bazar allait rouvrir pour une nuit. Est-ce la vérité ? J'ai décidé de croire que oui, et de vous adresser cette lettre.

Vous vous souvenez peut-être de moi. Je vous ai écrit pendant l'été 1980, en signant "Le chiot qui doute". Je venais de finir le lycée. J'étais immature. J'avais à cette époque décidé de vivre dans le monde de la nuit et vous demandais comment faire pour convaincre mon entourage que c'était une bonne décision, une question stupide. Vous m'avez naturellement fait des remontrances. Sans aucun ménagement.

Mais j'étais jeune, et je ne me laissais pas facilement convaincre. Je vous ai répondu en vous expliquant qui j'étais, et mon désir d'exprimer ma reconnaissance à ceux à qui je devais tant. L'entêtement dont j'ai fait preuve a dû vous irriter.

Vous ne m'avez pourtant pas rejetée. Au contraire, vous m'avez donné des conseils et m'avez fourni un plan pour le reste de ma vie. Un plan qui n'était pas abstrait, mais concret et détaillé. Ce que je devais étudier, garder, les choses dont je devais me débarrasser, celles auxquelles je devais m'attacher. On pourrait appeler cela une prophétie.

J'ai suivi vos recommandations. En toute honnêteté, au début, je n'y croyais qu'à moitié. Mais à partir du moment où j'ai acquis la conviction que les choses évoluaient comme vous l'aviez prédit, j'ai cessé de douter.

Comment avez-vous pu prévoir l'éclatement de la bulle ? Voilà ce que je trouve étrange. Et comment avez-vous aussi pu annoncer si précisément l'arrivée de l'ère Internet ?

Vous poser ces questions n'a probablement aucun sens. De toute façon, une réponse ne changerait rien.

Voilà pourquoi je n'ai qu'un message à vous transmettre. Merci.

Je vous suis reconnaissante du fond du cœur. Si vous ne m'aviez pas donné ces conseils, celle que je suis aujourd'hui n'existerait pas. Je serais peut-être tombée dans les bas-fonds de la société. La gratitude que j'ai pour vous est infinie. Je trouve presque insupportable de ne pouvoir vous rembourser ma dette, alors permettez-moi au moins de l'exprimer par écrit. Je compte dorénavant aider le plus de gens possible.

Le site dit que c'est le trente-troisième anniversaire de votre décès. Vous m'avez conseillée il y a trente-deux ans, à la même époque de l'année. Je crois que j'ai été la dernière personne à bénéficier de vos conseils. J'y vois un autre lien de prédestination.

Reposez en paix !

Le chiot qui doutait autrefois

Atsuya se prit la tête entre les mains après avoir lu la lettre. Son cerveau était comme paralysé. Il aurait voulu parler mais n'arrivait pas à trouver un seul mot.

Ses deux amis étaient dans le même état que lui. Ils serraient leurs genoux avec les bras. Les yeux de Shōta fixaient un point dans le vague.

Comment une telle chose était-elle possible ? Cela ne faisait que quelques heures qu'ils avaient fait de grands efforts pour convaincre cette jeune fille de renoncer au monde de la nuit, et qu'ils lui avaient appris le futur. Elle avait visiblement réussi dans la vie. Mais trente-deux ans plus tard, ils l'avaient cambriolée.

— Il doit y avoir quelque chose, murmura Atsuya.

— Comment ça ? fit Shōta.

— Eh bien… je n'arrive pas à le dire clairement, mais il y a un lien entre le bazar Namiya et le foyer Marukōen. Comme un fil invisible. J'ai l'impression que quelqu'un dans le ciel s'en sert pour tout manipuler.

— Tu crois… lâcha Shōta en levant les yeux vers le plafond.

Kōhei poussa un cri. Son regard était dirigé vers la porte arrière.

Elle était entrouverte, et un rai de lumière y filtrait. L'aube se levait.

— Cette lettre n'arrivera plus au bazar Namiya, dit Kōhei.

— C'est bien comme ça. Parce qu'elle nous est adressée à nous. Hein, Atsuya ? Elle nous est reconnaissante à nous. Elle nous a écrit pour nous remercier. Nous qui ne valons rien.

Atsuya le regarda dans les yeux. Ils étaient rouges, on voyait qu'il avait pleuré.

— Moi, je la crois. Elle ne nous a pas menti quand je lui ai demandé si elle comptait bâtir un hôtel de rendez-vous à la place du foyer. "Le chiot qui doute" ne mentirait pas.

Atsuya hocha la tête parce qu'il était d'accord.

— Mais alors, on fait quoi ? demanda Kōhei.

— C'est évident, non ? On retourne là-bas, et on lui rend ce qu'on lui a pris, fit Atsuya en se levant.

— Oui, il faut la libérer, dit Shōta, lui enlever son bandeau sur les yeux, et son bâillon.

— C'est vrai.

— Et après ? On fera quoi ?

Atsuya secoua la tête.

— On ne fuira pas. On attendra la police, répondit-il à Kōhei.

Ses deux amis ne lui opposèrent aucun argument.

— On va aller en prison… fit Kōhei d'un ton triste.

— Si on se rend, on devrait avoir droit au sursis, dit Shōta en regardant Atsuya. Le problème, c'est ce qu'on fera ensuite. On aura encore plus de mal à trouver du travail. T'en penses quoi ?

Atsuya secoua la tête.

— Je sais pas. Mais je suis sûr d'une seule chose. Je ne volerai plus.

Ses deux amis l'approuvèrent du chef.

Ils rassemblèrent leurs affaires et se préparèrent à sortir. Le soleil était éblouissant. Des oiseaux chantaient.

Le regard d'Atsuya se posa sur la boîte à lait. Combien de fois s'était-elle ouverte et refermée pendant la nuit ? L'idée qu'il ne la toucherait plus le rendit un peu triste.

Il l'ouvrit une dernière fois et vit qu'elle contenait une enveloppe.

Shōta et Kōhei s'éloignaient de lui. Il les héla et leur montra l'enveloppe.

Elle était adressée à Monsieur X. Les caractères étaient élégants.

Atsuya ouvrit l'enveloppe et sortit la lettre qu'elle contenait.

Ceci est la réponse à la personne qui m'a adressé une feuille de papier vierge. Si ce n'est pas vous, merci de remettre ce message dans l'enveloppe, et l'enveloppe où vous l'avez trouvée.

Atsuya retint son souffle. C'était lui qui avait glissé cette feuille par la fente du rideau métallique. Il tenait entre ses mains la réponse à celle-ci, écrite par le vieux monsieur du bazar lui-même.

À l'attention de Monsieur X
Votre feuille de papier vierge a fait se creuser la tête du vieux bonhomme que je suis. Ça, c'est un vrai défi, me suis-je dit, je ne peux pas dire n'importe quoi.
J'ai longuement réfléchi en faisant appel à mes vieux neurones et je suis arrivé à la conclusion que cette feuille signifiait que vous n'avez pas de plan.
Je comparerais volontiers les personnes qui viennent me consulter à des gens qui ont perdu leur chemin. Dans la majorité des cas, ils ont en réalité une carte, un plan qui leur indique leur chemin, mais ils ne le consultent pas, ou bien ils ne savent pas où ils se trouvent sur ce plan.
Mais votre cas est différent. Votre plan est encore à l'état de feuille blanche. Et vous êtes dans une situation où vous ne savez même pas où trouver le chemin qui vous permettra de définir un but.
Cette feuille blanche vous embarrasse, et c'est normal. On serait embarrassé à moins.
Pourquoi ne pas changer de point de vue ? On peut dessiner n'importe quelle carte sur une feuille blanche. Tout dépend de vous. Votre liberté est infinie, comme vos possibilités.

C'est une chose merveilleuse. Ayez confiance en vous, et je prie pour que vous viviez votre vie sans regret.

Je croyais que je n'aurais plus la possibilité de répondre à des demandes de conseils. Permettez-moi de vous dire à quel point je suis heureux d'avoir eu une dernière question aussi ardue.

Bazar Namiya

Atsuya releva la tête. Il regarda les deux autres. Leurs yeux brillaient.

Comme les miens, se dit-il.

DU MÊME AUTEUR
DANS LA COLLECTION "ACTES NOIRS"

LA MAISON OÙ JE SUIS MORT AUTREFOIS
roman traduit du japonais par Yutaka Makino

Sayaka Kurahashi va mal. Mariée à un homme d'affaires absent, mère d'une fillette de trois ans qu'elle maltraite, elle a déjà tenté de mettre fin à ses jours. Et puis il y a cette étonnante amnésie : elle n'a aucun souvenir avant l'âge de cinq ans. Plus étrange encore, les albums de famille ne renferment aucune photo d'elle au berceau, faisant ses premiers pas…

Quand, à la mort de son père, elle reçoit une enveloppe contenant une énigmatique clef à tête de lion et un plan sommaire conduisant à une bâtisse isolée dans les montagnes, elle se dit que la maison recèle peut-être le secret de son mal-être. Elle demande à son ancien petit ami de l'y accompagner.

Ils découvrent une construction apparemment abandonnée. L'entrée a été condamnée. Toutes les horloges sont arrêtées à la même heure. Dans une chambre d'enfant, ils trouvent le journal intime d'un petit garçon et comprennent peu à peu que cette inquiétante demeure a été le théâtre d'événements tragiques…

Keigo Higashino compose avec *La Maison où je suis mort autrefois* un roman étrange et obsédant. D'une écriture froide, sereine et lugubre comme la mort, il explore calmement les lancinantes lacunes de notre mémoire, la matière noire de nos vies, la part de mort déjà en nous.

LE DÉVOUEMENT DU SUSPECT X
roman traduit du japonais par Sophie Refle

Ishigami, un professeur de mathématiques, est amoureux de sa voisine, Yasuko Hanaoka, une divorcée qui élève seule sa fille. Mais son ex-mari a retrouvé sa trace et la harcèle. Elle le tue en cherchant à protéger sa fille, qu'il a attaquée. Ishigami, qui a tout entendu, y voit l'occasion de se rapprocher d'elle et lui propose son aide. Il entreprend alors de maquiller le crime avec une rigueur toute scientifique.

Un corps nu, la tête éclatée et le bout des doigts brûlés, est bientôt retrouvé au bord du fleuve. L'inspecteur Kusanagi est chargé de l'enquête. Il consulte souvent son ami Yukawa, un brillant physicien qui, grâce à ses facultés de déduction logique, l'aide sur certaines affaires. Or Yukawa se souvient d'Ishigami, un ancien camarade d'université. Il se souvient de sa remarquable intelligence, de ses intuitions fulgurantes, de sa personnalité énigmatique. Il se souvient aussi de la fameuse aporie mathématique qui les captivait tous deux : est-il plus difficile de chercher la solution d'un problème que de vérifier sa solution ? Guidé par un sinistre pressentiment, le physicien engage alors avec le mathématicien une joute fascinante pour la vérité. Au sommet de son art, Keigo Higashino compose un roman policier implacable où la froide ivresse de la déduction le dispute à la folle logique de la passion.

UN CAFÉ MAISON

roman traduit du japonais par Sophie Refle

Dans une maison des beaux quartiers de Tokyo, Yoshitaka Mashiba annonce froidement à son épouse Ayané qu'il va la quitter et qu'elle ne doit pas en être surprise, puisqu'elle n'a pas respecté les conditions du contrat qui les liait en ne lui donnant pas d'enfant. Qui plus est, il a rencontré une autre femme, et il veut reprendre sa liberté. Elle décide alors de partir passer quelques jours chez ses parents, à Sapporo.

Le surlendemain, on retrouve le cadavre de Yoshitaka gisant dans son salon à côté d'une tasse de café renversée. Kusanagi et son équipe sont dépêchés sur les lieux. Prévenue, l'épouse de la victime rentre de Sapporo, et visiblement l'inspecteur n'est pas insensible à ses attraits. Sur le front de l'enquête, il est rapidement établi que le café bu par Mashiba contenait de l'arsenic, mais le meurtre a autrement toutes les apparences du crime parfait. Soupçonnant Ayané Mashiba, la collègue de Kusanagi prend alors contact avec le physicien Yukawa, qui a déjà aidé la police dans le cadre d'affaires apparemment insolubles. Il refuse d'abord son concours, mais change d'avis lorsqu'elle lui apprend que les sentiments de Kusanagi pour la suspecte semblent l'égarer.

Keigo Higashino reprend le couple Kusanagi-Yukawa, déjà rencontré dans *Le Dévouement du suspect X*, et noue une nouvelle fois une énigme pleine de nuances, dans laquelle séduction et déduction se livrent à une joute délicieuse qui fait tout le charme de ce roman couronné du prix Naoki, l'un des plus prestigieux au Japon.

LA PROPHÉTIE DE L'ABEILLE

roman traduit du japonais par Sophie Refle

Un matin d'été, la voiture de l'ingénieur Yuhara pénètre dans le complexe de Nishiki Heavy Industries. C'est aujourd'hui que l'hélicoptère sur lequel il travaille depuis des années doit être livré à son commanditaire, l'Agence de défense du Japon. Sa femme et son fils l'accompagnent pour assister à la démonstration de vol. Yuhara se rend dans son bureau tandis que sa famille l'attend à la cafétéria en compagnie de l'épouse d'un collègue et de son petit garçon. Les deux enfants vont jouer dehors et réussissent à se glisser dans le hangar où se trouve l'hélicoptère, et même à bord de l'appareil. L'un des deux est encore dedans lorsque celui-ci se met à bouger. Bientôt, sous les yeux terrifiés de son compagnon de jeu, l'hélicoptère prend son envol. D'abord stupéfaits, les ingénieurs comprennent sans tarder que l'appareil a été manipulé à distance.

Moins d'une heure plus tard, l'hélicoptère s'immobilise au-dessus d'un réacteur nucléaire. Les autorités reçoivent un message signé de "l'Abeille du ciel" : l'appareil, chargé d'explosifs, s'écrasera sur le réacteur quand il aura épuisé son carburant si toutes les centrales du Japon ne sont pas mises immédiatement hors d'état de fonctionner...

Dans ce thriller magistral publié pour la première fois au Japon en 1998, Keigo Higashino décrit en temps réel la menace d'une catastrophe nucléaire. Alliant l'art du rebondissement à l'intelligence des situations, il compose une intrigue imparable, portée par la prescience du désastre à venir.

L'ÉQUATION DE PLEIN ÉTÉ

roman traduit du japonais par Sophie Refle

Dans le train qui l'emmène à Hari-Plage, où il doit passer une semaine chez son oncle et sa tante, Kyōhei Esaki, un garçon âgé d'une dizaine d'années, fait connaissance avec le professeur Yukawa. Le physicien, qui doit séjourner quelque temps dans la station balnéaire, décide de descendre dans l'auberge tenue par l'oncle du petit garçon.

Le soir de leur arrivée, l'autre client de l'auberge disparaît. Son cadavre est retrouvé le lendemain sur des rochers en bord de mer. Il s'agit de Masatsugu Tsukahara, un ancien policier de Tokyo. La police locale conclut à un accident, mais l'autopsie réalisée grâce à l'intervention de Tatara, un policier haut placé de la capitale qui a eu le défunt pour mentor, montre qu'il s'agit d'une intoxication au monoxyde de carbone, et donc d'un meurtre.

Les policiers locaux mènent l'enquête, mais Tatara, qui doute de leurs capacités, demande à Kusanagi, l'ami policier de Yukawa, d'enquêter discrètement à Tokyo sur la raison de la visite de Tsukahara à Hari-Plage. Ses investigations le font bientôt remonter à la mort d'une entraîneuse une quinzaine d'années plus tôt. Le policier entame alors une nouvelle collaboration informelle avec le scientifique qui refuse toutes les simplifications.

Le regard posé à hauteur de tatami, Keigo Higashino excelle à sublimer les blessures intimes en intrigues policières. Avec *L'Équation de plein été*, l'orfèvre du polar nippon compose de nouveau un roman faussement simple et authentiquement humain, à la mélancolie lumineuse.

LA LUMIÈRE DE LA NUIT
roman traduit du japonais par Sophie Refle

Alors qu'un prêteur sur gages est retrouvé assassiné dans un immeuble en construction d'Osaka, le policier Sasagaki établit rapidement que la dernière personne à avoir vu la victime avant sa mort est une femme vivant seule avec sa fille Yukiho. Celle-ci a une dizaine d'années, tout comme Ryōji, le fils du prêteur sur gages, et fréquente la même école. Pour le reste, l'enquête est dans l'impasse.

L'année suivante, un ami de cette femme meurt dans des circonstances étranges, puis c'est elle-même qui disparaît. La police conclut à l'accident dans un cas, au suicide dans l'autre.

Le temps passe. Yukiho devient lycéenne, puis étudiante ; elle se marie, divorce, se remarie. Rien ne semble pouvoir arrêter son ascension sociale. Ryōji, de son côté, vit en marge de la société, s'enrichit dans des combines douteuses et se débarrasse par tous les moyens possibles des obstacles qu'il rencontre sur sa route… Quand le policier Sasagaki – désormais en fin de carrière, et hanté par l'échec de l'enquête sur la mort du prêteur sur gages – rouvre le dossier, la mort frappe à nouveau.

Formidable conteur, Higashino livre avec *La lumière de la nuit* un roman d'une ampleur et d'une ambition inégalées, dans lequel la précision millimétrique de l'écriture, toute au service de l'intrigue, s'enrichit d'une imposante fresque sociologique du Japon.

Adapté plusieurs fois pour le grand et le petit écran, ce roman du maître Higashino s'est vendu à plus de deux millions d'exemplaires dans l'archipel.

LA FLEUR DE L'ILLUSION

roman traduit du japonais par Sophie Refle

Lino vient de perdre son cousin Naoto. Personne ne comprend pourquoi ce dernier a mis fin à ses jours : il ne montrait aucun signe de dépression et son groupe de musique était aux portes du succès. À l'occasion du drame, la jeune femme se rapproche de son grand-père. Elle découvre alors ses extraordinaires cultures de fleurs. Fascinée, elle lui propose de tenir un blog pour présenter son travail. Le grand-père accepte mais à une condition : ne rien poster sur une certaine fleur jaune qu'elle a vue chez lui. Quelques jours plus tard, Lino rend visite à son aïeul et retrouve son corps sans vie.

S'apercevant que le pot contenant l'énigmatique fleur jaune a disparu, elle décide de mettre en ligne une photo du cultivar. Rapidement, un certain Gamo Yosuke, qui se prétend botaniste, la contacte, lui conseille de supprimer la photo et de lui apporter la fleur. Chez lui, elle fait par hasard la connaissance de son jeune frère Sota, qui ne comprend pas pourquoi son aîné s'intéresse à cette fleur et s'est fait passer pour un botaniste alors qu'il travaille dans la police. Lino et Sota se mettent à enquêter ensemble pour découvrir ce qui se cache derrière cette mystérieuse fleur.

Minutieux orfèvre, Keigo Higashino a conçu sa *Fleur de l'illusion* comme un véritable origami policier. Le lecteur y admire tour à tour la fantastique complexité des innombrables plis, l'extrême raffinement de la forme et la trompeuse simplicité d'un art subtil.

LES DOIGTS ROUGES

roman traduit du japonais par Sophie Refle

Maehara Akio est un homme ordinaire qui mène une existence ordinaire d'employé de bureau. Il vit avec sa femme, son fils et sa mère vieillissante. Un jour, il reçoit un appel de son épouse au travail. La chose est inhabituelle. La demande qu'elle lui fait l'est encore davantage : revenir immédiatement à la maison. Elle refuse de lui en dire plus mais la panique qu'il entend dans sa voix le convainc de partir aussitôt. À son arrivée, sa femme lui apprend que leur fils, âgé de quatorze ans, a tué une fillette et que le cadavre gît dans le jardin…

Le lendemain, le corps de la petite victime est retrouvé dans des toilettes publiques. Alors que son père est mourant à l'hôpital, Kaga Kyōichirō prend en charge l'enquête. Son jeune cousin, fraîche recrue affectée à ses côtés, s'étonne de la froideur implacable du limier que rien ne semble atteindre, ni l'agonie d'un proche ni les pires turpitudes de l'âme humaine. À travers lui, le lecteur observe, médusé, la mécanique insondable et parfaite d'un esprit policier.

Avec toujours le même génie, Keigo Higashino comprend tout, explique tout. Ce roman, dont l'atmosphère rappelle celle du *Dévouement du suspect X*, est un des plus sombres du maître nippon.